W9-AHJ-799

NOVELA HISTÓRICA

Miguel de Grecia

La emperatriz del adiós

Traducción de

TERESA CLAVEL

PLAZA & JANÉS EDITORES, S.A.

Título original: *L'impératrice des adieux*

Primera edición: junio, 2000

Printed in Spain – Impreso en España

ISBN: 84-01-32810-1
Depósito legal: B. 22.624 - 2000

Fotocomposición: Víctor Igual, S. L.

Impreso en A & M Gràfic, S. L.
Santa Perpètua de Mogoda (Barcelona)

L 3 2 8 1 0 1

Para M. de M.
y para Patrick, el inspirador

1

Aunque es agosto, llueve a cántaros; y aunque la familia se halla reunida para celebrar unos «felices esponsales», todos lloran desconsoladamente. El padre, la madre, los cuatro hijos y las tres hijas están tan unidos que no se hacen a la idea de que una de estas últimas vaya a dejarlos para casarse. No obstante, es preciso resignarse a lo inevitable.

No se trata de una familia corriente. Al contrario, es la principal familia de Europa, la de los Orleáns, perteneciente a la Casa de Francia. El padre, Luis Felipe, es el rey de los franceses. Y, hecho excepcional en su linaje, se lleva maravillosamente bien con su mujer, María Amelia, a quien no ha engañado jamás.

La revolución que lo llevó dos años antes al poder ha desencadenado disturbios en toda Europa y creado dificultades en los estados del rey de Holanda. Bélgica se ha apartado de éste para declararse independiente, y debido a ello es en cierto modo hija, si no de Luis Felipe, de Francia. Inglaterra, sin embargo, se ha opuesto firmemente a que uno de sus hijos vaya a reinar a Bruselas. Con todo, dejarán que el candidato de Inglaterra, Leopoldo de Sajonia-Coburgo, se convierta en rey de los belgas siempre y cuando se case con una de las hijas de Luis Felipe, Luisa. La razón de Estado impone ese matrimonio.

Estamos en el verano de 1832. Luis Felipe ha decidido que la boda se celebre en el castillo de Compiègne. Cuando él y su familia llegan, la víspera de la ceremonia, ya tienen los ojos enrojecidos y ya ha empezado a llover. Aun así, María Amelia ha experimentado un leve placer visitando el castillo, cuyas quinientas camas ha contado personalmente. Luis Felipe, con su legendaria cicatería, no ha hecho ningún arreglo pese a la importancia del acontecimiento. Las estancias conservan su apariencia vetusta y un ligero olor a moho.

Luis Felipe ha bajado al patio a recibir a su futuro yerno, Leopoldo de Sajonia-Coburgo, primer rey de los belgas, que ha tardado en llegar varias horas más de lo previsto porque su séquito se había retrasado. Por fin ha sido presentado a su prometida. La joven —veinte años— ha dirigido una mirada temerosa al imponente cuarentón que, por mor de su actitud dura y fría y de su porte envarado, aparenta más edad de la que tiene. Habla francés con lentitud y un marcado acento alemán. De mirada penetrante, rostro lampiño y mandíbula bastante cuadrada, le escasea el cabello, que lleva peinado hacia adelante. El uniforme acentúa su rigidez. Por su parte, mira con impasibilidad, casi indiferencia, a la muchacha que va a convertirse en su esposa. De las tres princesas de Orleáns, ella es la que más se parece a su madre, lo que significa que no es una belleza. Es menos huesuda, sin embargo, que María Amelia, y hay tanta dulzura en su expresión y tanta gracia en sus maneras que se la podría considerar atractiva.

La conversación, iniciada con dificultad, se estanca. Luis Felipe tiene la feliz ocurrencia de conducir al rey de los belgas a su gabinete. Los hermanos y las hermanas de Luisa respiran, aliviados, y no ocultan que su futuro cuñado les parece soberanamente aburrido. De nuevo corren las lágrimas. Pero hay que poner buena cara, pues los «festejos» ya han comenzado: revista de la guardia nacional, con una nutrida asistencia de campesinos vestidos con sus mejores galas, y gran banquete al que se permite asistir al pueblo para que vea cómo se divierten y solazan sus príncipes. La recepción de embajadas es interminable. Ante una de ellas, Luis Felipe, abrumado, confiesa que al entregar a su hija al rey de los belgas está haciendo el mayor sacrificio de su vida; nada más decirlo, se percata de que ha sido una inconveniencia y rectifica: «Pero será feliz.»

Llega el 9 de agosto de 1832, día fatal de la boda, cuyas etapas María Amelia describe. A las siete y media está rezando con Luisa: «Suplico con toda el alma al Señor Todopoderoso que prodigue sus celestes bendiciones a esta querida niña.»

A continuación, durante una entrevista decisiva con Luis Felipe y a pesar de que sólo faltan unas horas para la ceremonia, el rey le pregunta una vez más a su hija si está realmente decidida a casarse con Leopoldo. Si Luisa prefiere no hacerlo, no pasa nada. Será él, Luis Felipe, quien reciba las críticas, y se le propondrá a Leopoldo contraer matrimonio con una de las hermanas de Luisa. Tras reflexionar detenidamente, ésta responde que, con toda sinceridad, encuentra ese enlace «razonable», que todos los parientes y amigos en los que confía se lo han aconsejado y que, por lo tanto, está decidida a formalizarlo.

El momento de vestirse ha llegado. Engalanan a Luisa con un suntuoso vestido de encaje inglés, un collar, unos pendientes y un medallón de diamantes que le ha regalado el novio. Le colocan sobre la cabeza un velo, también de encaje, sujeto con pasadores de diamantes, y encima una corona de azahar.

Son las ocho y media de la tarde. Todo el mundo se encuentra reunido en el gran gabinete del rey. Los novios están entre Luis Felipe y María Amelia: «Luisa estaba tan pálida y triste que daba pena verla.» Afortunadamente, la ceremonia es muy breve, a pesar de que también se celebra siguiendo el ritual protestante: Leopoldo, aun siendo rey de un país católico, permanece fiel al luteranismo de su infancia.

Ahora hay que dejar a Luisa sola con su marido. Tras hacerle rezar sus oraciones, María Amelia desnuda y acuesta a su hija. Luego, con los circunloquios de rigor, le explica lo que le espera. «Ha llorado mucho y no quería que me marchara. Al final se ha dormido por puro cansancio y yo me he ido a la habitación contigua para esperar hasta que su marido fuera a acostarse. Después me he retirado, extenuada física y mentalmente.»

A la mañana siguiente, los más madrugadores se quedan estupefactos al ver al recién casado dando, como de costumbre, un paseo por el parque. Sigue lloviendo, y para colmo el cólera está causando estragos en Compiègne. Los coraceros van en tropel a buscar la bandera de su regimiento, pues su coronel ha muerto la noche anterior, víctima de la epidemia.

Unos días más tarde, la partida de los recién casados marca la verdadera ruptura entre Luisa y su familia. Tras numerosos ruegos, bendiciones y súplicas, los padres, los hermanos y las hermanas de Luisa acompañan a ésta y a Leopoldo hasta su carruaje.

«Y vimos alejarse al tesoro y el ángel de nuestra vida. Después, me encerré con el rey en su gabinete y allí nos quedamos llorando juntos.»

Los habitantes de Compiègne no se privan de protestar contra la avaricia de su soberano. El «gran banquete» los ha decepcionado. Ellos esperaban unos festejos deslumbrantes, comitivas, fuegos artificiales, bailes cuyo mágico espectáculo habrían podido ver por las ventanas del castillo. Pero, por desgracia, los príncipes prefirieron divertirse en privado, sin compartir nada con su buen pueblo. Por lo demás, los habitantes de Compiègne se hubieran quedado no poco sorprendidos al ver en qué estado se hallaban sus príncipes. María Amelia llora quedamente sobre el hombro de Luis Felipe. La princesa María, la hermana que sigue a Luisa, solloza desconsoladamente mientras repite una y otra vez lo desdichada que se siente, y hasta el más pequeño, Toto, el duque de Montpensier, dominado por la emoción de los mayores, deja correr las lágrimas.

Una vez sola con Leopoldo, Luisa no tiene otro consuelo que desahogarse por escrito con su madre, a fin de expresar lo mucho que añora a la familia que ha dejado y que su marido no sustituirá jamás. Porque, pese a sus esfuerzos, no logra sentir amor por él. Amistad, sí, pero amor, imposible. Y ni siquiera esa amistad es comparable al amor filial que la une a sus padres. Lo confiesa: no lo amaba antes de casarse con él y sigue sin amarlo después de la boda. Si pudiera volver atrás, preferiría quedarse soltera, cosa a la que, por lo demás, se había resignado antes de la proposición de Leopoldo. Y además, lo peor es que detesta hacer el amor. ¿Será frígida, o tendrá la culpa Leopoldo? ¿Cómo va a saberlo, si no «conoce» a ningún otro hombre? «Sus caricias y su familiaridad me dejan indiferente. Las soporto, le dejo hacer, pero me producen más repulsión que placer. Si quisiera amarme como me aman mis hermanos y dejarme que yo lo amara del mismo modo, me sentiría muy satisfecha. Hay cosas que me dejan fría y me irritan igual que el primer día. No desarrollo lo que yo llamaría el aspecto animal de mi nueva posición; no me atrae, me repugna, me asquea. Y yo diría que él se da cuenta, porque a veces me dice: "¿Es que ya no me quiere mi mujercita?" Entonces lo tranquilizo al respecto, pero lo hago con la boca pequeña.» Si tuviera que resumir sus sentimientos, sus reacciones en relación con Leopoldo, utilizaría una sola palabra: «indiferencia». Pero es preciso resignarse: está casada ante Dios y es reina.

Nada más llegar a Bruselas, sin haber tenido ni un solo momento para adaptarse a la nueva situación, debe empezar a ejercer su «oficio». La educación recibida la había preparado para ser una princesa de pies a cabeza, por supuesto, pero hasta entonces había desempeñado este papel en familia. Ahora está sola. La timidez la paraliza, y tratar con tantos desconocidos a la vez, a semejante ritmo, llega a ser una tortura. Según confiesa ella misma, se muere de vergüenza, y se siente tan turbada que está a punto de caerse del coche durante la visita oficial a Lovaina. Cada cena de gala que debe presidir se convierte en una pesadilla.

Los primeros tiempos son difíciles porque Luisa se siente poco apoyada. Leopoldo hace todo lo posible para limar las asperezas, pero ese hombre frío no sabe manifestar la ternura que espera Luisa y, sobre todo, cosa que una mujer percibe instintivamente a pesar de los silencios y las mentiras, quiere a otra, o más bien quiso a otra que ha muerto y a la que continúa venerando más allá de la muerte.

Leopoldo, nacido en los albores de la Revolución Francesa, pertenecía a una rama menor de la antigua Casa de Sajonia. Octavo y último hijo de un soberano que reinaba en un minúsculo ducado, formaba parte de ese rebaño de innumerables principillos germánicos sin fortuna y sin futuro aparente. Tenía apenas dieciséis años cuando Alemania se había visto sacudida y a continuación convulsionada por la invasión francesa de Napoleón. Había asistido a la ocupación de su patria, del ducado de su padre. De repente, éste había muerto. Dado que su hermano mayor estaba muy ocupado en aquella época, Leopoldo había tenido que hacerse cargo de los asuntos del ducado, sumido entonces en el marasmo. Decidió, pues, ir a defender la causa de su reino a la corte de Napoleón. Allí conquistó a la emperatriz Josefina y a su hija, la reina Hortensia; el propio Napoleón se fijó en él, e incluso estando exiliado en Santa Elena se había referido al joven príncipe considerándolo el militar más apuesto que había visto en su vida e insistiendo en que se alistara en su ejército. Pero Leopoldo había notado que el viento estaba cambiando de dirección. Entonces recordó que una de sus hermanas se había casado con el hermano del zar y otra con el hermano de la zarina madre. Rusia lo recibió con los brazos abiertos y le dio un puesto de mando. Combatió contra los franceses con valor e inteligencia. Tenía alma de guerrero y era un magnífico oficial.

Entró en París junto con los aliados, bailó en el Congreso de Viena y visitó Londres con los vencedores. Fue entonces cuando se le presentó una oportunidad inesperada. El rey de Inglaterra, Jorge IV, sólo tenía una hija, Carlota, princesa de Gales, destinada a heredar la corona. La joven había alcanzado una edad en que ella misma, su padre, el gobierno y todo el mundo le buscaban marido. El ambicioso Leopoldo, sin pensárselo dos veces, se propuso conquistar a la princesa. No tuvo éxito, pues ella estaba secretamente enamorada de un apuesto príncipe de Prusia que prefirió apartarse. Jorge IV quería que su hija se casara con el hijo del rey de Holanda, candidato más prestigioso que Leopoldo. En vista de que Carlota no quería ni oír hablar del asunto, su padre había llegado a sobornar a las damas de honor para que la mantuvieran prácticamente secuestrada. Aquella prisión mortificaba tanto a la princesa de Gales que pronto vio en Leopoldo una puerta de salida. No lo amaba, pero el matrimonio le daría la libertad. Así pues, Carlota comunicó su decisión a su padre, que puso el grito en el cielo y se negó en redondo. Leopoldo no era un partido suficientemente bueno. El holandés, por su parte, cansado de esperar a Carlota, se casó con una gran duquesa rusa. Entonces Jorge IV, ofendido, autorizó a Carlota a casarse con Leopoldo. ¿Y a quién se invitó a la boda sino a los grandes amigos de Jorge IV, los Orleáns, que a raíz de los Cien Días habían recuperado su residencia inglesa de Twickenham? Luis Felipe, María Amelia y sus hijos, entre ellos la joven Luisa, asistieron a la ceremonia.

Poco a poco, la ambición de Leopoldo cedió terreno al corazón. Amaba sinceramente a Carlota y la comprendía. Esa hija única e infeliz de unos padres escandalosos que se odiaban a muerte y se habían separado brutalmente, escondía bajo unos modales bruscos y un comportamiento a veces incluso grosero una sensibilidad herida. Leopoldo supo suavizar, apaciguar esa naturaleza. Carlota, agradecida, le pagó dándole su amor. Unos meses después de la boda se quedó encinta. Tanto para ella como para Leopoldo y para sus futuros súbditos fue una alegría inmensa. Carlota decía a quien quisiera escucharla que, cuando sucediese a su padre, no aceptaría que su Leopoldo fuera un mero príncipe consorte; lo haría rey.

Y si la nación le negaba eso, entonces se retiraría con él a una cabaña...

El momento de dar a luz llegó. El parto fue largo y muy difícil. El niño nació muerto, y la madre no quedó en mucho mejor estado a causa del agotamiento. Unas horas más tarde murió repentinamente, exhalando un suspiro. Fue un disgusto para toda Inglaterra, que adoraba a su princesa. Para Jorge IV, que se quedaba sin sucesor para el trono, fue un drama. Y para Leopoldo fue el fin de todo. La muerte de Carlota lo sumía de nuevo en la oscuridad.

Unos años más tarde, la suerte pareció sonreírle de nuevo. Grecia, que poco tiempo antes había alcanzado la independencia, estaba buscando un rey. Leopoldo había sabido atraer la atención del gobierno británico, que apoyó su candidatura. Le ofrecieron el trono de Grecia y él se apresuró a aceptarlo. Pero, prudentemente, puso sus condiciones, las cuales fueron rechazadas, y finalmente se retiró.

La independencia de Bélgica le brindó otra oportunidad. Una vez más, fue presentada su candidatura, y en esta ocasión se aceptaron sus condiciones. Entre aquel alemán frío y ambicioso y los belgas, en plena ebullición, la unión cuajó de inmediato. Leopoldo se apresuró a buscar una esposa que le permitiera darle a Bélgica una dinastía. La elegida fue Luisa. No había olvidado a Carlota, ni mucho menos; no pasaba un solo día que no la echara de menos. Se había llevado a Bruselas el retrato que ella le regalara y no podía contemplarlo sin experimentar una violenta emoción. Luisa, por su parte, tal vez se sintiera celosa de la difunta, pero en cualquier caso tuvo el tacto de adaptarse a las circunstancias e incluso de colgar en sus aposentos otro retrato de Carlota, lo que le granjeó la amistad de su marido.

«Mamá, soy feliz... Quiero a mi marido y, sobre todo, lo aprecio profundamente. Ese aprecio y ese cariño aumentan de día en día, y la unión de nuestros pensamientos y sentimientos es cada vez mayor.» Decididamente, el tono de Luisa había experimentado un cambio radical. Leopoldo y ella tenían tantas cualidades que el aprecio mutuo, la amistad y la confianza habían acabado por unirlos.

Su primer hijo fue un varón que, como tal, garantizaba el futuro de la dinastía.

Leopoldo estaba loco de alegría y Luisa se sentía feliz por la dicha de su marido. Bautizaron al niño con el nombre de Luis Felipe en honor del abuelo, cuya legendaria salud el bebé parecía haber heredado. Todo sonreía a la pareja. Hasta que, de repente, diez meses más tarde, el niño murió inexplicablemente. Fue un drama. Sin embargo, no tardaron en tener otro hijo, también varón, al que le pusieron el nombre del padre: Leopoldo. Después vino otro niño, Felipe. La reina Luisa esperaba haber acabado con el deber conyugal y los embarazos, pero Leopoldo estaba ávido de descendientes, de modo que ella volvió a quedarse encinta... y fue un embarazo agotador.

En la fecha prevista para el parto, la reina María Amelia viaja desde París acompañada de su dama de honor favorita, la condesa de Hulst, amiga de la infancia de Luisa. El parto es largo y difícil. El bebé, una niña, nace el 7 de junio de 1840 a la una de la madrugada. La llegada al mundo de una princesa real va acompañada del ceremonial acostumbrado: cañonazos, luces, visitas de delegaciones, manifiestos, felicitaciones, flores...

La alegría de los belgas es conmovedora. Todos están encantados excepto el padre, su soberano. Obsesionado por asegurar la dinastía, quería otro varón. Está tan decepcionado que no deja pasar ni una semana para irse solo a sus amadas Árdenas, dándole la espalda al bebé, la madre y la abuela.

Mientras tanto, con el deseo de calmar los ánimos, a la niña se le ha puesto el nombre de la primera esposa. La princesita se llamará Carlota, como la difunta princesa de Gales. A Luisa le preocupa la decepción de Leopoldo. María Amelia, con su experiencia, la tranquiliza y le predice que ese enfado no durará mucho tiempo. La abuela tiene razón, pues en unos años Carlota se convierte en la favorita de su padre. A decir verdad, es encantadora. Tez delicada, grandes ojos oscuros, nariz fina, minúscula boca rosa, largos cabellos negros; ya se aprecia un brillo de inteligencia en su mirada y una actitud ligeramente arrogante.

Leopoldo demuestra sentirse orgulloso de la belleza de su hija, pero la educa con mano dura, igual que a sus hijos varones: colchón de crin, despertar al amanecer con un vaso de aceite de hígado de bacalao. En cuanto tiene edad para ello, comienza a recibir clases bajo la dirección de numerosos profesores. En prueba de la estima en la que tiene a su esposa, Leopoldo ha dejado que la reina Luisa se encargue de la educación de sus hijos. El catecismo da comienzo y pone fin a largas jornadas dedicadas a una sucesión de clases. Nada de mimos ni de golosinas. De París llegan cajas de juguetes enviadas por los abuelos, pero a los niños se les deja muy poco tiempo para que disfruten de ellos. Con todo, Carlota recibe parte de las exquisiteces que María Amelia le envía a su hija Luisa: uvas de Fontainebleau, mandarinas de Malta, higos de Nápoles, ciruelas confitadas, pastillas con sabor a café y a vainilla, caramelos Bonnet contra la tos, pasteles de frutas de Terrier, mermeladas de Tours, pastillas de Vichy. Desenvolver febrilmente esos paquetes procedentes de las Tullerías, abrir las cartas y contar las noticias constituye la mayor distracción de Carlota.

Al llegar a Bruselas después de la boda, la reina Luisa encontró como residencia un palacio muy bien situado pero glacial, que consiguió humanizar. Ella se instaló en una estancia del primer piso con dos ventanas que daban al parque, bastante exiguo pero con hermosos árboles. La tapizó de rojo y colgó los retratos de su familia. A su única hija le permite permanecer allí más tiempo que a los chicos.

Mientras Carlota juega con sus muñecas, la reina Luisa se sumerge en los clásicos. Su gran pasión es la novela-folletín del estilo de *El último mohicano*; devora las obras de Alejandro Dumas y Eugène Sue. O bien deja a un lado el libro que está leyendo y pinta. Al igual que todos los miembros de su familia, tiene un gran talento para la pintura. Recibió clases de Redouté, el pintor de las rosas, y Carlota, maravillada, ve aparecer bajo el pincel de su madre un ramillete de pensamientos azules y amarillos sobre el que la reina Luisa pone una gota de rocío. Nada de música, pues a la reina Luisa, como a todos los Orleáns, le horroriza. Pese a haber conocido a Rossini y a Liszt en casa de sus padres, a haber recibido en palacio a Paganini y a Johann Strauss, los conciertos y sobre todo la ópera la aburren mortalmente. Al revés que a su marido, que, como buen alemán, se embriaga de música.

Los fines de semana los pasan en el castillo de Laeken, en las afueras de Bruselas. Toda la familia está encantada de ir allí, en especial los niños, que pueden correr y retozar en el vasto parque desnivelado. No obstante, se corre el riesgo de tener encuentros desagradables, como lo atestigua la primera carta de Carlota a su padre: «Querido papá: Tengo que pediros un favor. Me gustaría mucho que permitierais que encierren al cisne grande, que es muy latoso. Ya no disfruto paseando por el parque porque me da miedo. Vos sois tan bueno y queréis tanto a vuestra pequeña Carlota que seguro que no le negaréis lo que os pide.»

En vacaciones, Leopoldo lleva a los suyos a Ostende, donde empieza a imponerse la moda de los baños de mar. La villa real, bastante modesta, está recién acabada cuando anuncian la visita de la sobrina ilustrísima, la reina Victoria de Inglaterra. Al acceder al trono a los dieciocho años, la joven Victoria se había dirigido a su tío Leopoldo para pedirle consejo. Él le había sugerido que se casara y, decidido a promocionar a los miembros de su familia, le había comentado que su sobrino Alberto, el hijo de su hermano, sería un marido perfecto. El flechazo fue inmediato, así que Victoria se casó con su primo hermano, para gran satisfacción del tío Leopoldo.

La pareja real británica llegó a Ostende con gran pompa, en su yate escoltado por buques de la Armada. Carlota estaba excitadísima. Observó con curiosidad a aquella mujercita veinte años mayor que ella, que era su prima hermana y también una poderosa reina. Victoria había llevado para la niña unas muñecas que le gustaron mucho, así que Carlota le escribió una carta de agradecimiento en su mejor inglés, pues, dotada para los idiomas, ya hablaba este idioma, además de francés y alemán, y más tarde aprendería italiano y español.

La reina Victoria era una figura, pero Luis Felipe era mucho mejor aún. La corte de Inglaterra resultaba provinciana en comparación con la corte de Francia, y la reina Luisa, que mantenía estrechos lazos con su familia y le hacía frecuentes visitas, llevaba a Carlota, quien veía allí no sólo a sus abuelos, sino también a sus tíos y tías, todos jóvenes, guapos y brillantes. Tía María, la que iba detrás de Luisa, era la más guapa. Tía Clementina, la menor, la más inteligente con diferencia. En cuanto a sus tíos —Nemours, Aumale, Joinville, Montpensier—, eran militares ardientes, donjuanes capaces de resultar interesantes e incluso seductores a ojos de la hermosa niña. Además, no retrocedían ante una broma atrevida, pues a los Orleáns siempre les había gustado reír.

Bruselas era una ciudad tan silenciosa y tranquila que en ocasiones parecía desierta. París era ruidosa, febril, estaba superpoblada. El rey Leopoldo, consciente de que tenía que asegurar su reciente posición, buscaba cierto ceremonial, pero Bélgica sólo podía permitirse una corte limitada, mientras que Luis Felipe, pese a su tendencia al ahorro y sus apariencias democráticas, estaba rodeado de una corte magnífica. A los ojos de Carlota aparecía como un universo deslumbrante, por más que los mayores se quejaran de que aquello era un velatorio, después de haber conocido los fastos de Napoleón y de la Restauración. Vivarachos ayudantes de campo, damas de honor sonrientes e innumerables sirvientes, con la librea azul y roja de los Orleáns, surcaban el enorme palacio de las Tullerías. Era una sucesión de salones inmensos y espléndidos, estancias desmesuradas que albergaban las fabulosas colecciones de cuadros, objetos y libros que los Orleáns, mecenas incomparables, habían acumulado generación tras generación.

En esa corte, Carlota ya lleva, para su gran contento, una vida de persona mayor. Asiste a las representaciones de Molière que los actores de la Comédie-Française van a dar a palacio. Incluso la llevan al teatro. Un día, la instalan en una ventana para que pueda presenciar la revista militar que está desarrollándose en los jardines. Enseguida se siente atraída por el uniforme, más concretamente por el uniforme francés.

Otro placer es el de los veraneos. En el castillo de Neuilly, auténtico *home* de los Orleáns, tíos, tías, primos y primas practican todos los deportes. En el palacio de Saint-Cloud, en las afueras de París, en un marco espléndido en el centro de un vasto parque de cuento de hadas, se lleva una existencia un poco más pomposa. Pompa que se abandona en el castillo de Eu, en Normandía, donde la vida es más patriarcal, donde se practican los baños de mar y los largos paseos por el bosque rebosante de caza. Sin embargo, a pesar de este sinfín de diversiones y esta compañía estimulante, Carlota no olvida ni un instante a su padre: «Pese a que aquí me divierto mucho, quisiera irme, porque un mes sin veros se hace interminable... Me siento triste de estar en Saint-Cloud sin vos, aunque me gusta mucho venir aquí para ver al abuelo y la abuela.»

Por más que el «abuelo» Luis Felipe aspirase a la sencillez, en el fondo era un gran señor, un príncipe, digno sucesor de sus antepasados, que habían despertado celos en toda Europa. Locuaz por naturaleza, le encantaba contar su vida, que era una auténtica novela de aventuras. Nació bajo el reinado de Luis XV, y recordaba a Luis XVI, a María Antonieta, la corte de Versalles y todo un mundo definitivamente perdido. General izquierdista, había congeniado con los grandes tenores de la Revolución —Marat, Robespierre, Danton—, a los que mencionaba como si los hubiera visto el día anterior, como si no fuera uno de los últimos testigos vivos de esa terrorífica época. Contaba que, al verse obligado a huir, había dirigido expediciones a Laponia (donde por cierto había dejado embarazada a la hija de un pastor), a Estados Unidos y a Cuba. Recordaba su entrevista con Washington y su visita a Nueva Orleans, así llamada en honor de su bisabuelo, el regente. Lo habían educado desde pequeño para que se adaptara a todas las circunstancias, de modo que se tomaba a risa las sórdidas condiciones que, en su calidad de viajero sin apenas recursos económicos, había sufrido en sus periplos. María Amelia sonreía cuando evocaba su noviazgo con ella y su entrada en la familia real napolitana, considerada la más conservadora de Europa. Siempre acababa por referirse a la revolución de 1830 que lo había llevado al trono. No había pedido, buscado ni esperado nada. Después de que Carlos X huyera con su familia y se le hicieran proposiciones al duque de Orleáns, su primera reacción había sido enviar a un emisario en busca del heredero legítimo, el pequeño duque de Burdeos. Los Borbón habían rechazado el ofrecimiento, y si él, Luis Felipe, había aceptado el trono, era con la única finalidad de salvar la monarquía. No renunciaba a defenderla.

Carlota era demasiado pequeña para entenderlo todo. Las descripciones de los viajes la fascinaban, pero los nombres de los personajes no le decían nada. No obstante, percibía, captaba la admiración de los oyentes y se concentraba para escuchar lo que escapaba a su comprensión. Luis Felipe, abuelo risueño, en realidad se mostraba bastante indiferente con los niños y tal vez también con los seres humanos en general.

El verdadero amor, el verdadero calor, lo dispensaba la «abuela» María Amelia. Era una entusiasta de su descendencia, los pequeños Orleáns y los pequeños Wurtemberg, hijos de María, aunque sentía un afecto especial por los belgas, como si ya presintiera su futuro. Desde muy pequeña, Carlota se hallaba estrechamente unida a ella. La abuela hacía que reinara la armonía, una cualidad que no poseía el abuelo.

Carlota escuchaba los comentarios que a veces se le escapaban al rey Leopoldo sobre su suegro y que acostumbraban a terminar con un: «Decididamente, padre es incorregible.» Observaba las reacciones de su madre, que se encogía de hombros o se mostraba reticente. Dada la confianza que tenía en su mujer, Leopoldo la hacía partícipe de su gran preocupación: los errores que cometía Luis Felipe, llevado por sus intrigas y su ceguera.

En febrero de 1848 está particularmente inquieto, pues percibe el peligro suspendido sobre el trono de su suegro y sabe que éste no es consciente de ello. Incluso le ha enviado mensajeros de confianza para advertirlo, pero Luis Felipe no ha querido hacer caso. «Decidle a mi yerno que todo va bien, que mi posición no peligra.» El 23 de febrero, Leopoldo manda a París a un hombre fiel para que observe los acontecimientos que él presiente inminentes. Dos días más tarde, el ministro belga de Obras Públicas, Frère Orban, da un suntuoso baile en Bruselas al que acude toda la alta sociedad. Al finalizar una polca, hace explosión la bomba: en París ha estallado la revolución y la familia real se ha dado a la fuga. Ha desaparecido.

Leopoldo había recibido unas horas antes información al respecto a través de su agente, quien le había facilitado numerosos pormenores. Leopoldo pone al corriente a la reina Luisa, y debido a su angustia ninguno de los dos repara en Carlota, que no se pierde detalle: la izquierda organiza la ridícula campaña de los banquetes; el gobierno de Luis Felipe los prohíbe. El conflicto degenera. Inesperadamente, la gente se subleva, la guardia nacional se niega a empuñar las armas para defender el trono y los sublevados derriban las verjas de las Tullerías. Luis Felipe, viejo, sorprendido, no sabe qué hacer. María Amelia le suplica que no ceda. Pero los ministros, e incluso el hijo que se halla presente, el duque de Montpensier, le aconsejan que abdique. Luis Felipe se sienta ante su escritorio y, lentamente, sin apresurarse, garabatea unas líneas en las que expresa su decisión de dejarle el trono a su nieto, el conde de París. Los gritos y los disparos se oyen cada vez más cerca. Es preciso huir. La entrada de las Tullerías está cortada. El anciano monarca, acompañado de su mujer, atraviesa penosamente el extenso jardín de las Tullerías. Tan sólo encuentra un coche de punto en la plaza de la Concordia, y desde allí ambos parten hacia un destino desconocido.

Leopoldo expresa su opinión sin ambages: «Padre no debería haber abdicado. No se abdica jamás, bajo ninguna circunstancia.» La pequeña Carlota escucha y, aunque sin entender demasiado de qué se trata, está de acuerdo con su padre. Nunca olvidará la lección, el hecho de que su abuelo y su abuela, a los que ha visto deslumbrantes en su palacio, rodeados de una corte respetuosa y pendiente de que sus menores deseos se vieran cumplidos, se hayan convertido en fugitivos, perseguidos por la gendarmería, la revuelta. El populacho ha ocupado y saqueado las Tullerías, rasgando los cuadros, rompiendo los objetos, haciendo añicos los cristales y arrojando los muebles por las ventanas. En cuanto al castillo de Neuilly, ha sido incendiado. No queda nada del territorio encantado de Carlota, que siente la destrucción de los lugares queridos como una especie de violación.

Luisa teme por los suyos, por sus hermanos, sus hermanas, sus sobrinos y sobrinas, pero sobre todo por sus padres, cuya suerte desconoce. Espera días y días sumida en una angustia cada vez más insoportable que repercute en Carlota. La Francia que ha vivido la Revolución quiere atrapar a toda costa al rey fugitivo para infligirle algún horrible castigo. Imágenes de un pasado no demasiado lejano atormentan a la reina Luisa. Manda hacer averiguaciones en todas partes, pero sin éxito. Luis Felipe y María Amelia se han desvanecido literalmente en el aire. La reina Luisa no come, no duerme, está cada vez más delgada, cada vez más pálida.

Finalmente, un correo lleva una exigua carta: «Para Luisa.» La reina de los belgas reconoce la letra de su madre: «Newhaven, 3 de marzo de 1848, a la una y media. Querido ángel de mi corazón: Tras nueve días de agonía cuyos detalles te daré más adelante, he llegado aquí con tu venerable y desdichado padre, y bendigo a Dios por haberme conservado este preciado tesoro. Él está bien. Yo estoy medio muerta y no sé nada de mis hijos. Que Dios te conserve con los tuyos, a los que envío un tierno abrazo, y te preserve de una desgracia como ésta.»

Tras escapar de París, Luis Felipe y María Amelia se habían dirigido en breves etapas hacia la costa normanda. Para evitar que les dieran alcance o los reconocieran, habían tenido que avanzar escondiéndose, sin saber nunca lo que les reservaría la hora siguiente. Querían embarcar en Le Tréport, pero una tormenta se lo había impedido. El cerco se cerraba. Se sabía que estaban en esa región y se les buscaba por todas partes. El nombre falso que habían adoptado, señor y señora Lebrun, al igual que su indumentaria, no tardarían en ser insuficientes. Estaban a punto de atraparlos cuando se había presentado el vicecónsul de Inglaterra ofreciéndoles una embarcación. Luis Felipe y María Amelia embarcaron y unas horas más tarde llegaron a Inglaterra.

Al mismo tiempo, Luisa se enteró de que el resto de la familia, tras innumerables peripecias, se encontraba sana y salva en el extranjero. Después de no pocas vacilaciones, la reina Victoria se compadeció y les cedió a los fugitivos el castillo de Claremont, el mismo que había ocupado Leopoldo en la época de su matrimonio con la princesa de Gales y donde ésta había muerto tras dar a luz. A triste situación, triste recuerdo. Con todo, se decía Luisa, sus padres habían salido bien parados.

Para agravar la situación, la revolución desatada en París estaba extendiéndose por toda Europa. Corrían rumores de lo más disparatados: los franceses iban a invadir Bélgica y a desterrar la monarquía. La inquietud y la confusión reinaban en Bélgica. ¿Resistirían la tormenta ese país y ese trono tan jóvenes? En realidad, las que estuvieron a punto de sucumbir fueron las monarquías más venerables. La rebelión inflamaba Berlín y toda Alemania, Nápoles y toda Italia. Y, sobre todo, el trono más sólido temblaba hasta sus cimientos. El príncipe de Metternich, símbolo de la solidez inquebrantable, el patriarca de la política europea, el inamovible canciller que dirigía con mano férrea los reinos de su señor, el emperador de Austria, se veía perseguido por los amotinados y, mientras el Imperio se desmembraba, él optaba por refugiarse en... Bélgica. La prudencia de Leopoldo y el sentido común de los belgas habían obrado ese milagro; Bélgica era prácticamente la única nación de Europa que resistía.

Las emociones y los sufrimientos han asestado un rudo golpe a la reina Luisa. El año 1850 empieza realmente mal y María Amelia, dominada por los pensamientos tristes, está preocupada por su hija: «Tu salud exige atentos cuidados, hija mía. No puedes dejar que, a los treinta y ocho años, la enfermedad haga mella en ti. Es un deber sagrado.» Y aconseja reconocimientos, pide informes diarios, sugiere una cura. Nada de balnearios, replica Luisa: «Haré aquí todo lo que me digan, pero no quiero alejarme.»

En efecto, la pobre Luisa hace «todo lo que le dicen»: cataplasmas que le queman la espalda y le provocan ampollas que degeneran en llagas. De hecho, el mejor remedio sería Leopoldo, pero éste se escabulle. Todo le molesta, y Luisa tiene la impresión de que la responsable es ella. Han dejado de tener toda clase de contacto físico, lo que lleva a Luisa a preguntarse si alguna vez se ha sentido atraído por ella. Se encuentra fea y prematuramente envejecida. Leopoldo se aleja de ella y de los niños para aislarse en la propiedad de Ciergnon, en las Árdenas. Luisa es demasiado orgullosa, demasiado noble para quejarse; como mucho llega a confesar que si Leopoldo tuviera la posibilidad de pasar más tiempo con ella tal vez se sentiría mejor. En lo que se refiere a Carlota, la niña no oculta lo mucho que echa en falta a su padre: «Deseo que regreséis pronto. Me entristece no veros... Me entristece que os marchéis y me gustaría ir a veros a las Árdenas. Querido papá, ¿me permitís que vaya?» Pero papá no lo permite. Papá se vuelve incluso huraño, se niega a dejar que su mujer vaya a un balneario para someterse a una cura, como sugiere de nuevo María Amelia. Sólo confía en los médicos ingleses, de modo que los consultarán a ellos. Luisa cruza el canal de la Mancha. Su madre se queda horrorizada al verla tan delgada, tan pálida, tan débil. Los médicos ingleses diagnostican una simple gastritis y prescriben unos polvos calmantes. Luisa, por su parte, cree que padece asma, porque tiene la sensación de que se ahoga cuando sube escaleras. Desgraciadamente, no puede quedarse mucho tiempo con los suyos, y María Amelia, con el corazón desgarrado, la ve partir.

Nada más llegar Luisa a Bélgica, Carlota contrae la tos ferina. Para aislarla, su madre la lleva al castillo de Tervueren, cerca de Bruselas. Es un gran edificio cuadrado con columnatas, construido unos decenios atrás en lo alto de una colina arbolada. Pero, en vez de mejorar, Carlota empeora. Se declara una inflamación gástrica, la fiebre sube. Luisa pasa noches en blanco junto a la cabecera de su hija, conmovida por la actitud de la pequeña, que se muestra muy tranquila y razonable: se toma sin protestar todos los medicamentos que le prescriben; no llora, no se queja, se limita a mirar fijamente con sus grandes ojos oscuros a su madre, que está angustiada.

Trasladan a la pequeña al castillo de Laeken; de repente, empieza a encontrarse mejor. La atiborran de remedios a base de plantas y no tarda en recuperarse. En cuanto a Luisa, sale de la prueba exhausta.

Además, las noticias que su madre le envía de Claremont la consumen: su padre, Luis Felipe, languidece, su organismo se deteriora. A fines de julio asiste a la primera comunión de su nieto y heredero, el conde de París, ceremonia a la que concede gran importancia y que le devuelve las fuerzas. Aparenta veinte años menos de los que tiene. Pero esta mejoría no dura. María Amelia sabe que ya no hay ninguna esperanza y empieza a preocuparse por el alma de su anciano esposo. Durante toda su vida no ha creído ni en Dios ni en el diablo, y si observaba los ritos de la religión era más bien por obligación social. ¿Morirá sin recibir la extremaunción? Por si acaso, propone llamar a un sacerdote. Luis Felipe comprende. «Me doy cuenta de que debo partir.» No sólo recibe al sacerdote, sino que se confiesa y acepta el último sacramento. El 26 de agosto de 1850, a las ocho de la mañana, expira serenamente, sin sufrir, con la mano entre las de su compañera, a la que ha permanecido estrechamente unido cuarenta y un años. Su edificante final no consuela a la reina Luisa, a quien la muerte de su querido padre sume en la desesperación. La desaparición de un guía, de un protector afectuoso en el momento en que más lo hubiera necesitado, la destroza.

Su estado empeora hasta tal extremo que, a fines de agosto, Leopoldo la lleva a Ostende. Una decisión incomprensible. ¿Por qué cuando la salud de su mujer no era tan mala y los viajes resultaban más fáciles, siempre le impidió ir a algún balneario, y ahora la lleva a un lugar de veraneo agradable, sí, pero incómodo? ¿Por qué Ostende, cuando una semana antes se ha negado a llevarla allí para encontrarse con la reina Victoria, que ha ido a hacerles otra visita? A las preguntas de esta última expresando su alarma, tío Leopoldo responde que, efectivamente, los trastornos intestinales de Luisa se han agravado, pero que ella demuestra una gran entereza y que, de todas formas, no es consciente de su estado. A Victoria le sorprende que, hallándose en semejante estado, Leopoldo lleve a Luisa lejos de las comodidades de la capital, a un lugar de vacaciones escasamente provisto. Leopoldo protesta: Ostende sólo está a cuatro horas de Bruselas. Además, tiene previsto dar todos los días paseos por el mar que le sentarán muy bien a Luisa.

De hecho, la obstinación de Leopoldo en favor de Ostende puede explicarse con un nombre: Arcadia. Se trata de la hija de un oficial originario de Namur y de una gantesa, padres de once criaturas. No ha cumplido aún dieciocho años cuando conoce al rey Leopoldo. ¿En un baile? ¿En un concierto? ¿En la ópera? Una mirada basta para que el soberano se enamore perdidamente de Arcadia. Una menor, amante oficial del rey... ¡Impensable! Hay que casar enseguida a la joven. Leopoldo encuentra a Frédéric Meyer, funcionario de su corte, un viudo originario como él de Coburgo. Se precipita la boda y se envía al marido lejos de Bruselas. Leopoldo y Arcadia pueden por fin ser el uno del otro. Él tiene cincuenta y cinco años; ella, treinta y seis menos. Muy pronto, el nacimiento del pequeño Georges coronará esta pasión ilícita.

Arcadia, al contrario que sus compatriotas, no es discreta. A los belgas no les gustan ni el pequeño palacio que el rey ha hecho construir para ella en la calle Royale, a dos pasos de su casa, ni los numerosos sirvientes con librea, ni las ropas demasiado suntuosas. Si Arcadia se pasea todos los días por los barrios elegantes en su magnífico coche verde oscuro con cojines negros, no es sino para llamar la atención. ¿Conoce la reina Luisa la existencia de su rival? En cualquier caso, de su boca no escapa una sola palabra que permita creerlo, aunque es inconcebible que en palacio, como en cualquier otra corte, no haya un alma caritativa que la informe de lo que está pasando. Luisa está enferma, sufre física y moralmente, y ahora se entera de que su marido la engaña con una criatura que se pavonea por las calles de la capital. Entre ellos se respira un ambiente tenso, enrarecido. ¿Es quizá el hecho de que todo Bruselas sepa que hay una amante declarada, que se exhibe sin discreción, lo que lleva a Leopoldo a mandar a Luisa a Ostende? Es una explicación lógica.

Nada distingue la villa real salvo las dos garitas de los centinelas, pero a Luisa le gusta esa modestia. Nunca ha sido aficionada a la pompa, a los ceremoniales, y desde que está enferma los detesta. Un jardín une la villa a otro edificio donde se aloja un séquito reducido. Luisa ocupa una habitación en el segundo piso. Desde su gran cama de caoba ve el mar gris y encrespado. Está tan débil que ya no puede subir la escalera, de modo que la transportan en un cesto de mimbre, como si estuviera impedida. Tose, sufre un acceso de disentería. La tratan con leche de burra, ruibarbo, jarabe de hierro, sangrías, cataplasmas, quinina e incluso aceite de hígado de bacalao. Las fuerzas la abandonan. Se convoca a los médicos para que la reconozcan a fondo y lo que observan es lo siguiente: una diarrea endémica, una hinchazón edematosa del miembro inferior izquierdo, el hígado en mal estado, una tos silbante y seca, desaparición de la regla desde hace varios meses y sudores abundantes. La mitad de ellos diagnostica tisis; el resto descarta esa posibilidad. En su ignorancia, no quieren reconocer que Luisa se está muriendo de una tuberculosis avanzada. El tiempo no mejora la situación. Estamos a principios de octubre y ya ha llegado el frío, adelantándose a su fecha habitual. Llueve, hace viento. ¡Qué ocurrencia, enviar a una tísica a una costa húmeda y tormentosa! El estado de Luisa empeora hasta el punto de que el rumor se extiende por la capital y muy pronto por todo el país. Luisa, demasiado modesta, desconoce su popularidad. Pero los belgas, que tienen buen ojo para eso, han descubierto las cualidades de su soberana. A pesar de que es tímida y permanece en un segundo plano, saben que es compasiva y generosa, una esposa modelo y una madre perfecta. Así pues, cuando se enteran de su estado acuden de inmediato a las iglesias. Toda Bélgica reza, y bosques de cirios se encienden sobre los altares.

Paralelamente, la indignación contra la amante aumenta. Arcadia es abucheada en la calle, y una noche rompen los cristales de su casa a pedradas. Los consejeros más íntimos de Leopoldo llegan a odiarla y ya declaran abiertamente que les gustaría «darle una patada en el culo». No comprenden la obstinación del soberano en mantenerla a su lado. En cuanto a Leopoldo, no comprende su ensañamiento. ¿Acaso no ha cumplido concienzudamente con su deber? Durante cerca de veinte años, ha trabajado noche y día por el bienestar de su país. Siempre ha actuado como un marido atento, y en estos momentos difíciles pasa la mayor parte del tiempo en Ostende, junto a la cabecera de Luisa. Entonces, ¿por qué se le reprocha lo de Arcadia?

En palacio, la tensión aumenta día a día. Arcadia toma la iniciativa. El 8 de octubre le escribe una carta a su real amante anunciándole que parte para Alemania. Es inútil que responda o proteste, añade. Ha llegado el momento, pues en Ostende la reina Luisa se muere. María Amelia, puesta al corriente de la situación, embarca de noche acompañada de sus hijos, hijas y nueras y llega a Ostende. Leopoldo pone como excusa los deberes de su cargo para escapar. Los dolores sufridos por esa santa mujer con tanta resignación y paciencia, o tal vez los remordimientos, hacen que el espectáculo le resulte insoportable. Sus consejeros le dicen sin rodeos que su sitio está precisamente junto a Luisa. Ésta no parece darse cuenta de su estado. De todas formas, siempre ha ocultado sus sentimientos. Una frase que se le escapa sin querer a la condesa de Hulst, su amiga de la infancia, le hace comprender que está en las últimas. Pide los sacramentos, que se apresura a administrarle el abad Guelle, el confesor de María Amelia, que ha ido acompañando a esta última. Pero Luisa no está tranquila. Piensa en los que va a dejar, en sus hijos, sobre todo en Carlota. Comienza la agonía, las horas transcurren. Luisa olvida sus sufrimientos para ocuparse de los de los demás. Lamenta afligir a los suyos, se excusa por hacerles esperar tanto tiempo.

Una terrible tormenta ha estallado en el mar del Norte. El viento ruge y se cuela por las chimeneas. La violenta lluvia golpea las ventanas. El murmullo de las plegarias rodea el lecho de la moribunda. Su madre, María Amelia, la sostiene entre sus brazos y murmura: «Ángel mío, ángel mío...» Luisa todavía encuentra fuerzas para decir «mamá» antes de desplomarse. Está muerta. Al pie de la cama, Leopoldo llora con toda su alma. «Su muerte ha sido igual de santa que su vida», masculla. Ese hombre tan dueño de sí mismo está trastornado porque, a su manera, ha querido sinceramente a Luisa.

Toda Bélgica se viste de luto. Las banderas de los navíos ondean a media asta. Los campanarios y hasta las locomotoras se cubren de crespones. A los diez años, Carlota acaba de perder a una madre atenta y firme, pero con un gran corazón, que desde su nacimiento la ha rodeado de calor y amor. Se encuentra sola frente a un padre mayor, glacial, inaccesible y con frecuencia ausente, de quien, con su instinto infantil, presiente que ha hecho infeliz a su madre y ha precipitado su final. Y sin embargo, ella siempre ha preferido a su padre, probablemente porque ve que tiene más afinidades con el hombre fuerte e introvertido que es Leopoldo.

2

En su lecho de muerte, la reina Luisa ha confiado su hija a la condesa de Hulst, su amiga de la infancia e íntima de los Orleáns, a quienes la unen generaciones de abnegación.

La condesa de Hulst es una mujer inteligente y de un rigor moral a toda prueba. Su responsabilidad en relación con la niña tal vez le hace acentuar su severidad en detrimento de su ternura. Tiene un gran sentido del deber y desea inculcárselo a su pupila. Ella se encarga de escoger el entorno de Carlota, que pese a su corta edad ya tiene su propia Casa, con mayordoma mayor y damas de honor. Sus profesores le enseñan latín, matemáticas, geografía, historia, literatura, caligrafía, dicción y el arte de la oratoria. Practica asiduamente la equitación y la natación. Todos los que la rodean están impresionados por su precocidad, su inteligencia y su rapidez mental. La educación espiritual de Carlota, que tanto preocupaba a la reina Luisa, es confiada al padre Deschamps, de la orden de los redentoristas, un predicador excepcional. Carlota se inflama de una piedad ardiente que adopta extraños aspectos: «El Espíritu Santo esparció a manos llenas sus preciosos dones en mi corazón y lo inundó de su luz el bendito día en que mis ojos fueron abiertos, en que mis pies hundidos ya en el camino de la perdición fueron suavemente conducidos hacia el recto sendero, en que mi espíritu oscurecido por las tinieblas de la tibieza y la ignorancia vio esta claridad celeste que hizo caer el velo que la cubría. Ah, si alguna vez tengo la desgracia de alejarme de aquel que me lo ha dado todo profusamente, dejaré de ser digna de su misericordia, pues he sido infinitamente más favorecida que muchos otros que siguen gimiendo bajo el yugo del demonio sin ser conscientes de su desgracia.»

Estas palabras alambicadas de una niña precoz provocan en verdad una especie de desazón. ¿Qué puede ser para una chiquilla de su edad el camino de la perdición o las tinieblas de la tibieza y la ignorancia? Carlota insiste: «Muy defectuoso tiene que ser mi espíritu, pues lo único que me interesa es lo que no puedo tener. Soy incapaz de vencer mi pereza. Caigo con gran facilidad, tomo decisiones para no mantenerlas. Si no me vigilo constantemente, ni yo misma me reconozco. Por más que me esfuerzo, me cuesta mucho cambiar, y en ocasiones experimento verdadero cansancio cuando me afano en actuar mejor. Es terrible sentirse desalentada tan a menudo. Hay momentos en que es como si una fiebre, un delirio se apoderase de mí. Y cuando ha pasado, no sé cómo ha podido venir; yo creo que es el demonio, que viene a turbarme.»

¿Qué va a hacer el demonio en el espíritu de una chiquilla a la que todo el mundo considera sensata, aplicada y estudiosa? Sus palabras expresan una especie de sentimiento de culpabilidad que no pueden haberle inculcado ni su tutora, ni sus profesores ni su director espiritual, todos ellos personas equilibradas y bondadosas. Se intuye que Carlota aspira a unos ideales demasiado elevados y que se reprocha enérgicamente no alcanzarlos. Esta exageración, esta complacencia inconsciente en reconocerse culpable, este orgullo de querer ser perfecta tienen algo de sorprendente en una niña, algo turbador, inexplicable.

La pequeña Carlota siempre ha sido reservada, y la muerte de su madre ha hecho que se repliegue en sí misma. Habla poco, pero su silencio está poblado de pensamientos. Reflexiona, se exalta, se desgarra. Su cerebro bulle y nadie se da cuenta.

Nadie salvo quizá su abuela, María Amelia. Carlota pasa con ella varias semanas al año en Claremont. Cuando embarca en Ostende, la acompañan su institutriz, una dama de honor y, por supuesto, unas doncellas. Tras desembarcar en Dover, toma el expreso hasta la estación de Waterloo, donde enlaza con un tren que la lleva a Echer. En la estación la esperan los coches discretamente ornamentados con las armas de los Orleáns. Atraviesa campos, cruza la alta verja, recorre un suntuoso parque cuyo césped, cuidadosamente recortado, desciende hasta un gran estanque donde retozan unos cisnes. En los prados, vacas, cabras y corderos pacen entre los bosquecillos de altísimos árboles. Llega al castillo blanco. El coche se detiene ante la columnata. Carlota penetra en el vestíbulo embaldosado de mármol, donde la recibe la dama de honor de su abuela. Varios lacayos con la librea de los Orleáns la introducen en el vasto gabinete de la planta baja. Las paredes están forradas de estanterías, sobre las cuales se extienden los retratos familiares: su padre, Leopoldo I, y su primera mujer, la princesa Carlota, antiguos ocupantes de este castillo; el rey Jorge IV, padre de Carlota, y también el busto de alguien más cercano, Luis Felipe. Una mirada le basta para registrar la escena: una de sus tías toca una romanza en un piano Boulle; otra escribe una carta en el gran escritorio de plata; sus tíos leen el periódico arrellanados en el gran sofá rojo de piel u hojean un libro en la mesa redonda. Sus primos miran las imágenes de la linterna mágica. Al entrar ella, todos se acercan para abrazarla y darle la bienvenida: el tío y la tía Joinville, el tío Nemours y el tío Aumale, ahora vecino, además de los primos y primas Ninette, Gaston, Condé, Guise y su preferida, Chiquita, hija del tío Joinville.

María Amelia, informada de su llegada, le pide que vaya a su habitación. Carlota sube los escalones de cuatro en cuatro y entra en la gran estancia. María Amelia se levanta para abrazarla. Es alta, delgada, majestuosa, viste con sencillez y prácticamente no lleva joyas. Estrecha a su nieta contra su pecho, luego se sienta de nuevo en su gran sillón, donde pasa parte del día, y continúa bordando. Al río de preguntas en el que sumerge a Carlota, ésta responde mientras observa el decorado familiar: la cama de hierro, digna de un convento, el reclinatorio negro de estilo gótico y los montones de recuerdos, de fotos de familia, de grabados que conoce al dedillo pero que siempre le resulta entretenido mirar.

Carlota se adapta rápidamente al ritmo de Claremont. Siguiendo el ejemplo de María Amelia, se levanta temprano, hacia las siete y media. Asiste con sus parientes a la misa diaria. Luego, María Amelia desaparece para ocuparse de la correspondencia o las cuentas. Por la tarde, recibe o lee en compañía de Carlota. También la lleva a dar paseos a pie por el parque o en calesa por los alrededores. Después de cenar, Carlota juega con sus primos y primas mientras los tíos y tías charlan o juegan una partida de whist.

El menú es muy sencillo comparado con el del palacio de Bruselas. En la cena, sólo dos platos, uno de carne roja y el otro de ave, con patatas y verduras, seguidos de un postre de repostería. A veces hay caza, o golosinas procedentes de Francia, pero eso suele reservarse para cuando hay invitados. Quien se ocupa de todo es María Amelia: de las despensas de la casa, como hacía en las Tullerías cuando reinaba, de las limosnas, en las que es extraordinariamente pródiga, del bienestar de sus invitados y, finalmente, de los regalos. Porque Carlota siempre encuentra en su habitación, al llegar, un hermoso volumen con su monograma en las tapas de piel, un costurero... o un precioso neceser que María Amelia ha escogido para ella.

María Amelia es nieta de la inmensa María Teresa, la emperatriz de gloriosa memoria. Su madre era María Carolina de Austria, la escandalosa, la implacable reina de Nápoles. Recuerda a su padre, que sólo hablaba el dialecto napolitano y que iba a vender el producto de sus partidas de caza y de pesca al puerto, donde discutía con los *lazzaroni*.[1] Conoció a Nelson y a la excesivamente llamativa lady Hamilton. Ha atravesado países en guerra, ha vivido revoluciones, huidas, exilios. Las pruebas y los peligros la han fortalecido en su serenidad. Enfrentada al proceder licencioso del declinante siglo XVIII, que se prolongó hasta después de la Revolución, reaccionó atrincherándose tras el rigor moral. Su dignidad siempre ha acallado toda crítica. Esta noble mujer es también dulce, humana, compasiva. Lejos de ser débil, sabe perfectamente lo que quiere, y, sin alharacas, le prestó a su marido una valiosa ayuda.

La muerte de Luis Felipe la convirtió en el eje de la familia. Tuvo que silenciar su propia pesadumbre para mantener unidos a sus hijos y ocuparse de sus nietos. Entre éstos, Carlota es con mucho su preferida, porque es la hija de la desdichada Luisa, a quien adoraba, y porque es huérfana. De modo que la favorece, sobre todo dedicándole más tiempo. Los otros niños están un poco celosos, especialmente la prima Chiquita, que no para de recordarles que es hija de un rey reinante, mientras que ellos pertenecen a una dinastía destronada. A Chiquita le exasperan sobre todo los aires de grandeza de Carlota, y se deshace en reverencias burlonas al tiempo que la llama en voz bien alta «la señora princesa». Carlota se pone rabiosa y aprieta los puños.

María Amelia lo observa todo y se guarda de intervenir. Lo que le preocupa de Carlota no son sus aires de grandeza. Repara en lo cerrada que se muestra; la ve alternar la gravedad de una perso-

1. Término aplicado a los plebeyos de Nápoles que se rebelaron contra los españoles en el siglo XVII y más tarde, por extensión, a todos los plebeyos. *(N. de la T.)*

na mayor con estados de ánimo un tanto caprichosos o accesos de melancolía. María Amelia intenta hacerla hablar, pero la niña rehúye abrirse. Habla, sí, pero no dice nada. María Amelia no consigue penetrar en su corazón, en su alma, y esta mujer tan lúcida comprende que su nieta es muy distinta de los demás y que la muerte de su madre no es la única causa de ello.

Carlota, por su parte, adora a su abuela, pero no desea que nadie entre en su mundo, ni siquiera ella. Es una enamorada de la familia de su madre, a la que la unen numerosos recuerdos y una verdadera intimidad, pero el estilo, el tono y la mentalidad de los Orleáns no son los suyos. Está muy encariñada con ellos, pero tiene muchas más afinidades con su padre, Leopoldo. De él ha heredado el gusto por el poder, la ambición y la voluntad, así como la distancia que sabe interponer entre ella y los demás. La apena verlo tan poco, pues la muerte de su mujer ha permitido al rey de Bélgica satisfacer sin freno su inclinación a la soledad. Casi siempre se comunica con Carlota y sus hermanos por carta y los ve lo menos posible. Como era de prever, Arcadia ha regresado, y no ha tardado en nacer otro bastardo, Arturo. Esta vez, sin embargo, Arcadia se comporta con más discreción; le han buscado un alojamiento igual de suntuoso pero menos céntrico que el palacio de la calle Royale, y el llamativo coche permanece con más frecuencia en los establos.

Para aprovechar al máximo la compañía de su padre, Carlota, pese a su corta edad, asiste con él a ceremonias oficiales. Consciente de que ocupa el lugar de su madre, preside obras de caridad y visita instituciones. De cualquier modo, lo hace encantada, pues esta adolescente siente un acusado gusto por las pompas oficiales. Instintivamente, encuentra el gesto adecuado, las palabras idóneas para ser pronunciadas en público. El atavismo la convierte en una pequeña reina.

De sus dos hermanos, Carlota prefiere con mucho al menor, el más cercano a ella por edad: el conde de Flandes, el «bonachón Felipe», siempre alegre, afable, simpático, un buen chico sin mucho relieve pero afectuoso. Con el mayor, Leopoldo, duque de Brabante y heredero del trono, Carlota comparte la ambición, una sorprendente inteligencia, el orgullo y también curiosos arrebatos, *moods*, como ella los llama, pero no le gustan sus sarcasmos y su cinismo. Le reprocha que se aburra en todas partes y teme sus violentos accesos de cólera. Al igual que Carlota, Leopoldo está tan replegado en sí mismo que durante mucho tiempo se creyó, empezando por su padre, que era retrasado. Apenas aflora su talento, el rey, su padre, decide casar a este adolescente premioso y escoge para él a la archiduquesa María Enriqueta de Austria. «Me he quedado muy sorprendido al enterarme de la elección —reconoce el novio—, pero me he sometido a la voluntad suprema. Es de estatura media, un poco rolliza y no muy guapa, aunque sin llegar a ser fea.» María Enriqueta es una deportista nata. Leopoldo detesta los deportes. María Enriqueta es expansiva; Leopoldo, todo lo contrario.

Al principio, Carlota dispensa una buena acogida a su cuñada, pero muy pronto empieza a criticarla y ya no deja de hacerlo. ¿Cómo puede gustarle la ópera a María Enriqueta? ¿Cómo puede ser María Enriqueta tan materialista? ¿Cómo puede María Enriqueta encontrar interesante el juego de las charadas? Y además, ¡qué manera de vestir! ¡Parece una bailarina circense! No tiene dignidad. Desconoce los buenos modales. «Realmente, Leo, la rolliza María no se fatiga; creo que debería haberle escrito una vez al menos al querido papá, que tan bueno ha sido con ella. No es nada atenta. Él estaba muy sorprendido de no recibir carta suya. En cuanto a mí, me he esforzado mucho para escribirle en alemán, cosa nada fácil. De eso hace ya nueve días y no sé si la carta ha llegado, pues no he recibido respuesta.» Este tono de vieja gruñona es en realidad el de una adolescente de quince años. ¿Por qué se arroga el derecho de criticarla? ¿Qué le provoca esa acritud? Los celos no pueden ser la causa, ya que María Enriqueta dista mucho de ser guapa, mientras que Carlota deslumbra por su belleza. Siempre ha sido una niña encantadora. Ahora, sus grandes ojos oscuros de largas pestañas, su minúscula boca de coral, su tez de alabastro, su cabellera negra y su figura perfecta componen un retrato arrebatador. La gracia de su rostro hace olvidar que tiene la mandíbula una pizca demasiado pronunciada, signo de una firme voluntad. Se mantiene muy erguida, lo que corrige el ligero defecto de un busto un tanto corto. Pese a su juventud, ya es una gran dama. Sus maneras perfectas se ven reforzadas por un orgullo que le hace mirar a los suyos de una forma casi provocadora y, por lo tanto, atrayente. Su padre, que siempre se ha sentido muy orgulloso de ella, descubre que su hija se ha convertido en una mujer y la declara la princesa más bella de Europa, lo que según el código real significa que está preparada para el matrimonio y que el rey Leopoldo ha decidido ocuparse de esa cuestión cuanto antes.

Precisamente a fines de mayo de 1856 desembarca en Ostende Fernando Maximiliano de Habsburgo, archiduque de Austria, hermano del emperador reinante, Francisco José, y almirante de la flota imperial. Ha llevado a cabo una misión especial en la corte de Napoleón III, quien le ha recomendado que regrese por Bélgica, tanto por deferencia hacia el rey Leopoldo I como para ver a Carlota, pues sus veinticuatro años lo convierten en candidato al matrimonio. Maximiliano llega en el yate que le ha prestado Napoleón III y le hacen visitar no pocas ciudades belgas antes de instalarlo en Bruselas. La primera noche, banquete en su honor; al día siguiente, comida más íntima. Pero sobre todo —honor excepcional— Leopoldo I, considerado por todos el mentor de Europa, se digna hacer con el joven archiduque largos apartes en los que le habla de política. Esto, sin embargo, dista mucho de impresionar a Maximiliano.

El discurso de Leopoldo le parece la repetición íntegra de los artículos que ha leído en la prensa. El viejo rey le promete otra conversación y Maximiliano bosteza de aburrimiento ante semejante perspectiva: «Su retórica lo impregnaba todo —comentó después—. Se extendía en banalidades sobre la "buena Austria", y constantemente salía a relucir la cantinela de cuánto se podía aprender de él... De conformidad con mi principio de ser con la gente igual que ella lo es conmigo, respondí a los lugares comunes del rey con más lugares comunes. Me creía tanto más autorizado a hacerlo cuanto que todo lo que se le confía es divulgado de inmediato.» No obstante, aprecia la hospitalidad que se le dispensa, sobre todo después de la de Napoleón III, en cuya casa reina una «etiqueta de advenedizos», mientras que en Bruselas «la corte está perfectamente montada, si bien todos los palacios son, en cambio, miserables... Sin embargo, reina por doquier cierta dignidad, un tono de buena compañía, las formas tradicionales de una corte, de modo que en comparación con París aquí he tenido la saludable sensación de encontrarme entre iguales», le cuenta a su hermano el emperador.

Es tal el alivio de Maximiliano que llega a preferir Bruselas a París, que carece de «carácter nacional». Se convierte en un admirador de Bélgica, país agradable y floreciente, de su tierra, sus ciudades, su comercio y su industria. Todo eso, Maximiliano lo reconoce honradamente, se debe al trabajo meticuloso del rey Leopoldo.

Pero ¿sobrevivirán esta prosperidad y esta monarquía al viejo soberano?, se pregunta el joven. Entonces dirige la mirada hacia el heredero, Leopoldo, duque de Brabante. Éste le hace tanto la corte, lo colma de tales cumplidos con una «cortesía fastidiosa» que Maximiliano ve en ello una intención de acercarse a Austria, sin duda para beneficiarse de la protección de este gran Imperio.

Sin embargo, Maximiliano se equivoca. El heredero belga, unos años más joven que él, siente por el archiduque una admiración incondicional, rayana en el delirio. Según él, Maximiliano es un hombre de las más amplias miras, poseedor de una inteligencia grande y generosa, puesto que se halla al corriente de las miserias de la humanidad. Tiene una asombrosa perspicacia, una vista de lince. Toda su actitud desprende dignidad, y se percibe de inmediato su pertenencia a una noble raza. Sabe perfectamente cuál es su deber y las obligaciones que éste conlleva. Sus cualidades y su proyección sorprenden a todos los que lo conocen. Desgraciadamente, observa Leopoldo, la salud del archiduque es mala, pues no pasa un día sin que tenga dolor de cabeza, de estómago o de muelas, aunque de lo que más padece es del hígado. Las flores que Leopoldo, el cínico, el sarcástico, el introvertido Leopoldo, prodiga a Maximiliano en su diario son una excepción, una excepción casi inexplicable.

Su hermana Carlota hubiera podido suscribir estos cumplidos palabra por palabra y probablemente multiplicarlos, pues nada más verlo se ha sentido seducida por el joven austriaco fino y delicado, un rubio de ojos azules y mirada directa y franca. Sí, tiene el mentón breve, pero bajo la barba que se ha dejado crecer no se nota. A todas luces, Maximiliano posee un gran corazón, un alma rica y leal, y además es un poeta, un romántico que ama la naturaleza, los animales, las flores. Es honrado y leal hasta la médula, alegre, agradable, ingenioso. Finalmente, esa faceta casi femenina de Maximiliano corresponde a la faceta masculina de la personalidad de Carlota. En resumen, se ha enamorado de él.

En las cartas que le escribe a su hermano, Maximiliano habla página tras página del rey Leopoldo, del duque de Brabante, del conde de Flandes, de Bélgica. Ni una palabra sobre Carlota. Al cabo de unos días se marcha sin que parezca que haya reparado siquiera en ella.

En ese momento se presenta otro candidato con muchos más triunfos: es sobrino carnal de Leopoldo, lo que constituye una ventaja considerable a los ojos de este último, y ocupa un trono. Se trata del rey de Portugal, Pedro V. Leopoldo I no se atreve a ensalzar a este candidato de viva voz ante su hija. Lo hace por escrito. Según él, Pedro V tiene un carácter bondadoso y leal, se puede depositar una confianza ilimitada en él; es joven, por supuesto, pero el tiempo lo convertirá en un modelo. Por otra parte, Portugal es un país encantador que, pese a pequeñas revoluciones, ofrece una seguridad total para una familia real. Sin olvidar la posición de primer orden que ocuparía Carlota, comparable al rango de reina.

Por supuesto, Leopoldo deja la elección en manos de su hija. No hace falta que responda enseguida, pero, en definitiva, antes o después tendrá que decidirse. Su alegato recibe el apoyo de su sobrina, la reina Victoria, que no se resiste a inmiscuirse en todo, especialmente en las bodas de la familia. Para ella, la cosa está clara. De los dos candidatos, Maximiliano y Pedro, el mejor es Pedro. Es el más distinguido, lo tiene todo para satisfacer el corazón más exigente, es amable, y Carlota sería una reina incomparable. En cuanto a la felicidad, Carlota puede estar segura de que con Pedro tiene muchas más posibilidades de encontrarla que con cualquiera de esos innumerables archiduques, afirma Victoria. No obstante, sabe que Maximiliano le ha causado a Carlota una impresión muy favorable, de manera que vuelve a la carga, confiando en que la joven aún no se haya decidido. Si, por otro lado, Carlota eligiera a Maximiliano, se vería sumergida en la sociedad austriaca, murmuradora, mediocre y de dudosa moral. Victoria no vacilaría en conceder cualquiera de sus hijas al portugués, y si Carlota le pidiera su opinión...

Pero resulta que Carlota no se la pide. Ella no tiene nada que hacer con coronas como la de Pedro V. Son pesados fardos, y ver únicamente el falso brillo de la diadema sería ceder a consideraciones sin fundamento que más tarde habría que lamentar. De todas formas, el portugués no le ha gustado. Durante su visita a Bélgica se mostró casi grosero con ella. Y si uno quiere gustar, se comporta de otra manera, argumenta ella. Por último, hace suyas las observaciones de su antigua institutriz, la condesa de Hulst, quien le asegura que Portugal está poblado de orangutanes, que carece por completo de recursos y que allí los sacerdotes son de cortos alcances. Carlota se vería encerrada en la incomprensión total de los autóctonos.

Descartado el portugués. De pronto, Maximiliano vuelve con fuerza. Leopoldo ya había enviado a Viena a un sobrino austriaco, con objeto de sugerirle discretamente al archiduque que podría pedir la mano de Carlota. Maximiliano se pone a considerarla retrospectivamente: «Ella es bajita y yo soy alto, como debe ser. Ella es morena y yo soy rubio, un buen detalle también. Ella es muy inteligente, lo que no deja de ser un fastidio, pero sin duda saldré airoso», lo que, hablando con propiedad, no es la confesión de una pasión desenfrenada. También se pregunta si la maniobra de Leopoldo apunta únicamente a objetivos políticos o si Carlota siente algo por él. El viejo Leopoldo responde a esta investigación con una obra maestra: «Mi querido y muy distinguido señor me toma, creo yo, por un gran diplomático cuyos pasos siempre van encaminados hacia fines políticos. No es tal el caso, y en mayo conquistasteis sin ningún propósito político toda mi confianza y mi benevolencia. Observé asimismo que mi hija compartía esta disposición, pero era mi deber proceder con cautela. Ahora puedo anunciaros que mi hija acepta este matrimonio, que lo prefiere a todos los demás partidos que le han sido propuestos y que yo apruebo encantado su elección.» Maximiliano es, pues, aceptado. La reina Victoria, a la que el joven ha tenido la prudencia de visitar, olvida al portugués y ahora sólo tiene ojos para él. Ha bastado que aparezca para que ella y su marido, el príncipe consorte, se vuelvan locos por él, como lo demuestran sus cartas. ¡Es tan encantador, tan inteligente, tan natural, tan amable y, sobre todo —virtud suprema—, tan inglés en sus sentimientos y sus gustos, y ansía tanto que haya un mejor entendimiento entre Austria e Inglaterra! Guapo quizá no sea mucho, porque están esos labios un poco carnosos y sobre todo ese mentón breve, pero aparte de eso su apariencia es agradable. Y Victoria se alegra con tío Leopoldo de saber que Carlota tendrá un marido tan bueno.

Maximiliano le escribe pomposamente a su prometida: «Señora, la graciosa respuesta de Su Majestad vuestro augusto padre me ha hecho profundamente feliz y me autoriza a dirigirme directamente a vuestra alteza real para expresar mi reconocimiento más cordial y más vivamente sentido por el consentimiento que habéis tenido a bien dar a mi petición, consentimiento que garantiza la dicha de mi vida. He aspirado a esa dicha desde la primera vez que pude apreciar las elevadas cualidades de alma y de corazón que adornan a la más amable y augusta prometida.» Está impaciente por acudir al lado de Carlota, pero el deber lo retiene en Trieste, donde la flota austriaca, de la que es almirante, ha fondeado.

En una segunda carta un poco menos solemne, pasa de «señora» y «vuestra alteza real» a «gentil prima». Le manda su retrato y le anuncia que Austria entera se alegra de tenerla como nueva archiduquesa, pues la fama de sus poco comunes virtudes ha llegado hasta el más recóndito pueblo del Imperio. Carlota no cabe en sí de felicidad y da gracias a Dios noche y día. No sólo su prometido tiene todas las cualidades que ella enumera infatigablemente, sino que nota que su corazón y el de Maximiliano laten al unísono. Se comprenden cada vez más, tienen los mismos pareceres, los mismos sentimientos sobre el matrimonio. En cuanto a su familia política, los Habsburgo, es el más afortunado conjunto de encantos y virtudes que se pueda concebir. Verdaderamente, Maximiliano es el más maravilloso de los hombres. Como prueba de ello, su hermano Leopoldo, que siempre se burla de todo el mundo, le ha dicho a Carlota que, por más que busca, no le encuentra ningún defecto a Maximiliano, ese ser superior desde cualquier punto de vista. Pero hay algo que sorprende a Carlota: no la admiración —sin duda alguna legítima— de Leopoldo por Maximiliano, sino la amistad de Maximiliano con su hermano. ¿Qué ha podido encontrar Maximiliano en el desagradable Leopoldo? Sea como sea, está contenta porque pronto verá de nuevo a Maximiliano, pues el rey Leopoldo lo ha invitado a pasar las Navidades con ellos a fin de brindarle a Carlota la oportunidad de conocer mejor a su bienamado.

El nacimiento de éste, veinticuatro años atrás, estuvo unido a una tragedia. Su madre, Sofía, una princesa de Baviera, había sido criada en la bastante apacible corte de Múnich. Siendo muy joven, la habían casado con el archiduque Francisco Carlos, hijo y hermano de emperadores. Trasplantada a la corte de Viena, había sido rechazada por una familia política arisca y una corte sofocante y austera. En cuanto a su marido, era una nulidad. Tan sólo una persona se había ganado las simpatías de Sofía: un joven muy apuesto, muy triste y muy romántico, de destino singular. Era el único hijo del emperador Napoleón y la archiduquesa María Luisa: el Aguilucho, «austriaquizado» muy a su pesar. Sofía y él enseguida habían descubierto que tenían muchas afinidades. Su triste suerte conmovía a la joven, mientras que a él le entristecía ver a aquella belleza recién florecida prisionera como él en la jaula dorada de

Viena. Ella no ocultaba su afecto por él y pasaban horas y horas juntos. Luego él había empezado a toser y escupir sangre, hasta que se declaró la tisis, que los acercó todavía más.

Sofía instaló al Aguilucho en su invernadero, donde éste jugaba con el primer hijo de la joven, el pequeño Francisco José. En la primavera de 1832, el estado del joven empeoró, mientras que ella estaba de nuevo embarazada. Él ignoraba la gravedad de su enfermedad y hablaba de largas estancias en países soleados. No atreviéndose a pedirle que recibiera a un sacerdote, ella le propuso comulgar juntos: uno junto a otro, rezarían por la curación de él y por que ella tuviera un buen parto. Una mañana de julio, el Aguilucho no recibió la visita de su querida Sofía. Le extrañó, pero le informaron de que se había puesto de parto. Los ataques de tos no lo dejaban descansar; cada vez que lo asaltaba uno, acababa más exhausto. Mientras el final se acercaba, le anunciaron que Sofía había dado a luz un niño que llevaría el nombre de Fernando Maximiliano. El Aguilucho oyó las salvas de los cañones y el carillón del campanario que anunciaban el feliz acontecimiento. En lugar de alegrarse como todo el país, Sofía no paraba de llorar, y mientras el obispo le administraba el bautismo al bebé ella le hablaba del Aguilucho, que unas estancias más allá agonizaba en la única compañía de su madre, María Luisa, la viuda de Napoleón, y de su tío, el archiduque Francisco Carlos, el propio marido de Sofía. El joven murió sin haber visto de nuevo a su bienamada, y la penosa tarea de anunciarle a Sofía la noticia recayó sobre el marido.

La conmoción fue tal que se desmayó y permaneció varias horas inconsciente. Entonces se produjo un fenómeno extraordinario: se quedó sin leche, lo que le provocó una violenta fiebre. Estuvo a las puertas de la muerte, pero sobrevivió y unas semanas más tarde se reincorporó a la vida social. Nadie la reconocía. La joven encantadora y jovial se había transformado en una matrona prematuramente envejecida, dura, seca, autoritaria, severa. Y las malas lenguas empezaron a decir que Maximiliano era en realidad hijo del Aguilucho, afirmación sin fundamento, puesto que probablemente el hijo de Napoleón murió virgen... Durante toda su vida, Sofía tendrá preferencia por su pequeño Maximiliano, nacido en el momento en que su bienamado moría. Lo cubrirá de atenciones, lo rodeará de solicitud, lo protegerá exageradamente.

Maximiliano tenía dieciséis años cuando se vio sometido a su primera gran prueba. Tras la revolución que expulsó a Luis Felipe, el año 1848 vio sublevarse una a una a las provincias del Imperio. La agitación se apoderó de Viena, donde había a diario manifestaciones cada vez más tumultuosas y violentas. La familia imperial abandonó la capital para retirarse a Schönbrunn, el inmenso castillo situado a las afueras de Viena, adonde la siguieron los manifestantes, que cada día empujaban con más fuerza las delicadas verjas rococó. La familia imperial se refugió en el corazón del leal Tirol, en Innsbruck, pese a la firme oposición de Sofía, que intentó sin éxito evitar esa huida. El joven Maximiliano vivió aquellas jornadas febriles, percibió la disensión entre sus padres, la rabia de su madre. Los acontecimientos se precipitaron: el emperador reinante —un tío que chocheaba— tuvo que abdicar. Como no tenía hijos, la corona debía pasar a su hermano menor, Francisco Carlos, el marido de Sofía. Pero ésta, considerando que no estaba a la altura, renunció a la corona para él y, en consecuencia, para ella misma, y le obligó a cedérsela a su hijo mayor, Francisco José. Como era imposible coronarlo en Viena, todavía en manos de los insurrectos, la ceremonia se celebró en Moravia, en Olmutz, en el palacio del arzobispo. Fue una ceremonia precipitada, en presencia de Maximiliano. El ascenso al trono de un joven lleno de promesas no había calmado a los revolucionarios; la mitad del Imperio se había separado, la otra media se hallaba agitada por violentos disturbios, y sin embargo la rueda ya había empezado a girar. Unos generales tan hábiles como despiadados acabaron con el caos a costa de miles de muertos. Hubo matanzas de húngaros, de italianos y de polacos, pero el orden fue restablecido.

Durante este episodio, Maximiliano había manifestado la más absoluta entrega, la más absoluta lealtad hacia su hermano mayor. Ardía en deseos de servirlo, incluso de sacrificarse por él; esperaba un gesto suyo para hacer todo lo que le pidiera. Francisco José se había limitado a asignarlo a su flota, de la que muy pronto lo nombraría almirante.

Unos años más tarde tendría que superar otra prueba. Francisco José paseaba sobre las murallas de Viena cuando un revolucionario húngaro le asestó una violenta puñalada. Perdió mucha sangre, su vida estuvo en peligro. Se pensó en convocar al heredero, es decir, su hermano menor, Maximiliano. Francisco José se opuso radicalmente. Sofía, angustiada, le escribió una carta casi histérica a Maximiliano suplicándole que fuera urgentemente. Éste acudió de inmediato y recibió una acogida glacial por parte de Francisco

José. ¿Quién le había dado permiso para abandonar su puesto?, le espetó a su hermano. El atentado otorgó al joven emperador una popularidad de la que no gozaba antes, lo que le hizo necesitar aún menos a Maximiliano. Desconfiaba del heredero y, además, estaba celoso del hermano, abiertamente el preferido de su madre: dos razones para mantenerlo alejado. En vista de lo cual, Maximiliano, como todos los marinos, había elegido viajar. Sus preferencias lo habían conducido a Oriente Medio, a Grecia, a Italia, a España y, finalmente, a Portugal. De conformidad con los usos, había hecho visitas de cortesía a los miembros de la familia real local, e incluso había ido a una villa situada en los alrededores de Lisboa para presentar sus respetos a la anciana emperatriz de Brasil.

Allí conoció a su hija, la encantadora María Amelia de Braganza, en la que confluían una inocencia conmovedora y toda la gracia sensual heredada de su bisabuela, la emperatriz Josefina.

Maximiliano se enamoró locamente de ella. Antes había tenido algunos amoríos, en particular con una joven condesa de la familia Von Linden, pero nada serio. Con María Amelia era distinto. Se declararon su amor y se prometieron en secreto. La madre de María Amelia, la emperatriz de Brasil, estaba encantada. La familia de Maximiliano hizo algunos remilgos, pues la parentela Beauharnais de la novia no era nada del otro mundo. No obstante, María Amelia era hija de emperador. Se celebró la petición de mano. Maximiliano estaba impaciente por volver a ver a María Amelia. La mala suerte, sin embargo, quiso que la joven contrajera la tuberculosis. La enviaron a Madeira para que pasase el invierno en un clima considerado sano. Allí empeoró y murió. Tenía veintidós años. Maximiliano estaba destrozado. Estos sucesos tuvieron lugar tres años antes de sus esponsales con Carlota. Desde entonces no había pasado un solo día en que no hubiese pensado en María Amelia. Con ella en su memoria y en su corazón, se prometió a otra.

Maximiliano llega a la estación de Bruselas el 22 de diciembre de 1856 a las cuatro de la tarde. Su amigo Leopoldo, duque de Brabante y heredero del trono, y el hermano menor de éste, el conde de Flandes, lo esperan vestidos con uniforme de gala y acompañados de las autoridades y de soldados formados en fila. Hay muchísima gente en las calles para ver pasar el cortejo escoltado por un escuadrón de caballería. El rey Leopoldo espera a su futuro yerno al pie de la escalera del palacio real; primero lo conduce a sus aposentos y a continuación al salón azul, donde espera Carlota con su cuñada, María Enriqueta, la esposa del duque de Brabante.

El día de Nochebuena, Maximiliano lo pasa en familia en Laeken, y allí lleva a su amigo Leopoldo a un rincón para interrogarlo sobre los gustos de Carlota, aunque, sobre todo, le hace preguntas muy concretas sobre su fortuna.

Maximiliano ha llevado a su secretario privado, el barón de Pont, que inicia largas conversaciones con el vizconde de Conway, intendente de la lista civil y hombre de confianza de Leopoldo I. Pont, sin andarse por las ramas, hace peticiones de dinero impresionantes. El joven Leopoldo recuerda haber oído decir, efectivamente, que Max es muy interesado. ¡No sólo va a obtener a la princesa más bella de Europa y un capital de más de tres millones de francos, sino que quiere más! Leopoldo I encuentra las pretensiones del austriaco exorbitantes y se niega a añadir un céntimo más a la dote ya anunciada. Entonces Maximiliano, por mediación de su secretario, intenta hacer un pequeño chantaje. ¿Qué dirían, tanto en Bélgica como en Austria, si se supiese que el rey demuestra semejante tacañería con su hija bienamada y se niega a soltar un poco de su inmensa fortuna? Leopoldo I cede y otorga un suplemento a la dote. Maximiliano está exultante: «Me siento orgulloso de haber obligado finalmente al viejo avaro a separarse de una pequeña parte de lo que le es más querido en el mundo.»

Durante una comida en Laeken, el joven Leopoldo le pregunta insidiosamente a su futuro cuñado:

—¿Cuánto tiempo hace que pensáis en casaros con mi hermana?

—Desde que la vi por primera vez, el pasado mayo.

—Es muy amable por vuestra parte decir tal cosa, pero se encuentra muy alejada de la verdad.

Maximiliano se queda boquiabierto y luego murmura:

—Es cierto, hace unos meses estaba en Trieste y me sentí solo y abandonado. Entonces decidí casarme, y una vez tomada esa resolución le dije a mi confesor que pensaba seriamente en la princesa Carlota.

—¿Estáis seguro de que era en ella en quien pensabais? Ya me habíais dicho hace mucho tiempo que queríais casaros.

—Es una necesidad que siento desde los catorce años.

—Habéis olvidado la cantidad de veces que me habéis repetido que queríais una princesa rica, y que en su defecto os casaríais incluso con una condesa, con tal de que fuera rica.

Con todo, los festejos en honor del novio prosiguen. Lo llevan a visitar el puerto de Amberes y le ofrecen una representación en el Teatro Real de la ópera de Verdi *Las vísperas sicilianas*. Su llegada coincide con el veinticinco aniversario de la independencia belga, cuyo colofón es un gran baile en el que participan mil cuatrocientos invitados. Carlota está radiante. Todos describen, a cual más y mejor, su belleza, su elegancia, su vestido de muselina blanca adornado con cintas verdes y guirnaldas de flores. En su primera aparición oficial como prometida de Maximiliano, no suelta el brazo de éste, con quien se le ha autorizado a bailar. Comentario de Maximiliano sobre la fiesta: «La aristocracia se codeaba con sus sastres y sus zapateros, o con los tenderos ingleses que se han retirado a Bruselas por razones económicas, tal vez convencidos de que conseguirían una invitación para ellos y su familia.»

Durante todas las comidas en familia, Maximiliano escoge al joven Leopoldo para atacar a los Orleáns. Expresa sin rodeos su odio hacia Luis Felipe. Le prohíbe a Carlota llevar a Austria el retrato de su abuelo. Indignado, pero deseoso de evitar una polémica, Leopoldo le responde que le parece muy injusto. Maximiliano insiste y acusa a Luis Felipe de haber partido para el exilio con una inmensa fortuna. Leopoldo se rebela: «La acusación de avaricia es terrible, odiosa. Pues hoy lamentaréis la generosidad del difunto rey. En lugar de recibir de la mano de mi hermana tres millones, habríais recibido cinco de no haber sido por la revolución de 1848 y por la prodigalidad de una familia que intentáis pintar como interesada, actuando siempre en su propio beneficio, y a la que convertís en el emblema del egoísmo.» Maximiliano la emprende entonces con el tío de Leopoldo, el duque de Montpensier, y lo acusa de haber perdido la cabeza durante la revolución de 1848. A esta lindeza, Leopoldo responde con otra, recordándole a su futuro cuñado que su propio tío, el archiduque Alberto, perdió también la cabeza durante la misma revolución.

Maximiliano, terco, declara que no se debe invitar a la boda a los tíos Orleáns de Carlota, puesto que son los hijos de un usurpador o de alguien considerado como tal por la corte de Viena, y le ruega al joven Leopoldo que anuncie esta noticia a su padre.

—Yo no puedo realizar encargos que no entiendo. Me resulta imposible creer que a alguien se le ocurra limitar el derecho del rey, mi padre, a invitar a su casa a quien le parezca.

—Sois muy poco tratable. En tal caso, la boda se celebrará en Viena.

Los ánimos se calman. Leopoldo aprovecha la ocasión para interrogar a Maximiliano sobre su futuro. Tiene la impresión de que le han hecho concebir esperanzas de un nombramiento importante, pero ¿de qué se trata? No le resulta difícil obtener la respuesta. Francisco José ha prometido nombrar a su hermano gobernador general de Lombardía-Venecia, entonces provincias austriacas, un puesto tan difícil como prestigioso. Pero, sobre todo, ni una palabra: no lo sabe nadie, y sería una catástrofe que Leopoldo le contara este secreto a quienquiera que fuese.

Maximiliano empalma con un análisis en gran parte pertinente del carácter de su futuro cuñado. Pero a nadie le gusta oír decir verdades de uno mismo, de modo que el retrato que, en correspondencia, Leopoldo traza de Maximiliano difiere singularmente del que hizo el año anterior. Ante todo, Maximiliano no pasa jamás por delante de un espejo sin mirarse y retocarse el traje. Es un muchacho distinguido y dotado de una gran inteligencia. Su carácter, aunque vivo y ardiente, es susceptible de reserva. Dada su afectación, al hablar exagera, embellece. Parece conceder una gran importancia a sus castillos y al puñado de barcos de la marina austriaca que tiene a su mando. Según él, le basta una palabra, un gesto, para reducir a su interlocutor a la nada. Le gusta adoptar actitudes ofensivas y tiránicas, y presume de haber corregido a los triestinos de sus malos hábitos. Le apasiona la etiqueta. En una palabra, es agradable, capaz, hábil, valeroso, y tiene un gran corazón, pero en ocasiones es un tanto rimbombante e inclinado a la gloria vana. Es enormemente espléndido y muy generoso, pero Leopoldo nunca ha visto una rapacidad comparable ni un deseo similar de riqueza. Leopoldo está convencido de que Max ha querido hacer simplemente un matrimonio de interés. Él y sus austriacos creyeron haber encontrado una mina de diamantes el día que se les prometió la mano de Carlota. Ahora saben que sólo tendrán una mina de oro y están desconsolados.

Maximiliano es asimismo aficionado a las bromas pesadas, algo que Leopoldo detesta. Empuja, pellizca, zarandea a sus amigos, los hace girar como peonzas. Un día que se comporta así con Leopoldo al levantarse de la mesa, éste manifiesta su desagrado. Inmediatamente, Maximiliano, adoptando una actitud zalamera y casi femenina, apoya una mano en su brazo y le dice, sonriendo:

—Estáis furioso conmigo, pero yo soy uno de vuestros mejores amigos, ¿acaso no lo sabéis?

—Oh, sí, estoy seguro de que nos queréis, pero creo que queréis con la misma intensidad nuestros escudos y que el deseo de obtener una parte de ellos influye mucho en vuestra presencia aquí. Sois generoso, muy generoso, pero de una rapacidad sin igual.

—Si me interesa el dinero, debe de ser de vos de quien se me ha pegado ese defecto.

Más cordialmente, el novio se queja de que no se le permite intimidad alguna con Carlota. Leopoldo I, que pertenece a la vieja generación, es implacable con los convencionalismos. Los prometidos pueden no llamarse por su título, pero les está prohibido tutearse, permanecer solos o besarse. Sin embargo, cuando llega la hora de la partida de Maximiliano, Carlota no resiste la tentación y lo abraza. El rey Leopoldo la reprende tan severamente que la joven rompe a llorar.

El joven Leopoldo concluye que la visita de Maximiliano no ha sido un éxito total. Sus maneras desenvueltas y un poco dominadoras le han perjudicado enormemente. Además, no ha conseguido todo lo que quería y se ha marchado afligido e inquieto. Leopoldo llega a suspirar por los otros pretendientes. No sólo por el rey de Portugal, que no convenció porque se había mostrado desagradable en Bruselas, sino también por el rey de Nápoles y el gran duque de Toscana, que habían hecho asimismo proposiciones tentadoras. En vez de esos partidos gloriosos el elegido ha sido Maximiliano, se repite Leopoldo cada vez con menos entusiasmo.

Carlota, en cambio, no lamenta su elección ni por un instante. No se cansa de comentarle a la condesa de Hulst, su antigua institutriz, lo encantador que es Maximiliano. ¡Ha sido tan feliz en su compañía! Lo ha encontrado más guapo, y moralmente no deja nada que desear, así que con eso está dicho todo. Pese a las prohibiciones del rey Leopoldo, han conseguido quedarse a solas y charlar bastantes veces. Se ha visto confirmada la buena impresión que tenía de él y sus cualidades le inspiran la mayor estima. La ha colmado de atenciones y delicadezas. El día de Navidad le regaló una pulsera que contenía un mechón de su cabello, unos pendientes y un broche de diamantes. Pasearon por el parque helado de Laeken y hablaron de proyectos, es decir, Maximiliano le describió ampliamente el castillo que le estaban construyendo en Miramar, cerca de Trieste, excitando las ansias de Carlota.

Dominando el mar, habrá una terraza decorada con una fuente, un quiosco de estilo morisco, un invernadero con una gran jaula de pájaros exóticos y, por último, una capilla para la misa diaria, dispuesta de manera que los sirvientes puedan seguirla desde el vestíbulo contiguo.

¿Se ha enterado de que Maximiliano sólo quería su dote? Únicamente un comentario que se le escapará sin querer permitiría creerlo. De hecho, lo ha oído, pero no ha querido escucharlo. Se ha enterado, pero no ha querido admitirlo. Escogió a Maximiliano porque vio en él un modelo, y un modelo sigue siendo pese a todo cuanto haya podido descubrir sobre él. Al contrario de su hermano Leopoldo, no realiza ninguna corrección al retrato de Maximiliano, pues ya presenta su prodigioso empecinamiento en no ver más que lo que quiere ver y como quiere verlo.

Sin embargo, en ese momento preciso no se equivoca, ya que los sentimientos de Maximiliano hacia ella han evolucionado. El amor ha tomado el relevo al afecto, sepultando el interés, como demuestra la carta que le escribe nada más partir su tren de Bruselas: «Querida Carlota: El mismo triste día de mi marcha de Bruselas deseo escribiros, prometida bienamada, para expresaros una vez más mi dolor por la separación y todo mi reconocimiento por vuestra bondad y vuestro amor sincero. Los días que he pasado en dichosa unión con vos, queridísima Carlota, se han desvanecido demasiado deprisa. No obstante, permanecerán como los más felices de mi joven vida. Constituyen en el presente la gozosa promesa de un futuro rebosante de deleites, de nobles sentimientos y, si Dios quiere, de una serenidad imperturbable.»

El 26 de febrero de 1857, Francisco José nombra a su hermano gobernador general de Lombardía-Venecia. Desde el Renacimiento, Lombardía siempre ha estado ocupada por unos u otros, ha pasado de mano en mano, ha sido explotada y saqueada. En cuanto a Venecia, le debía a Bonaparte haber perdido su independencia. Estos dos antiguos estados de Italia, convertidos en simples provincias, habían sido agrupados y cedidos a Austria en el Congreso de Viena. Durante años se había ejercido allí una tiranía mezquina, burocrática, pero en el fondo soportable. Luego, con los vientos del nacionalismo, que soplaban cada vez más fuerte, la situación se había degradado. Fuerzas soterradas actuaban para expulsar a los austriacos y unir a Italia. Se multiplicaban las revueltas, a las que se respondía con matanzas que las sofocaban una tras otra.

Unos meses antes, Francisco José y la emperatriz Isabel habían efectuado una visita oficial que se había saldado con una serie de afrentas. En la gala de la Scala, las damas de la aristocracia, en lugar de ir a saludar al soberano austriaco, habían enviado a sus doncellas engalanadas con sus joyas familiares. Durante una representación de *Nabucco*, la ópera que Verdi compuso con intenciones políticas, al llegar el momento en que el coro entona el célebre canto de los prisioneros, los cantantes, imitados por el público, se habían vuelto hacia el palco imperial para cantar mirando al emperador y la emperatriz de Austria las estrofas en las que se reclama la libertad. Es decir que, con el pretexto de concederle un puesto prestigioso, Francisco José le hacía a su hermano un regalo envenenado.

Maximiliano le oculta todo esto a Carlota. En sus cartas le describe la riqueza de Milán, el esplendor del palacio, el lujo de la villa real de Monza. Se felicita por el apoyo que le presta su hermano el emperador. Habla con detalle de las cuestiones sociales, de la vida mundana en Italia, del teatro. Finalmente, le recomienda a su futura esposa que aprenda italiano, pues sin saberlo no se puede hacer nada en ese país.

En otra carta habla de las joyas, por las que los miembros de la realeza muestran un enorme interés. Se congratula de saber que Carlota aportará como dote cuatro aderezos, de diamantes, de topacios, de perlas finas y de esmeraldas. Su hermano, el emperador, ha escogido una gran diadema que completará el aderezo de diamantes, así como un bello broche de perlas. Los padres de Maximiliano les regalarán un aderezo de zafiros precioso. En cuanto a su propio regalo, será una diadema que hará cincelar, tal como ha decidido con Carlota. La familia real belga regala un collar compuesto de treinta y cuatro enormes diamantes. Un aderezo completo de tres grandes amatistas será el regalo de la abuela, la reina María Amelia. A ello hay que añadir algunas fruslerías: veintitrés collares, treinta y cuatro pulseras, cincuenta y dos broches, once anillos, medallones y relojes de bolsillo.

Antes de tomar posesión oficialmente de su cargo, Maximiliano disfruta todo lo que puede de su querido Miramar, ese castillo que aún no está terminado y al que ya le tiene tanto apego. De hecho, está desesperado por tener que alejarse de su obra; él habría preferido con mucho vivir allí modestamente a todas las vanas glorias que le esperan. Ha ido por última vez con unos buenos amigos a inspeccionar las obras y se ha entretenido en el jardín, mientras el mar murmuraba y él se dejaba acariciar por la suave brisa de la primavera.

El 4 de abril, Maximiliano hace por fin su entrada oficial en Venecia, siendo recibido con frialdad por los venecianos. El 19 le toca a Milán dispensarle la acogida, con un tiempo espléndido que le describe a Carlota. La recepción es muy solemne, pero, dadas las circunstancias, Maximiliano se siente bastante satisfecho. Las calles y los balcones rebosan de gente que lo saluda con reverencia y amabilidad. El Corso está brillantemente decorado, y por una vez se presentan en palacio un gran número de aristócratas, hasta tal punto que el desfile no se acaba nunca y tiene que estrechar más de quinientas manos. Se pone inmediatamente a trabajar con celo. Aborda todos los problemas a la vez: financieros, fiscales, judiciales, municipales. Se ocupa de los canales, de la educación, de la desecación de las marismas, de la restauración de los monumentos, del urbanismo. Su amabilidad sincera y su encanto lo hacen popular.

Encarga unas acuarelas magníficas que representan los interiores de los palacios de Milán y de Venecia, que muy pronto serán las residencias de Carlota. Las envía, tal como le anuncia a su prometida, con el consejero de la corte Gaggern, encargado de ir a Bruselas para dar los últimos toques al contrato de matrimonio. ¡Y qué toques! Lo que Gaggern entrega al rey de los belgas no son unas acuarelas, sino un montón de nuevas exigencias. Leopoldo rezonga. Él está dispuesto a hacer un esfuerzo, pero no solo. Que el emperador de Austria lo haga también por su hermano. Finalmente se ponen de acuerdo: a la dote ya establecida se añadirán cien mil florines, una vajilla de oro y plata y una renta anual de veinte mil florines por la parte belga. Por la parte austriaca, otros cien mil florines y treinta mil más a título de regalo de boda. Gaggern, pese a todo un tanto violento por su misión, se excusa ante el rey Leopoldo por haber tenido que insistir, que reclamar más. El viejo soberano, comprensivo, lo tranquiliza. Ha comprendido muy bien a Maximiliano, a quien ha querido evitar las tristes experiencias que él mismo vivió en sus dos matrimonios: Luis Felipe le había prometido una dote que recibió en parte y con mucho retraso; en cuanto a su primer suegro, el rey Jorge IV, como dote le había transmitido las deudas de su hija, la princesa de Gales, explicándole que si las saldaba le causaría una impresión inmejorable a su prometida. Leopoldo I había concluido: «Es cierto, pero aquella impresión fue y siguió siendo muy desagradable.»

3

El verano de 1857 se acerca, y con él la boda. A principios de julio, el rey Leopoldo lleva a Carlota y al conde de Flandes a la corte de Inglaterra. La travesía del canal de la Mancha resulta accidentada, pero nada más llegar a Londres Carlota olvida el mareo. Le alegra ver de nuevo a toda su familia inglesa. A la «amable prima» Victoria y su marido, Alberto. A Berti, Vicky y Fritz Wilhelm, es decir, el príncipe de Gales. A la princesa Victoria, hija mayor de la reina, y su prometido, el príncipe heredero de Prusia. Y, por último, a la princesa Beatriz. Compaginan las reuniones familiares con las distracciones, los espectáculos, las fiestas. Carlota ve a Dickens en persona dirigir e interpretar de un modo excelente la representación de *The Frozen Deep*. En el baile del conde Bernsdorf hay tanta gente que «estábamos como sardinas en lata, cosa que al parecer ocurre en muchos salones de Londres». En este torbellino de placeres sólo falta el buen tiempo, porque «llueve sin parar *in the most provoking way* cada vez que vamos en coche descubierto».

Evidentemente hacen una visita a los Orleáns, en Claremont, a la que «el querido papá no se une debido a un fuerte resfriado crónico». María Amelia, la abuela, se encuentra muy bien. El pobre tío Joinville cojea. En cuanto a la duquesa de Montpensier, infanta de España, no sale sin sus joyas y no exhibe menos de tres grandes hileras de condecoraciones extranjeras. Sus hijas, sin embargo, son merecedoras de la admiración de Carlota: «Las españolitas son unas joyas, las niñas más guapas que conozco.»

Nada más regresar Carlota a Bruselas, comienzan los festejos de su boda. Su hermano mayor, Leopoldo, aficionado a utilizar un tono tirando a ácido, los describe en su diario. El telón se levanta para dar paso a una ceremonia vetusta: la petición oficial de la mano de Carlota a cargo de un embajador extraordinario del emperador de Austria. Éste, el conde Archinto, un anciano gran señor milanés, es una especie de polichinela jorobado con el cabello teñido y una nariz enorme, guasón, inteligente, muy feo, riquísimo y bastante malicioso. Leopoldo observa que es muy sucio comiendo y que espolvorea las judías verdes con tabaco para darles más sabor. Su conversación es peculiar. Le pregunta a Leopoldo cuántos machos ha tenido la reina de Inglaterra. Afirma que los mejores melocotones se llaman «tetas de Venus» y las mejores ciruelas «muslos de monja». Sin embargo, este hombre inteligente le describe al joven Leopoldo la situación italiana con la más absoluta fidelidad.

El 21 de julio, el conde Archinto y su séquito, en dos carruajes de seis caballos rodeados de lacayos, se dirigen al palacio, donde los espera la familia real, la corte y el gobierno, todos vestidos de gala. El anciano presenta sus cartas credenciales como embajador extraordinario y pronuncia un breve discurso, al que responde el rey Leopoldo concediendo graciosamente la mano de su hija a la Casa de Austria. Carlota no dice nada. Se limita, en señal de aquiescencia, a hacer una profunda y grave reverencia. Es su primer paso oficial en su nueva vida, y está tan emocionada como su familia.

Conforme pasan los días, los invitados van llegando: primero, la reina María Amelia; luego su hija, tía Clementina, la única Orleáns autorizada a figurar en la ceremonia por estar casada con un Sajonia-Coburgo, tío Augusto; a continuación el hermano del emperador Francisco José encargado de representarlo, el archiduque Carlos Luis, con su esposa, la archiduquesa Margarita, el duque reinante de Sajonia-Coburgo, el escandaloso tío Ernesto, y otros parientes menos importantes.

El 23 de julio de 1857, a las cinco y media, el novio, el archiduque Maximiliano, llega con gran pompa a la estación del Norte. Se dirige a palacio para saludar a su futuro suegro y presentarle a las damas y los gentilhombres italianos que formarán su futura Casa y la de su esposa. A causa de un malentendido, el soberano se encuentra en ese momento en Laeken. Maximiliano, pálido de ira, declara que, puesto que las damas italianas han ido para nada, va a despedirlas, y que no irá a Laeken en todo el día. Su rostro ilustra suficientemente sus sentimientos para que Leopoldo lo agarre del brazo y lo conduzca a un saloncito contiguo a fin de intentar calmarlo. Maximiliano se deja convencer y regresa aplacado al gran salón. Oficialmente se dirá que, como Carlota no se encontraba muy bien, la presentación de las damas italianas se aplaza.

Un poco más tarde, el joven Leopoldo encuentra al novio de nuevo furioso y, por si fuera poco, con una especie de ataque de hígado. Maximiliano declara que los gentilhombres italianos le han desaconsejado insistentemente ir a Laeken, pues la actitud del rey de los belgas constituye un insulto apenas disimulado. El joven Leopoldo consigue convencerlo de que vaya con él, pero durante todo el camino Maximiliano no para de gemir, maldecir y quejarse. Al llegar, se comporta con tal frialdad, manifiesta tan abiertamente su mal humor que la asamblea se indigna. Rechaza la mano que Leopoldo I le tiende y apenas responde a sus palabras de bienvenida, de manera que el rey, ofendido, le da la espalda. El joven Leopoldo, echándose las culpas del malentendido, hace de intermediario entre Maximiliano y su padre para tratar de reconciliarlos. Maximiliano le contesta con virulentos reproches. La comida se desarrolla en un ambiente violento y triste. El rey Leopoldo no oculta lo que piensa de su futuro yerno. Nadie le ha faltado jamás al respeto de esa manera. Y deplora la suerte reservada a su hija.

Al día siguiente, por suerte, la calma parece haberse restablecido y los prometidos tienen un poco de tiempo para verse en paz. Pasean por el parque de Laeken, bajo los tilos, escuchando a los pájaros cantar y mirando a los conejos corretear por los prados. Se detienen en un puentecillo rústico y contemplan su imagen en medio de los nenúfares. Como todos los enamorados del mundo, graban sus iniciales entrecruzadas, C y M, en la corteza de una vieja haya. Carlota se inclina para coger unas fresas silvestres, que ofrece a su prometido.

De todas formas, Maximiliano y el joven Leopoldo riñen por todo. Durante la inspección del ajuar, Maximiliano parece fijarse sólo en lo que falta: «En la tarea de saquear a mi padre, esta pendiente le parece tan suave que se deja llevar por la avidez.» Y para completar este retrato ya subido de tono de su futuro cuñado, Leopoldo añade: «Mi querido primo actúa como dueño y señor allí donde va. Su franqueza espiritual y una desbordante elocuencia poco común tienen, como siempre, algo de pomposo y de rimbombante. Necesita una corte, movimiento, bailes y placeres. Sin todo ese ajetreo, la vida es triste para él. Así pues, Laeken y nuestra soledad le parecen espantosos. Nuestras veladas familiares son para él una tortura interminable, y toda su energía apenas es suficiente para reprimir las ganas de bostezar que lo dominan.» Se produce una discusión acerca de las condecoraciones. Maximiliano se niega a darle el toisón de oro al conde de Flandes por considerarlo demasiado importante para un hermano pequeño. Asimismo, se opone a la concesión de una orden austriaca a dos miembros de la corte belga que, durante las discusiones sobre la dote, le plantaron cara.

Sin embargo, también hay momentos de relajación, y así, el archiduque y el heredero del trono belga hablan de mujeres, tema por el que Leopoldo descubrirá más adelante que Maximiliano siente un prodigioso interés. De momento es más bien el archiduque quien se muestra inagotable, cosa que al heredero le parece natural en un muchacho «que tenga un poco de sangre en las venas». Pero, si bien Maximiliano habla mucho, «hace» poco, pues de confidencia en confidencia acaba por confesarle a Leopoldo que no ha tenido ninguna amante, dejándolo estupefacto. No obstante, observa Leopoldo, parece estar demasiado bien informado sobre las mujeres para no haberlas tratado. Leopoldo está convencido de que Maximiliano, al que sabe apasionado, exaltado, incapaz de dominarse, no ha practicado hasta la fecha una continencia absoluta. Pero Maximiliano lo jura: es virgen.

La víspera de la boda, Maximiliano y toda la familia acuden a la iglesia de Laeken para recogerse ante la tumba de la reina Luisa. El joven Leopoldo, conmovido, se apoya en su hermana, a quien sostiene la fe, a quien Dios guía, y que le ayuda a superar la prueba de este cambio de vida. Cuando él lloraba al pensar en separarse, era ella quien lo consolaba, pues esta joven, totalmente embargada por la conciencia del deber y el pensamiento del Todopoderoso, no expresa ninguna emoción. Leopoldo está seguro de que jamás se volverá a ver semejante calma, semejante elevación de sentimientos, semejante fuerza de voluntad.

El 27 de julio, el mismo día de la boda, Leopoldo tiene que ir al amanecer a Amberes a buscar al príncipe consorte de Inglaterra, el primo Alberto, que desembarca a las siete del magnífico yate real inglés. De regreso con su invitado, encuentra el palacio real lleno de flores y de alumnos de la escuela militar, que hacen de guardias de corps. Carlota llega de Laeken. A Leopoldo apenas le da tiempo a abrazarla, ya que la novia debe vestirse sin demora. Sin embargo, han olvidado llevar las joyas que tiene que ponerse, de modo que la ceremonia se retrasará un poco. A las once menos cuarto, todo el mundo se reúne en el salón azul: los novios y los miembros de la realeza en torno a una gran mesa; la corte y las autoridades un poco más atrás. El burgomaestre de Bruselas celebra deprisa y corriendo la boda civil. A continuación se dirigen en cortejo a la capilla de palacio, donde oficia el cardenal arzobispo de Malinas. Una misa rápida y sin música, seguida de un Te Deum sin coro. Llega el momento de las felicitaciones. El joven Leopoldo se acerca a su hermana para darle un beso, emocionado por su belleza. Carlota lleva un vestido blanco y plateado, y en la cabeza un larguísimo velo de encaje de Malinas sujeto con flores de azahar y diamantes. Otros diamantes adornan sus orejas y su cuello; en la muñeca lleva una pulsera que contiene una miniatura de su abuela, la reina María Amelia. Del brazo de Maximiliano, sale al balcón de palacio y recibe una ovación de la inmensa multitud que se agolpa en la plaza.

A continuación desfilan las autoridades para desear la enhorabuena, y después regresan al salón azul, desde donde la familia se dispersa hasta la hora del banquete, que tendrá lugar a la una y media.

«Las personas supersticiosas —comenta curiosamente Leopoldo— hubieran observado que no llovió en todo el día, que a Carlota se le cayó el ramillete de la cintura, que durante la misa su silla se volcó, que por la mañana, finalmente, mi cruz de san Esteban se había roto.» A lo largo de todo el día ha hecho un calor terrible para los belgas: veintiocho grados. Aun así, los bruselenses se han volcado para celebrar el acontecimiento; en la Grand-Place, una enorme fiesta popular ha reunido a miles de ellos. Y el país entero está entusiasmado.

Leopoldo, que gusta de utilizar un lenguaje directo, evoca la noche de bodas: «La abuela le había hablado a Carlota de los deberes del matrimonio y de la operación natural de ese acto. Parece ser que ella no se asustó. Por la noche Max intentó la operación; se acostaron juntos. Según su marido, Carlota se mostró muy razonable. Todo fue bien. Simplemente, mi hermana estaba muy desconcertada y no paraba de repetir: "Esto es sorprendente, estoy muy sorprendida." Huelga decir que pasaron una noche malísima y se acaloraron mucho.»

A la mañana siguiente, Leopoldo ve a los jóvenes esposos casi recién levantados. Carlota tenía «el semblante cansado pero resignado». Según Maximiliano, todo fue bien, Carlota «se mostró razonable» y durante el acto repetía «estoy sorprendida», lo que no expresa ni el miedo de la virgen ante el sacrificio ni la embriaguez de la mujer al descubrir la sensualidad. De modo que al día siguiente, «cansada» tal vez lo estuviera; mejor así. Pero ¿«resignada»? ¿Resignada a qué?

Cumpliendo con su deber, el joven Leopoldo pasea a sus invitados: lleva al archiduque Carlos Luis por las calles atestadas de gente hasta el Manneken-Pis. Mantiene unas relaciones aceptables con el hermano menor de Maximiliano, pese al escaso afecto existente entre los dos hombres. Tampoco siente demasiado aprecio por el séquito italiano que ha llevado Max. Los gentilhombres son muy envarados y poco comunicativos con los belgas. Por lo demás, se han ganado el odio de todos los que se han acercado a ellos. En cuanto a las damas italianas, no son ni guapas ni agradables.

Sin embargo, Leopoldo no menciona en su diario a tres personajes cuyo nombre aparece en la lista magníficamente caligrafiada de los invitados relevantes y que están destinados a desempeñar un papel esencial: un tal Scherztenlechner, ayuda de cámara de Maximiliano, el conde de Bombelles, su ayudante de campo, y la señora Kuhacsevich, cuyo marido forma parte del séquito del novio.

El 30 de julio es la fecha fijada para la partida de Maximiliano y Carlota. Después de desayunar llega el momento fatal. A Leopoldo, esta despedida le resulta mucho más penosa que las demás; le resulta incluso cruel e inhumana. Por una vez, Maximiliano conmueve al joven Leopoldo. Lo ha visto orgulloso, altivo y dominador, pero a la hora de partir Maximiliano rompe a llorar desconsoladamente, al igual que toda la familia de Carlota. Llora de ver la tristeza de su familia política. Durante la última hora, desgarradora, la pobre Carlota pasa sollozando de los brazos del rey Leopoldo a los de su abuela, la reina María Amelia, o los de uno de sus hermanos. El joven Leopoldo no había llorado tanto desde la muerte de su madre. Decididamente, esta luna de miel tiene un lúgubre comienzo. La tristeza es tal que nadie tiene valor para acompañar a Maximiliano y Carlota hasta el coche. Los jóvenes esposos parten, pues, solos.

Un tren especial los lleva en medio de la noche. Paran primero en Bonn, antes de visitar las ciudades alemanas. En Ratisbona embarcan en un vapor que los conduce por el Danubio hasta Viena. En todos los pueblos ribereños de las tierras del Imperio, la población ha construido arcos de triunfo y, desde las orillas, lanza vivas hacia el barco, fácilmente reconocible por las banderas austriaca y belga que lo adornan. Carlota conoce a su suegra, la archiduquesa Sofía, que sube a bordo en la escala de Linz.

En Viena, los carruajes de la corte los llevan a la residencia de verano de los soberanos austriacos, el castillo de Schönbrunn. El coche de los jóvenes esposos pasa entre dos pilares decorados con trofeos y se adentra en el vasto terreno hasta llegar, dejando atrás las distintas dependencias, a la impresionante residencia rococó. Carlota recorre una sucesión de salones decorados en blanco y oro. A través de la ventana ve el parque, que, de cenadores en parterres, de alamedas en bosquecillos, sube hasta el lejano pabellón de columnas de la glorieta. Pese a estar acostumbrada a Buckingham Palace y a Windsor, Carlota no ha visto jamás una grandeza tan elegante, una majestad tan armoniosa.

Cuando le hace la reverencia al emperador Francisco José, su cuñado, éste la levanta con la mayor delicadeza del mundo, pero Carlota sólo tiene ojos para su mujer, la emperatriz Isabel, llamada Sissi, a quien se considera la mayor belleza de su tiempo. Carlota saluda a su suegro, el marido de Sofía, un hombre relegado e insignificante; ve de nuevo al archiduque Carlos Luis, hermano de Maximiliano, que ha asistido a su boda, y conoce al más pequeño, el archiduque Luis Víctor. Tras ellos se aglomera un bosque de archiduques y archiduquesas, primos, sobrinos, tíos. Le han asignado los aposentos del Aguilucho, cuyo recuerdo romántico Carlota percibe.

Sus confidencias rebosan de entusiasmo. Su suegra le ha parecido tan buena como maternal, la acogida del emperador y la emperatriz la han colmado, los demás han rivalizado en afecto hacia ella, y Carlota concluye: «Ya me siento archiduquesa pura sangre, porque los quiero a todos mucho y desde el primer día me he encontrado *at home* entre ellos.» Una conclusión un tanto apresurada, porque, de hecho, Maximiliano y Carlota sólo habrán pasado una noche en Schönbrunn.

¿Ha sido tan «encantadora» la acogida de la emperatriz Isabel? Acaba de perder a su primer hijo, la pequeña Sofía, y se ha limitado a interrumpir el luto durante unas horas. Esta mujer, por lo demás tímida y poco expresiva, no es particularmente afectuosa. Detesta a su suegra, la «buena y maternal» archiduquesa Sofía, quien corresponde con creces a ese sentimiento; en realidad, si este temible dragón despliega tanta amabilidad hacia Carlota no es sino para molestar a Isabel. Carlota no se ha dado cuenta de nada o no ha querido darse cuenta, y el tren ya la conduce hacia Trieste.

Carlota descubre, maravillada, el Adriático, un mar totalmente distinto del mar del Norte, el cielo de un azul intenso que le hace olvidar los cielos grises de Bélgica, el aire caliente, la luz dorada. Y sobre todo, descubre el territorio encantado de su marido, porque para Maximiliano lo más urgente es mostrarle Miramar. Se trata de una punta rocosa en medio de una costa escarpada. La cubren pinos, cipreses, tarays, lentiscos y palmeras, entre los cuales ya han abierto senderos y avenidas, junto a los que hay plantadas flores cuyo perfume impregna el aire. De castillo en astillero, se rodea todo el golfo de Trieste y, al otro lado, los acantilados de la costa donde se alza, plantado sobre un pico rocoso, el castillo de Duino. Las obras distan mucho de estar acabadas; el joven matrimonio vivirá en el Castelleto, una modesta villa neogótica construida un poco más atrás precisamente para albergarlos mientras tanto. En la planta baja y el primer piso, las cuatro estancias que hay por planta están atestadas de recuerdos de viaje traídos por Maximiliano de Oriente Medio, en particular tesoros sacados de las tumbas de los faraones. Desde las ventanas de su exigua habitación, Carlota sólo ve los pinos, el mar y el cielo, y entre el Mediterráneo y ella enseguida surge la pasión. Pero Carlota no se puede entretener: Maximiliano debe reincorporarse a su puesto de gobernador general de Lombardía-Venecia y está impaciente por presentar a su mujer a sus súbditos.

El 6 de septiembre de 1857 hacen su entrada solemne en Milán, tras haber bajado del tren en Monza llevando ya las ropas de corte: los hombres, uniforme, y las mujeres, vestido de cola y diadema. Sobre el uniforme de la marina austriaca, Maximiliano lleva el toisón de oro colgado del cuello y la gran banda de la orden de san Esteban cruzada sobre el pecho. Carlota luce un vestido de seda color cereza cubierto de suntuosos encajes y se ha adornado el pelo con rosas y diamantes. En las inmediaciones de la ciudad, han cambiado el coche de viaje por carrozas de corte tiradas por seis caballos. Ante la Puerta Oriental de la metrópolis, adonde han llegado a las cuatro, ha sido izada una bandera de honor en el lugar donde los espera la guarnición austriaca y el *podestà*, el conde Sebregondi, quien, a la cabeza de la corporación municipal, les dirige una arenga. Luego desfilan por el Corso al son de las salvas de artillería y de las bandas militares, que tocan el himno imperial y *La Brabançonne*. En el palacio real, sito junto a la catedral, el barón de Burger, lugarteniente del emperador, los recibe y los conduce al primer piso, a la inmensa y espléndida sala de las cariátides, la más bella del palacio, de cuyo techo cuelgan hileras de arañas de cristal. Carlota es presentada a los representantes de la aristocracia, los miembros de la corte, las personalidades de la magistratura y los principales funcionarios. Se dirige a todos ellos en un italiano casi perfecto, lo que suscita murmullos de admiración. Al tiempo que se prodiga en atenciones, observa atentamente quién es quién, quién ha ido y quién no de toda esa frondosa aristocracia. Intenta averiguar quién tiene poder y quién no de todos esos funcionarios austriacos, quién es un amigo y quién un futuro enemigo. Carlota se interesa especialmente por el conde Gyulai, generalísimo de los ejércitos austriacos en Lombardía-Venecia. Sabe que es el hombre fuerte, el protegido del emperador Francisco José. ¿Se entenderá con Maximiliano, le dejará actuar como quiere? Precisamente el conde Gyulai lleva a Maximiliano abajo, a la plaza situada ante el palacio, para asistir a la revista militar efectuada en su honor. Carlota sale al balcón. La multitud la aclama igual que la ha aclamado a lo largo de todo el camino. La joven mira los uniformes centelleantes, observa a los militares en acción. Las banderas ondean. Todos esos colores vivos y esos sonidos excitantes la embriagan. Toma posesión de su «reino». Tiene diecisiete años.

Sus aposentos del palacio real son suntuosos. Jamás ha visto un decorado tan grandioso, pues, preciso es reconocerlo, nada puede rivalizar con los palacios italianos. Ni siquiera Schönbrunn, donde acaba de estar, puede compararse con esta prodigiosa mezcla de mármoles, bronces dorados, estucos extravagantes, brocados, frescos en los que se contorsionan Olimpos enteros, cuadros de grandes maestros, esculturas, muebles enormes y sobredorados. No obstante, este palacio encajonado entre la famosa catedral y la ciudad vieja resulta más bien agobiante, tanto más cuanto que no tiene jardín. De modo que Carlota toma posesión de su residencia campestre, la Villa Reale de Monza. De hecho es un edificio enorme, mucho menos lujoso que el palacio urbano pero donde pueden apreciarse, en una decoración más discreta, todos los encantos del recién terminado siglo XVIII. Y sobre todo, está rodeado de un gigantesco parque de estilo inglés, con fuentes, árboles seculares e interminables extensiones cubiertas de césped. Carlota se entusiasma al descubrir la flora del sur de Europa, en particular los grandes magnolios, que todavía lucen sus olorosas flores.

No tarda en invitar a su familia a que vaya a ver sus dominios. Su hermano preferido, Felipe, conde de Flandes, acude de inmediato y envía un informe detallado a su hermano mayor, Leopoldo, duque de Brabante. En Monza, dice, se desayuna a las nueve, se come a la una y se cena con la corte a las siete. No se lleva uniforme, sino calzón corto. La casa está muy bien montada, hay mucho orden, el servicio es perfecto, las comidas se sirven con rapidez y diligencia, las libreas, hasta las corrientes, son muy lujosas sin estar sobrecargadas. La cocina es buena, aunque no rivaliza con la gastronomía del palacio de Bruselas. Según el conde de Flandes, los establos son lo más cuidado. No tiene más remedio que admitir que carrozas y caballos eclipsan totalmente lo que se ve en la corte belga. En cambio, no le gustan los sirvientes, que se inclinan hasta el suelo, ni los suizos que montan guardia junto a las puertas de los salones, soberbios, desde luego, pero un incordio para la intimidad. En cuanto a la Villa Reale, Felipe la encuentra grande y bonita. Incluso le recuerda un poco a Laeken, y se extasía con el tamaño del parque, trescientas hectáreas rodeadas de muros. Todos los días se reúnen entre veinte y treinta invitados en la comida, durante la cual toca una orquesta de cámara. Por la noche se organizan recepciones más importantes. Maximiliano y Carlota, como exige su posición, disponen de chambelanes, mayordomos, damas de honor, guardias dálmatas ataviados con un pintoresco uniforme, pajes e incluso un muchacho negro que sirve el café. Una verdadera corte real.

A Carlota le gusta todo el mundo. La condesa Lutzoff, su

dama de honor preferida, encantadora y siempre jovial; la mayordoma mayor de su corte, la princesa Auersberg, ingeniosa y dotada de un gran corazón. Charlar con ella es un placer. En cuanto al mayordomo mayor de la corte de Carlota, el conde Cittadella, es el *galantuomo* perfecto, un pozo de ciencia y un admirable padre de familia. Carlota confiesa que le gusta esta vida mundana; recibir, ver gente, rodearse de personas nuevas le divierte. Tal vez más adelante prefiera una existencia más retirada, pero de momento, dice, este ritmo de vida le encanta.

Junto a estos placeres, Carlota acepta las obligaciones. Ha sido educada para cumplir con los deberes de su rango, se le ha enseñado a hacerlo desde muy pequeña y lo realiza a la perfección. Visita orfelinatos e instituciones de caridad. Inaugura, inspecciona, preside, reparte limosnas, se deja ver. Seria, muy adelantada para su edad, consciente de su posición elevada pero difícil, «trabaja» mucho y bien, sabe hacerse popular durante los recorridos que efectúa por su «reino». El día de Pascua del año 1858, por ejemplo, en que descubre Venecia, es inolvidable. A bordo de una inmensa barca dorada, ella y Maximiliano remontan el Gran Canal, él con el uniforme constelado de condecoraciones, ella con un vestido blanco de moaré. Se ha echado sobre los hombros una larga y pesada capa de terciopelo rojo bordada en oro, digna de la que llevaba la dogaresa y cuya cola sostienen dos pajes. Se ha puesto una altísima diadema de diamantes que brillan al sol. También allí, la multitud acoge con entusiasmo a este hombre y esta mujer jóvenes, guapos, deslumbrantes. Así vestidos, y rodeados de un numeroso séquito, Maximiliano y Carlota recorren las prodigiosas salas del palacio ducal. Al detenerse en lo alto de la espléndida escalera de mármol, cada uno de cuyos escalones evoca recuerdos históricos, Maximiliano se siente henchido de orgullo. Se siente el primero, se siente el soberano. Llega incluso a compararse con el Sol. Ese orgullo lo comparte Carlota, a quien complacen las visitas oficiales y las pomposas manifestaciones que otros consideran sencillamente cargas.

Ella y Maximiliano no se alojan en el palacio ducal sino enfrente, en el palacio real, junto a la famosa biblioteca Marciana. Las estancias fueron decoradas en el delicado estilo pompeyano por Eugène de Beauharnais, antiguo virrey de Italia. Carlota ocupa una amplia estancia con alcoba, cuya entrada marcan dos columnas doradas. Las ventanas le ofrecen una vista incomparable del

Gran Canal, la Dogana, la Salute, la Giudecca. No se cansa del perpetuo ir y venir de las embarcaciones y navíos de todo tipo, de todos los tonelajes. En Venecia descubre lo mucho que le gusta hacer turismo. Nada le causa más placer que visitar iglesias, palacios y museos. Le entusiasman las góndolas, y no se cansa de recorrer con Maximiliano los estrechos y silenciosos canales. Venecia la apasiona. ¡Y a quién no! No obstante, a este cuadro idílico hay que oponer dos elementos negativos: cuando llueve, la ciudad se vuelve siniestra, y además los monumentos se encuentran en un estado lamentable, las maravillosas muestras del Renacimiento se caen a pedazos. Habrá que restaurar todo eso, deciden Maximiliano y Carlota.

Siguiendo su tradición, Venecia alberga a exiliados que forman parte de la familia lejana de Carlota. Así, recibe a la duquesa de Berri —prima hermana de su madre, la reina Luisa—, «el ser más feo que haya dado la tierra», y a su hija, antes señorita de Artois y ahora convertida en duquesa de Parma, «llena de ingenio pero de una gordura extrema».

La joven declara a quien quiere escucharla que es tremendamente feliz. Max es perfecto. ¡Es tan bueno, tan piadoso, tan tierno! Experimenta una dicha que no le hace añorar nada de su vida anterior, pues su nueva existencia de mujer casada le aporta el alimento necesario para su espíritu y su corazón. Ni una sombra en el panorama. Por supuesto, sabe que en la vida de aquí abajo no todo es un camino de rosas, pero los años que transcurren en este momento serán siempre el dulce y entrañable recuerdo de un goce perfecto. Cada día que pasa quiere y aprecia un poco más a Max. Rebosa de felicidad. Aunque no pierde el tiempo, lamenta no poder ayudar más a su marido, que está ocupadísimo. Ese marido que tiene todas las virtudes, que es un modelo de amor, pero también de deber y de celo. Por eso todo el mundo lo adora, aunque nadie tanto como Carlota.

No obstante, algunas pinceladas emborronan este cuadro idílico. Unos meses después de la boda se creyó que Carlota estaba embarazada y su familia incluso empezó a felicitarse discretamente. Sin motivo, porque la joven no esperaba ningún hijo. Pasan los meses y sigue sin haber embarazo. Una princesa recién casada que no se queda encinta es algo prácticamente inconcebible para la lógica real, y sin embargo, ése es el caso de Carlota. En esto cae enferma. No se sabe nada de la naturaleza de sus males, pero el rey Leopoldo se inquieta y envía una misiva tras otra desde Bruselas pidiendo noticias.

Carlota acaba por confesar que hay momentos en que se siente sola. Maximiliano, siempre por montes y valles, reclamado de una ciudad a otra por los deberes de su cargo, en ocasiones pasa noches en su barco mientras que Carlota permanece en el palacio. Multiplica los desplazamientos de uno o dos días sin llevar a su joven esposa. Pero ¿por qué no la lleva? Eso es lo que se pregunta la familia de Carlota, que hasta empieza a murmurar que podría haber una falta de entendimiento entre los jóvenes esposos. Carlota lo niega tajantemente.

Es preciso decir que Maximiliano desarrolla una gran actividad, pues se ocupa de todas las ramas posibles del gobierno —la agricultura, la industria, las bellas artes, el urbanismo, la educación— y siempre estudiando hasta el más mínimo detalle, produciendo mil y un proyectos y llevando cientos de ellos a la práctica. Bajo su batuta, el país se transforma, da un enorme salto adelante. El joven archiduque demuestra desde el principio ser un notable administrador. Pero ¿hace eso que se gane a sus administrados para la causa austriaca y que éstos acepten la ocupación? Nada más alejado de la realidad. La aristocracia pone mala cara, los círculos intelectuales, todavía más, y en cuanto a la burguesía, no acude de buen grado al palacio. Los italianos aprecian a Maximiliano, pero no quieren austriacos.

La bomba no estalla en Milán, sino en París. El 14 de enero de 1858 un patriota italiano, exaltado y romántico, arroja un artefacto explosivo contra la carroza de Napoleón III a la salida de la Ópera. El emperador de Francia resulta indemne; el asesino, Orsini, es detenido y su proceso se convierte en una tribuna donde denunciar la ocupación austriaca de Lombardía-Venecia. Orsini ha intentado matar a Napoleón III porque éste no hacía nada para liberar a Italia pese a sus repetidas promesas. Su abogado, Jules Favre, denuncia públicamente la ocupación austriaca, que se ha hecho insostenible, y antes de subir al cadalso Orsini escribe una carta declarando que ofrece su vida en sacrificio sobre el altar de la patria italiana que debe nacer. La carta, reproducida en centenares de miles de ejemplares, entra clandestinamente en Lombardía-Venecia y los administrados de Maximiliano se la disputan. Las fuerzas soterradas que se intuye están agazapadas tras la emancipación de Italia —y que por lo general se encuentran en todas las revoluciones— convierten el atentado de Orsini en la campanada que anuncia una nueva oleada de acciones antiaustriacas.

En este contexto, el aniversario de la revolución de 1848 hace subir todavía más la tensión. En Lombardía-Venecia se esperan disturbios. Maximiliano y Carlota, como si no sucediera nada, se pasean valientemente sin escolta por las calles, pasan por delante de los cafés haciendo caso omiso de los silbidos dirigidos contra ellos, van a la Ópera y no reparan en que las nobles damas llevan luto por Orsini. La agitación no se calma. En el teatro de la Fenice, los venecianos abuchean los colores austriacos. Los estudiantes de la célebre Universidad de Padua se manifiestan contra la ocupación.

Inesperadamente, Francisco José envía una larga misiva a su hermano. Él también ha advertido el impacto del atentado de Orsini y teme las vacilaciones de Napoleón. Sin embargo, los recientes acontecimientos son inaceptables. Tacha a los venecianos de turcos y le reprocha a Maximiliano no haber ordenado al ejército atacar a los miserables estudiantes. Ordenar que el ejército ataque, el emperador de Austria no sale de ahí. Además, le envía a Maximiliano un código secreto nuevo para comunicarse con toda la discreción que exigen las circunstancias. Le sugiere unificar la policía a fin de hacerla más eficaz. Sus instrucciones son claras: si algo se mueve, golpear a diestro y siniestro, consigna muy apropiada para el conde Gyulai, el comandante en jefe de las fuerzas austriacas. Él también es partidario del viejo método de reprimir cuanto más mejor, cuya eficacia quedó probada gracias al sistema Metternich.

Maximiliano se declara abiertamente contra esta solución. Hay que acariciar a los italianos, no oprimirlos, ganárselos con buenas maneras y tolerancia. El tiempo es su aliado. Si no pierden la paciencia, está seguro de que a largo plazo convencerá a los italianos y los volverá dóciles. Francisco José no lo ve nada claro. Los informes que le envía el conde Gyulai lo convencen de que Maximiliano está equivocado, de que actuar con delicadeza no hará sino alentar a los nacionalistas. Maximiliano va con Carlota a Viena para defender su punto de vista. Sin ningún éxito. Francisco José no da su brazo a torcer. Al contrario, nota que aumenta su desconfianza hacia su hermano y su liberalismo. ¿Acaso oculta este deseo de ganarse a los italianos alguna ambición absolutamente ilícita? Los descontentos estarían encantados de empujar a Maximiliano por esta pendiente peligrosa, hasta el punto de nombrarlo su cabecilla. De ahí a considerar al archiduque un elemento subversivo no hay más que un paso.

Mientras Maximiliano discute, Carlota hace turismo por Viena y se lo cuenta a su hermano Felipe en sus cartas. Visita la Hofburg, el Belvedere y también colecciones particulares del príncipe Schwarzenberg y la condesa Haracha. Asiste a la revista militar en honor del gran duque de Sajonia-Weimar, que está en visita oficial, deslumbrada por la belleza del espectáculo, por las antiguas libreas imperiales, que datan de Carlos V, por los caballos engualdrapados con las armas de todas las provincias del Imperio. La amabilidad de su familia política con motivo de su cumpleaños la emociona sinceramente. Francisco José ha acudido expresamente desde su retiro de Laxenburg para felicitarla, la emperatriz Isabel le regala una pulsera preciosa, todos la colman de buenos deseos y presentes. A continuación, Carlota parte para Schönbrunn con su suegra, la archiduquesa Sofía, a la que tanto aprecia. Mientras tanto, Max ha hecho un viaje a Italia, donde, como Carlota le cuenta a su hermano, ha recibido tantas demostraciones de afecto de sus súbditos que ha vuelto encantado. Así pues, todo va bien, pero Carlota ansía regresar cuanto antes a Milán y a Venecia, ya que se ha enamorado perdidamente de Italia. ¿Percibe las dramáticas y crecientes tensiones entre Maximiliano y Francisco José? Tal vez no quiere admitirlas; en cualquier caso, el tono de sus cartas, tranquilizador y espontáneo, contrasta extrañamente con la dura realidad a la que se enfrenta su marido.

De regreso en Italia, en pleno verano y con su reino agitado por corrientes cada vez más inquietantes, parece preocupada sobre todo por celebrar dignamente el tan esperado nacimiento del heredero del Imperio, el archiduque Rodolfo, hijo de la pareja imperial. Carlota describe largamente el Te Deum en la catedral de Milán, adonde acudió con su corte al completo, en un cortejo de coches de gala. El patriarca de Venecia ofició siguiendo el viejo rito ambrosiano, mientras el ejército disparaba salvas de artillería. Siguió una gran recepción en la sala de las cariátides, donde se expresaron las felicitaciones. Max respondió con un discurso que provocó los más vivos aplausos y que emocionó tanto que a algunos asistentes se les saltaron las lágrimas. Maximiliano apareció con Carlota en el balcón que daba a la plaza, abarrotada de gente, para proponer un brindis por el pequeño príncipe imperial y real. Una tormenta de aplausos le contestó. «Fue grandioso», concluyó Carlota.

Como muchas veces en semejantes circunstancias, no es inverosímil que se produzcan simultáneamente manifestaciones antiaustriacas y nutridos aplausos para Maximiliano y Carlota.

Maximiliano, por su parte, siente crecer el peligro. Ahora ya teme una explosión general contra los austriacos. En su afán por ser eficaz, le pide a Francisco José que le permita unir el poder civil, encabezado por él, y el poder militar que detenta el conde Gyulai. Francisco José se niega en redondo, al tiempo que conmina a Maximiliano a entenderse con Gyulai, lo que es una forma indirecta de obligar a su hermano a seguir la línea dura representada por el comandante en jefe. Y si no está de acuerdo, que se guarde sus objeciones para él. En resumen, Francisco José cuenta con que su hermano se trague sus convicciones para someterse por completo al punto de vista de su rival. Entonces Maximiliano le escribe a su madre una carta que rezuma desesperación: «De no ser por el religioso deber, hace ya mucho tiempo que hubiera dejado este país de sufrimiento, donde se siente doblemente la humillación de tener que representar a un gobierno inactivo y sin ideas, al que la inteligencia trata en vano de defender. Últimamente he ido a Milán con un auténtico sentimiento de vergüenza, y ese sentimiento me ha pesado y humillado doblemente debido a la cordialidad con que se nos ha recibido a título personal, algo así como a personas privadas muy respetables. Esta cortesía privada tan contradictoria me mostraba mejor que cualquier otra cosa la situación y mi propia impotencia. También mostraba lo mal que ha actuado el gobierno con la buena voluntad de las masas... Sólo se oye una voz en todo el país, la de la indignación y la desaprobación, frente a la cual me encuentro solo e impotente. No temo nada porque no es costumbre de los Habsburgo tener miedo, pero siento vergüenza y me callo. Si esto continúa así, no tardaré en decidirme a enviar a Carlota a Bruselas, a casa de su padre. Desde luego, no tengo intención de sacrificarla a la debilidad y la perplejidad. Y allí donde hay peligro, mujeres jóvenes y sin experiencia no tienen nada que hacer. Vivimos en un caos total, y tan sólo la calma que intento aparentar pese a mis veintiséis años mantiene todavía las cosas mejor o peor. Todos cuantos me rodean han perdido la cabeza y el valor, y en ocasiones me pregunto si mi conciencia me permite obedecer ciegamente las órdenes de Viena.» Una sana y honorable reacción, aunque, de hecho, no puede sino obedecer las órdenes de Viena, es decir, de su hermano.

Carlota se niega rotundamente a refugiarse en Bruselas e insiste en permanecer al lado de Maximiliano. Va y viene de Venecia a Milán, sigue paseando sin escolta ni policía por las calles, donde los habitantes la saludan con respeto, casi con afecto. Sin embargo, a principios del año siguiente le silban por primera vez en las calles de Venecia. Al día siguiente, 3 de enero de 1859, Maximiliano la manda sin pedirle opinión a Trieste, a la villa Lazarovitch, donde él vivía antes de casarse. La travesía en barco, durante la cual, le cuenta a su padre, les ha dado pan a unas gaviotas casi amaestradas, ha sido excelente. Espera recibir a numerosos miembros de su familia política que han anunciado su visita. Será una verdadera «procesión de archiduques». En cuanto a Max, aparte de una fluxión de encías que el pobre padece, su estado es excelente, le afirma a su padre.

Sin embargo, su marido la echa terriblemente de menos. Nada más separarse de ella, Maximiliano empieza a escribirle cada dos días unas cartas en las que se trasluce una necesidad vital de comunicarse con ella. Desde que se ha marchado, el palacio y sobre todo su corazón están desolados y tristes. Solo y abandonado, no vive más que para el trabajo, y sus únicas distracciones han sido la actuación de un prestidigitador y el descubrimiento del cadáver de un águila enorme. Maximiliano lleva una existencia tranquila y retirada, de monje, que a veces debe abandonar, aun sin ganas, por ejemplo para ir a la Scala con objeto de afirmar su presencia, pues se murmura que se ha marchado secreta y cobardemente de Milán. El teatro está más lleno que nunca y *Semiramis*, la ópera de Rossini, le parece espléndida, lo que no impide que con el paso de los días añore cada vez más a Carlota.

A fines de enero se declara satisfecho del ambiente que se respira tanto en Milán como en Venecia. La población, efectivamente, le demuestra una adhesión tranquila y políticamente positiva. Incluso Gyulai, su adversario, parece calmarse. Tal vez, después de todo, aquella agitación no haya sido más que una breve tormenta que se alejará sin causar demasiados desperfectos. La vida continúa. En sus cartas a Carlota se burla de la comedia que se está representando en la corte de Turín. El primo hermano de Napoleón III, el príncipe Napoleón, llamado Plonplón, ha llegado a esta capital para casarse con la hija del rey Víctor Manuel, la princesa Clotilde. El problema es que ésta no quiere oír hablar del asunto, y con razón, ya que Plonplón tiene fama de bruto. Su padre, rabioso, le ha retirado todas sus damas de honor, y el ministro Cavour, promotor enconado de la unidad italiana, hace todo lo posible para obligarla a cambiar de decisión. Maximiliano desea de todo corazón que Plonplón reciba una tajante negativa, deseo que no se hace realidad, ya que Plonplón se casa con Clotilde, lo que augura a ésta una vida de lo más desdichada. Pero la alianza del Piamonte y Francia está sellada. Víctor Manuel y Cavour ya pueden empezar a expulsar a los austriacos. Francia y su poder los apoyan.

Maximiliano, desalentado, tiende más a recurrir a su madre que a su esposa: «Aquí estoy, desterrado y solo como un eremita en el vasto palacio de Milán. A mi alrededor baila y canta el carnaval, pero en mi casa reina el silencio de la cuaresma... Soy el profeta al que se ridiculiza, que debe degustar bocado tras bocado lo que predijo palabra por palabra a oídos sordos, y en el que ahora se desearía hacer recaer la venganza, como si fuera él el que hubiese atraído la desgracia mediante una falsa afabilidad o una bondad empalagosa... Pese a los sarcasmos que me esperaba, pese a las calumnias, permanezco tranquilamente en mi puesto. No retrocedo ante el peligro. Dos razones me detienen: el deber de no abandonar en un momento difícil el puesto que se me ha confiado, e impedir en la medida de lo posible las intrusiones debidas al miedo o el nerviosismo.» En cualquier caso, la incertidumbre lo corroe, pues todas las mañanas se despierta preguntándose cómo finalizará el día. A Carlota le pinta un panorama edulcorado, pues dos días después de haberle escrito esta carta casi desesperada a su madre, le dirige otra a su mujer asegurándole que Milán está tranquila, como de costumbre, y la población tan sumisa como el invierno anterior. No obstante, la separación se le hace larga, interminable.

Dos días más tarde, el 28 de enero de 1859, le escribe de nuevo a Carlota para alegrarse con ella del nacimiento del primer hijo de dos primos cercanos y queridos amigos: la hija mayor de la reina Victoria y su marido, el príncipe heredero de Prusia, acaban de tener un hijo, el futuro káiser Guillermo II. Y Maximiliano añade: «Ahora debemos seguir el ejemplo de Federico Guillermo y Vicky. Tener hijos debe de proporcionar una dicha muy especial.» Entonces, ¿por qué no los tienen? La frase escrita por Maximiliano mientras su reino se desmorona a su alrededor, mientras suspira por su esposa bienamada, que se encuentra lejos de él, es harto singular. «Deberíamos tener hijos.» ¿Quiere eso decir que hasta entonces no han hecho lo necesario para tenerlos?

Sin embargo, los acontecimientos se precipitan. En París, Napoleón III pronuncia ante las cámaras un discurso que da que pensar. Según Maximiliano, el emperador de los franceses querría reconsiderar la paz, pero no descarta las posibilidades de que estalle una guerra. De todas formas, a Maximiliano le gustaría que Carlota dejara Trieste para hacer una aparición en Venecia, lo que causaría una excelente impresión en la población al tiempo que la acercaría a él. Incluso especifica, en la posdata de una carta, las joyas que le aconseja llevar para esa visita: solamente perlas, si no corales, malaquitas y otras piedras semipreciosas. Para demostrar que todo va bien, que todo tiene que ir bien, Maximiliano organiza un baile en Milán. Sólo se ocupa ya de la lista de invitados, que promete reunir a lo más elegante de la capital lombarda. Al día siguiente puede por fin reunirse con Carlota para pasar unas semanas de dicha e intimidad en ese clima tormentoso. Después, otra separación, más penosa aún que la primera. Carlota vuelve a Trieste y él se marcha a Monza, que llega a resultarle insoportable porque la belleza del lugar lo pone todavía más melancólico. Todo está en silencio. El cielo azul le hace daño cuando piensa en lo feliz que podría ser si estuviera con Carlota. La vida en esa espléndida Villa Reale es muy triste y solitaria desde que su estrella se ha marchado a la otra orilla del mar, repite en una carta del 18 de abril.

Su entorno, sus amigos, cuya presencia lo mantenía de buen humor, lo abandonan. El palacio se vacía; los muebles, los cuadros, los ornamentos, los coches de gala y otros objetos de valor son enviados a Trieste para ponerlos a buen recaudo. Todo el mundo se da cuenta de que la guerra es inevitable. Ante el peligro, Francisco José decide poner en práctica lo que Maximiliano le había sugerido hacía tiempo, es decir, reunir en una sola mano el poder civil y el poder militar. Pero esa mano no será la de su hermano, sino la del rival de éste, el conde Gyulai. Así pues, ya no hay lugar para Maximiliano. Francisco José le anuncia su decisión —de hecho, una destitución apenas disfrazada—, sazonándola con cumplidos y agradecimientos por su administración, halagos que, incluso para los oídos más ingenuos, suenan faltos de convicción. Por prudencia, le envía una orden manuscrita al conde Gyulai otorgándole plenos poderes en caso de hostilidades. Dos días después de haberse librado de su hermano, Francisco José le da un ultimátum al rey del Piamonte, Víctor Manuel, exhortándolo a deponer las armas de inmediato.

Maximiliano se ve obligado a irse. Sus últimas horas en Monza están impregnadas de una profunda tristeza. Un terrible siroco que pone nerviosos a todos sopla sin cesar. El viaje es largo y pesado, el tiempo, horrible, y los imprevistos, numerosos. Su convoy especial se cruza con sesenta y seis trenes de militares que se dirigen hacia la capital lombarda. Una lluvia torrencial ha empezado a caer, y el segundo tren especial, que transporta a cortesanos y equipajes, se ve afectado por las inundaciones.

La llegada a Venecia contrasta lúgubremente con las entradas anteriores, solemnes y festivas. Maximiliano no quiere instalarse en el palacio real. Sube a bordo de su querido barco, el *Fantaisie*, y allí redacta su dimisión oficial. Tal como le explica a Carlota, lo hace con la conciencia de no haber cometido ninguna injusticia ni haber tenido ninguna debilidad durante todo el tiempo que ha durado su mandato, así como de no haber hecho nunca nada que se opusiera a su conciencia y sus principios. Ha intentado servir a su emperador y a su país, y si bien ahora no se le comprende, no le cabe duda de que el futuro será un juez justo. Dios sabe cuáles eran sus intenciones y eso le basta.

Lo consuela la evidente nostalgia que deja tras de sí. Los italianos han subido en masa a bordo para expresarle su fidelidad. Otra satisfacción: el recibimiento jovial, incluso exultante, de la escuadra naval que ahora está encargado de dirigir. Porque Francisco José no sólo lo ha destituido, sino que su compensación ha sido ponerlo al mando de unos cuantos barcuchos, bajo las órdenes de un general que jerárquicamente es su inferior. Si quería humillar a su hermano, no podía haberlo hecho mejor. Maximiliano no se reincorpora sin placer a la marina, donde ha pasado tantos años felices y donde podrá luchar por su país.

Porque la guerra contra el Piamonte y Francia está decidida. A Maximiliano le preocupa Carlota. En caso de que Trieste se viera amenazada por la marina francesa, tiene previsto que ella y los tesoros sean evacuados a Innsbruck.

En Florencia estalla la revolución. El gran duque y su familia se refugian en Ferrara. En Venecia es proclamado el estado de sitio. Desde Trieste ven acercarse barcos franceses con la evidente intención de bombardear la ciudad. Carlota decide partir a Laibach. ¡Falsa alarma! Los navíos no eran franceses, sino ingleses y, por ende, neutrales. Carlota se ha ido sin que hubiera necesidad de hacerlo. Maximiliano se lo reprocha de buenas maneras; habría sido mejor que le hubiese pedido antes su opinión por telégrafo, pues esta huida causará una impresión horrible a los triestinos. Además, protegida por los ingleses o por la neutralidad declarada en el Adriático, no corre ningún peligro, y sería preferible que regresara cuanto antes a Trieste.

Carlota encuentra la villa Lazarovitch en medio de un parque que la primavera ha transformado y que le proporciona una serenidad muy difícil de alcanzar en estos tiempos tristes y turbulentos. La partida de Max y su embarque la han afligido. Tan sólo espera que no tenga que arriesgar su vida en las batallas navales. Entretanto, le dice a su hermano, el cambio de posición le está sentando de maravilla. El aire del mar, la disminución de sus responsabilidades y el descanso le devuelven la salud, minada hasta entonces por las preocupaciones.

En cuanto a la guerra, va muy bien. Las noticias que recibe Carlota de los ejércitos austriacos son excelentes. Todos los pueblos de la monarquía se han alineado con entusiasmo tras su emperador y quieren participar en los gastos de las operaciones. Jamás ha reinado un espíritu más monárquico y más patriótico. En fin de cuentas, los peligros extremos tienen eso de bueno, que despiertan los buenos sentimientos. Carlota se siente verdaderamente feliz de saber que el Imperio nunca ha gozado de tanta tranquilidad. No sucede nada que traiga a la memoria los horribles recuerdos de la revolución de 1848. Incluso en Italia, la situación se presenta de forma favorable. El ejército es el mejor que el Imperio ha tenido jamás, se encuentra en un excelente estado de ánimo, y hasta los regimientos italianos piden como un favor poder combatir en lugar de mantenerse en la retaguardia. En resumen, ella contempla el porvenir con el mayor optimismo.

Entre dos patrullas, Maximiliano hace turismo. Le cuenta con detalle a Carlota que, al desembarcar en Dalmacia, ha descubierto en un lugar maravilloso una casa abandonada de la que sólo quedan los cimientos, con un jardín en terraza, unos senderos que conducen a una pérgola, una vista increíble del mar azul, de las rocas amarillas y doradas, de las cúpulas de la ciudad histórica de Ragusa, de una multitud de islas y de las montañas a lo lejos. Se podrían plantar palmeras y todas las plantas que hay en el sur; en suma, se podría comprar y ponerle de nombre Villa Carlota.

Pero hay guerra, sí, hay guerra. La víspera, cuando todavía estaba en Venecia, se detectaron unos navíos franceses, aunque no tardaron en dar media vuelta. Maximiliano ha regresado de inmediato a sus ocupaciones. Ha mandado llamar a su arquitecto-jardinero y dibuja con él el jardín de Miramar con todo lujo de detalles, feliz de estar a bordo de su barco, feliz de entregarse a este delicioso pasatiempo.

Unos días más tarde, los franceses vuelven al ataque. Aprovechando la oscuridad de la noche, intentan desembarcar en el Lido. La marina los detecta y se da la voz de alarma. En unos instantes, todo el mundo está en acción. Basta disparar unos cuantos cañonazos para ahuyentarlos. Maximiliano patrulla la laguna. Entra en la iglesia de Pellestrina para rezar por todos aquellos a los que quiere y, de pronto, la melancolía de estar separado de su bienamada Carlota lo abruma.

La guerra, sin embargo, da un giro insospechado. Al parecer ha habido una gran batalla cerca de Magenta y las tropas austriacas han sido derrotadas. Toda la culpa la tiene Gyulai, que ha desagradado a todo el mundo y provoca la indignación general debido a su crueldad y su incapacidad.

Dos días después, el 9 de junio de 1859, Maximiliano le envía a Carlota una nueva hornada de malas noticias. Milán, la querida Milán, objeto de todas sus plegarias, ha caído en manos de los franceses. Su dolor es tal que siente ganas de llorar, sobre todo al pensar en toda la gente sacrificada, abandonada por el gobierno austriaco. Llora por ese desdichado y soberbio país, por esa Lombardía que podría ser una bendición de Dios. ¿A qué extremos ha llegado Austria?

En un instante, el optimismo de Carlota se desmorona. Las noticias le han «dado quebraderos de cabeza», le confiesa a su hermano Felipe. Se siente sola, enferma y, sobre todo, lejos de Max, que sigue retenido en Venecia. Éste, como un león enjaulado, en vista de la inferioridad de sus fuerzas, no puede hacer nada ni tomar ninguna iniciativa. Desesperado por su impotencia, Maximiliano sólo tiene un pensamiento: reunirse con Carlota. Pero de momento es imposible, pues no puede abandonar su escuadra, de la que es el alma y el sostén, justo en el momento en que se halla expuesta a ser atacada por los franceses. Carlota se expresa con amargura: «No paramos de pagar los inmensos errores cometidos al inicio de esta campaña, que nos ha hecho perder inútilmente a tantos valientes soldados. Nadie sabe en qué condiciones lucha nuestro ejército, que casi siempre tiene enfrente a un enemigo superior en número, lo que demuestra su mala dirección.» Ella sigue instalada en la villa Lazarovitch, pero los cuadros, los muebles y demás objetos han sido transportados ya a Miramar, donde esperan a sus dueños. ¿Cuándo podrán disfrutarlos? Lejos de aproximarse a Trieste, Maximiliano es convocado al cuartel general austriaco en Verona. Allí encuentra al emperador Francisco José y allí, a puerta cerrada, cara a cara, los dos hermanos mantienen «una larga conversación». Maximiliano tiene la satisfacción de decirle todo lo que lleva dentro a su hermano mayor, que lo escucha con amabilidad y lo trata de una forma franca y sincera.

De Verona, Francisco José y él se trasladan a Villafranca, donde se están concentrando las tropas con vistas a la siguiente batalla. Viven juntos en una casa pequeña y limpia, pero equipada «de cualquier manera». En su cuartito, Maximiliano encuentra colgadas de las paredes unas litografías del puerto de Ostende. No tiene nada que hacer, salvo mirar pasar regimientos que van al frente. Los días transcurren en la monotonía. A las cuatro, Maximiliano cena con los generales y el emperador; luego pasan la velada con los príncipes de Toscana y de Módena, sus primos destronados por la revolución, cuya compañía no resulta nada alentadora.

Unos días más tarde están en Solferino. Maximiliano se lo cuenta a Carlota: la batalla ha durado desde las cuatro de la madrugada hasta la caída de la noche, y estima que las bajas han sido considerables en ambos bandos. Los ejércitos austriacos han tenido que retirarse. El mando general ha permanecido en Villafranca, pero el emperador y él se han retirado a Verona. La visión de los innumerables heridos supone para él una prueba terrible, dura, y el espectáculo de esa retirada una humillación que no olvidará jamás. «Pero ¿a qué extremos ha llegado Austria?», repite.

El desenlace no se hace esperar. Una noche, Maximiliano ve llegar un coche con las armas de Napoleón III. El general Fleury, enviado del emperador de Francia, presenta una carta de éste proponiendo un armisticio. Francisco José lo recibe amablemente y redacta una nota de aceptación para que Fleury se la lleve. Llega el armisticio y enseguida la paz, el fin de esa horrible guerra. Maximiliano ya no tiene ningún motivo para permanecer en Verona, de modo que se dirige con alegría a su barco, el *Fantaisie*, y una vez a bordo pone rumbo a Miramar. Se excusa por no ir a buscar a Carlota a Trieste, pero siente demasiada vergüenza para aparecer en público. «¿A qué extremos ha llegado Austria y a qué extremos tendrá que llegar aún?»

Francisco José ha tenido que ceder Lombardía, primer paso hacia la unidad italiana. Y ha sufrido una humillación suplementaria: Napoleón III lo ha obligado a entregársela antes de cedérsela a su vez a Víctor Manuel, con la idea de tener una moneda de cambio para obtener Saboya. Queda Venecia. Napoleón III se ha enterado de que los venecianos apreciaban mucho a Maximiliano y de que, si se le hubiera escuchado, los austriacos no se verían como se ven. Sabe asimismo que Carlota se ganó una gran popularidad. Teniendo esto en cuenta, y por pura amabilidad, le sugiere al emperador de Austria crear un reino de Venecia cuyos soberanos serían Maximiliano y Carlota. Respuesta indignada de Francisco José: «Percibo que es necesario realizar grandes cambios. Los llevaré a cabo y, BAJO mi cetro, Venecia se sentirá no sólo feliz sino satisfecha.» No hay corona para Maximiliano y Carlota.

«¿Sabéis quién era nuestro enemigo más terrible en Lombardía, al que más temíamos y cuyos avances medíamos todos los días? El archiduque Maximiliano, joven, activo y emprendedor, que se entregaba por completo a la difícil tarea de ganarse a los milaneses y que iba a conseguirlo. Su perseverancia, su forma de actuar y su espíritu justo y liberal ya nos habían quitado a muchos partidarios. Las provincias lombardas nunca habían sido tan prósperas ni estado tan bien administradas. Gracias a Dios, el buen gobierno de Viena intervino y, siguiendo su costumbre, pilló al vuelo la ocasión de cometer una estupidez, un acto contrario a la política, el más funesto para Austria y el más beneficioso para el Piamonte. El emperador Francisco José destituyó a su hermano. Al enterarme de esta noticia, respiré. Lombardía ya no podía escapársenos de las manos.» Este magnífico homenaje es obra de un hombre cuya sinceridad resulta imposible poner en duda, del arquitecto de la unidad italiana: el conde Cavour.

4

Maximiliano, tras reunirse por fin con Carlota, se ha encerrado con ella en el Castelleto de Miramar y no quiere ver a nadie. Llevan «una vida de anacoretas». El optimismo le había hecho ver a Carlota la situación desde la perspectiva más favorable, de manera que la caída fue más dura y la toma de conciencia más cruel. El único punto positivo es que al menos ha recuperado a su Max, y volver a verlo, estar de nuevo con él, hace olvidar el resto. Pero ¡en qué estado encuentra a su bienamado! Exhausto, destrozado, soportando todo el peso de la vergüenza, pues, pese a no ser responsable de ella, siente la derrota del Imperio como si fuera la suya propia.

Los hermanos de Carlota están desconsolados por la situación en que ésta se encuentra. No sólo Max ha sido retirado de su puesto de virrey, sino que la derrota le ha arrebatado incluso sus funciones en la marina. A los treinta años ya no ocupa ninguna posición, no tiene ninguna ocupación, prácticamente ningún futuro. Si Carlota se hubiera casado con el rey de Portugal... comenta Felipe. Carlota se rebela. Con Max posee mucho más que la corona portuguesa. Los tiempos son malos, de acuerdo, el presente y el futuro se presentan sombríos, pero Portugal hubiera podido pasar por la misma situación. «No son los tronos los que dan la verdadera felicidad.» Además, ¿quién dice que Max no tiene un porvenir brillante? «Es demasiado notable para no ejercer influencia en los destinos del mundo.» Carlota cita el ejemplo del «querido papá», el rey Leopoldo, que perdió una situación destacada debido a la muerte de la princesa de Gales... para encontrar otra convirtiéndose en rey de los belgas. La misma suerte puede muy bien esperarle a Max, que, por lo demás, tanto se parece por sus cualidades al querido papá. «Tal vez sean conjeturas irrealizables, pero ¿por qué no soñar?» Lo que no hace soñar tanto es la reunión familiar en Ischgl, en el Tirol. La villa imperial, residencia de veraneo de los Habsburgo, es una gran casa blanca con pórticos y terrazas sombreadas por marquesinas de lona a rayas. Un magnífico jardín con fuentes y arbustos floridos la rodea, y por todas partes se ven los Alpes, cubiertos de bosques y con las cumbres perpetuamente nevadas. En verano hace casi calor y se impone el uso de ropa ligera. Los caballeros se van a las cuatro de la mañana a la montaña a cazar gamuzas, en pantalón corto de piel y sombrero con penacho. Las damas, que llevan vestidos de algodón, se levantan más tarde y huyen del calor y el sol para pasear a la sombra de los tilos o charlar bajo los emparrados.

La reunión tiene lugar por instigación de la archiduquesa Sofía, decidida a acabar con las desavenencias y los malentendidos. Pese a los enfrentamientos que los han separado, Francisco José y Maximiliano se alegran de volver a verse, y en este ambiente de vacaciones, lejos de las pruebas que uno y otro han atravesado, recuperan enseguida la intimidad. Si sólo estuvieran ellos, todo iría bien. Pero están también las esposas. La emperatriz Isabel, educada en las montañas bávaras, por más que se lleve el primer premio de belleza es una provinciana. Carlota afirma que, después de todo, su cuñada no es más que una duquesa «en» Baviera, es decir, perteneciente a una rama pobre y oscura de esa ilustre Casa, y no «de» Baviera, es decir, miembro de la rama real y, por lo tanto, chic. Además, habla francés fatal. Carlota, en cambio, es hija y nieta de rey. Por parte de su madre, pertenece a la Casa de Francia. Tanto su educación como su existencia le han aportado una cultura internacional. Es una intelectual que gusta de deslumbrar con las distintas facetas de su espíritu, hasta el punto de que Isabel se permite mascullar contra «esa pretenciosa pequeña Coburgo». Incluso llega a oírse la expresión «pequeña oca belga», lo que no mejora las relaciones entre las dos mujeres. De hecho, ninguna de las dos soporta a la otra ni acepta su presencia. La archiduquesa Sofía se lamenta de ello, pero como detesta a Isabel y también dista mucho de tener un carácter fácil, no será ella quien imponga la armonía. Las dos cuñadas hacen que el ambiente resulte tan desagradable que tanto Carlota como Maximiliano se sienten encantados cuando se da por terminado el encuentro familiar.

La pareja regresa, aliviada, a la villa Lazarovitch, su principal residencia triestina hasta que esté acabado Miramar. Esta casa sin gran carácter se alza sobre un promontorio junto al mar. Max ha decorado el interior con mucho esmero. Las paredes están tapizadas de terciopelo o de damasco de colores intensos, sobre el cual hay colgados numerosos retratos de familia, tanto Habsburgo como Coburgo; Orleáns, muy pocos. Algunos muebles son ligeros y gráciles, otros son voluminosos y pesados, y por todas partes hay relojes, jarrones, objetos diversos, muchos libros, infinidad de paisajes, de acuarelas, tesoros llevados de los palacios de Milán, recuerdos traídos por Maximiliano de sus viajes. La morada es cómoda y acogedora, pero, después de los palacios de Lombardía, parece exigua. Ven a poca gente porque hay poca gente a la que ver. Por primera vez desde que se casaron, Maximiliano y Carlota se encuentran juntos solos, y por añadidura en un espacio reducido. Ya en plena guerra, Maximiliano no había parado de pensar en Miramar y de ocuparse del avance de las obras. Al llegar la paz, y con ella la ociosidad, dedica a su palacio encantado todo su tiempo, su energía y su dinero. Realiza incesantes cruceros con Carlota para ir allí. El *Fantaisie*, desmovilizado, sirve para hacer excursiones por las costas dálmatas.

Un día, frente a Ragusa, descubren el paraíso. Un islote cubierto de una vegetación exuberante y olorosa, a cuyas pequeñas playas van a morir las suaves olas del Mediterráneo; hay incluso un minúsculo lago de agua salada. Ricardo Corazón de León naufragó allí a su regreso de las cruzadas. Se construyó un convento que, secularizado más tarde, está en ruinas. Carlota y Maximiliano se han enamorado al instante de Lacroma, pues tal es el nombre de este paraíso. Maximiliano se ha endeudado tanto con Miramar que Carlota compra el islote con su propio dinero. Las obras de restauración del convento se realizan a toda velocidad y, para su inmensa dicha, muy pronto pueden instalarse allí. Carlota monta a caballo, se baña, pinta acuarelas, lee mucho, pasea. Maximiliano escribe sobre el estado del Imperio. Recupera también sus dotes de adolescente y escribe poemas. «¡Oh, Max, si pudiéramos ser siempre tan felices como ahora!», le susurra Carlota una noche en que la luz, el aire, el mar y los perfumes se han aliado para embriagarlos.

Carlota es maravillosamente feliz... Nadie se ha atrevido a contarle la leyenda de Lacroma, su islote paraíso. Cuando el último monje benedictino del pequeño convento fue expulsado, lanzó una maldición contra todos aquellos que se atrevieran a ocuparlo, prometiendo a esos usurpadores blasfemos una muerte violenta.

Entre la villa Lazarovitch, el Castelleto de Miramar y Lacroma, Carlota lleva una vida de ensueño, tanto más cuanto que sigue enamorada de Max y que tiene la impresión de conocer cada día un poco mejor sus cualidades. Cada día lo encuentra más admirable. Se alegra de no oír a su alrededor más que unánimes alabanzas de su bienamado procedentes de todas partes. Es orgullosamente consciente de hacerlo absolutamente feliz.

Carlota proclama su dicha en todas las cartas que escribe a su familia, a sus allegados, pero sólo se tiene su palabra para creerlo. Asimismo, la felicidad de Maximiliano existe porque ella lo afirma. Sin embargo, este hombre que ha aprendido a desvivirse necesita actividad. La ociosidad le pesa, le falta capacidad de reacción, la apatía lo invade. Entonces deciden ir muy lejos, a Brasil. Carlota está excitadísima ante la idea de esta expedición. A principios de noviembre embarcan en el *Fantaisie*. Es un espléndido y gran barco, con dos grandes ruedas de timón, dos chimeneas inclinadas hacia atrás y dos mástiles, una proa particularmente afilada y, en el castillo de popa, unos camarotes dotados de grandes ventanas que dan al mar abierto. El tiempo es espantoso, cuenta Carlota, los elementos luchan unos contra otros, llueve, el viento sopla con fuerza. Los antiguos lo hubieran interpretado como un mal presagio. Afortunadamente, el tiempo mejora cuando el *Fantaisie* llega al sur de Italia y a continuación recorre las costas de Andalucía y del norte de África. Hacen escalas, visitas, y Carlota describe profusamente en sus cartas los lugares, la vegetación, el clima, los colores, los habitantes, las fiestas locales.

Empiezan a cruzar el Atlántico. Primera parada: Madeira. Curiosa elección, pues es donde murió la primera prometida de Maximiliano, María Amelia de Braganza. Allí pasó el joven con ella su último invierno. Al ver de nuevo el lugar, lo invade una insondable melancolía. «Me entristece ver el valle de Machicot y la amable Santa Cruz, donde hace siete años vivimos momentos tan dulces, siete años repletos de alegrías y penas, fecundos en pruebas y en amargas desilusiones. Fiel a mi palabra, vuelvo para buscar en las olas del océano un reposo que la tambaleante Europa ya no puede darle a mi alma agitada. Sin embargo, me invade una profunda melancolía cuando comparo las dos épocas. Hace siete años yo despertaba a la vida y caminaba alegremente hacia el futuro. En cambio ahora acuso el cansancio, mis hombros ya no están libres, tienen que llevar el fardo de un pasado amargo.» A lo largo del día, Maximiliano se complace en remover los recuerdos más lúgubres. Visita varias veces el hospital fundado por la emperatriz de Brasil, la casa donde murió su amada, la iglesia a la que iba con ella a oír la misa dominical. «Aquí murió de una afección del pecho, el 4 de febrero de 1853, la única hija de la emperatriz de Brasil, una criatura cabal. Dejó este mundo imperfecto como un ángel puro de luz para ascender al cielo, su verdadera patria.»

El tiempo entra en el juego. La tormenta alcanza a Maximiliano y Carlota en Madeira. Llueve sin parar. Unas olas enormes rompen contra las rocas de la costa, produciendo auténticas nubes de espuma y rugidos terribles. Una pequeña goleta está a punto de zozobrar y la tripulación, formada por diez hombres, se salva de milagro. Los barcos de gran tonelaje han tenido que salir de la rada porque no ofrecía seguridad. Un buque español de tres palos ha hecho desembarcar a todos los pasajeros y se teme que naufrague.

Dos días más tarde, el tono de Carlota cambia radicalmente. Madeira se ha convertido en un sitio encantador. Allí se encuentra la más hermosa y rica vegetación, que va desde las plantas de los Trópicos hasta las del norte. Por doquier, campos de caña de azúcar, bananeros, cactus, naranjos y un montón de árboles del Nuevo Mundo «que resultaría demasiado largo enumerar». Extensos bosques de robles y castaños en las montañas. Un solo defecto: algunas frutas tropicales tienen un sabor infame, y otras, como las guayabas, apestan. Carlota no se cansa de describir los soberbios paisajes y sus paseos exaltantes, mientras ve acercarse el fin del año 1859 bajo el hechizo de esta isla.

De repente, la familia de Carlota se entera de que Max se ha marchado a Brasil dejándola a ella en Madeira, cuando inicialmente iban a ir juntos. En una carta dirigida a su padre, Carlota le cuenta que lo ha acompañado hasta las Canarias, donde le contrarió no poder desembarcar debido a un viento demasiado violento. Una chalupa llevó a tierra firme a Max, quien, según el relato de Carlota, embarcó de inmediato en el *Élisabeth*, un barco de línea con destino Brasil. Lamentando no haber podido ver Tenerife, oculta por las nubes, Carlota ha regresado a Madeira, donde el buen tiempo ha hecho su reaparición. Aprovecha el invierno tropical con sus flores y sus pájaros. Hay claridad hasta tarde, pero el crepúsculo apenas dura. Espera con impaciencia noticias de su familia, pues por culpa de la administración portuguesa, que gobierna Madeira, el correo se retrasa mucho.

Llega Navidad. Monta un árbol con lo que tiene a mano: naranjas, plátanos... «Aunque la ausencia de Max hizo que la velada fuese un poco menos alegre que de costumbre, me divertí mucho.» Dos días después invita a las autoridades a cenar: el obispo, que sólo habla portugués, el gobernador civil, el comandante militar, «que es una especie de hipopótamo», y un ex ministro portugués de Asuntos Exteriores condecorado con la gran banda belga de la orden de Leopoldo. Al poco hace una larga excursión por el interior de la isla que la obliga a pasar la noche en la villa del cónsul austriaco. Jamás menciona las razones que la han movido a cambiar de programa y a no acompañar a su marido a Brasil. Oficialmente se anuncia que está enferma, lo que la condena a la inmovilidad, pero en sus cartas no habla en ningún momento de que padezca enfermedad alguna ni proporciona ningún detalle sobre la posible naturaleza de ésta.

El 1 de enero de 1860 Maximiliano le escribe a Carlota desde Cabo Verde una carta que le llegará varias semanas más tarde:

«Querida y amadísima Carlota: Espero que ahora y en los años venideros Dios te dé todo lo mejor. Pues si tú eres feliz, esa felicidad repercutirá en mí. Tú lo eres todo para mí... Nuestra separación de Tenerife me ha hecho mucho más daño del que puedes sospechar o sospechas. Cuando te vi partir, me sentí tan desesperadamente triste... Pienso con nostalgia en los días felices que pasamos en Madeira y en su villa florida.

»Si no tuviera mis obligaciones de marino y si no sintiera vergüenza ante Dios, hace tiempo que habría regresado a Funchal, a ti.»

Con todo, Carlota continúa sola, en el corazón del invierno, en una isla perdida en medio del Atlántico, mientras su marido hace turismo en Brasil. Ella no añade nada más ni da ninguna explicación. En Bruselas, su padre y sus hermanos están cada vez más intrigados, si no inquietos. Envían misiva tras misiva, que tardan mucho en llegar y que quedan sin respuesta.

A fines de febrero, Carlota recibe por fin noticias de Max:

«Mi querido e incomparable ángel: Da la casualidad de que un barco de vapor parte muy pronto para Europa, lo que me brinda la ocasión de enviarte, mi querido y adorado ángel, unas líneas escritas precipitadamente. Hace ya veinte días que viajo por Brasil. Dicho esto, hicimos bien en decidir de común acuerdo que no vinieras, aun suponiendo que el viaje fuera divino por un mar tan sereno como un lago. Este país no está hecho en absoluto para las mujeres, lo que para ti hubiera supuesto hacer un largo viaje para nada. Porque salvo a las ciudades y los pueblos, sucios y aburridos, ninguna mujer del mundo puede venir aquí. Este país excluye todo paseo o excursión para las mujeres. Tan sólo un hombre capaz de superar grandes dificultades puede sentirse a gusto en Brasil... Muy pronto regresaré a Bahía y a continuación emprenderé el vuelo con las alas del amor en dirección a Madeira, hacia ti, mi vida.»

Aquí tenemos la explicación. De acuerdo con Maximiliano, Carlota decide no efectuar la larga travesía por el Atlántico porque se marea. Y Maximiliano se felicita por haber tomado esta decisión que tan penosa le ha resultado, pues, en vista del estado de Brasil, Carlota no hubiera podido acompañarlo en sus peregrinaciones. Peregrinaciones en el transcurso de las cuales sólo piensa en el momento en que volverá a ver a «su vida», a su Carlota. Maximiliano es sincero, pero ¿ha convencido a Carlota? En cualquier caso, como ha recibido noticias de él, por fin puede informar a su familia.

A primeros de marzo toma de nuevo la pluma para escribirle a su hermano Felipe. Si su familia no ha recibido noticias de ella durante tanto tiempo, la culpa la tiene el servicio de correos portugués. Ella no puede hacer nada. Por lo demás, no comprende por qué a su familia le sorprende que no haya acompañado a Max a Brasil. Poco falta para que la curiosidad de los suyos la ofenda: «Me preguntas dónde estoy y qué es de mí, mi buen amigo. Yo nunca he dicho que tuviese que marcharme de Madeira, de modo que no sé por qué has estado tan nervioso por este asunto. No hay que hacer caso de los rumores de los periódicos. Si hubiéramos tenido que irnos de aquí en el mes de diciembre, te lo habría mencionado. Es cierto que primitivamente el proyecto era ir a Brasil, pero siempre y cuando fuera posible; por eso no se ha hablado de ello. Al considerar las dificultades excesivas, la empresa fue abandonada.

En cuanto a Max, creo que volverá dentro de poco; no hace mucho me enteré de que había estado en Bahía, realizando el viaje que al principio debíamos hacer juntos. Díselo al querido papá. De lo demás no tiene sentido hablar antes de que regrese Max, pues no sé hasta qué punto le complacería eso antes de acabar la expedición. De todas formas, creo que recibiré algunas cartas de Max cuando llegue el vapor procedente de Lisboa. De aquí no tengo gran cosa que contarte; el tiempo se ha estropeado desde hace unos días, pero antes había hecho muy bueno.» Resulta difícil formarse una opinión a partir de este galimatías, deliberadamente confuso, si no impregnado de mala fe. En las cartas siguientes, su visión de Madeira cambia: nada de flores, nada de pájaros, nada de vegetación tropical. Describe el paro y la miseria de la gente del pueblo, que vive en cabañas semejantes a casetas de perro.

El 5 de marzo de 1860, Max, de regreso de Brasil, hace su reaparición en Madeira. La cuarentena lo obliga a permanecer cinco días a bordo antes de desembarcar. Él y Carlota sólo pueden verse de un barco a otro, lo que «era muy divertido». Ni una palabra más sobre este reencuentro que pone fin a tres meses de separación. Una semana más tarde parten de nuevo para Europa. Carlota le confiesa a Felipe que añora Madeira, a la que le ha tomado mucho cariño. No habla de Max, pero describe minuciosamente una escala en Tetuán, colonia española en Marruecos, y su encuentro con su primo el conde de Eu, Gastón de Orleáns, oficial del ejército español. Los silencios y las explicaciones embarulladas de Carlota, lejos de calmar la curiosidad y la preocupación de su familia, no hacen sino excitarlas. Felipe en particular la bombardea a preguntas y críticas.

¿Por qué no ha anunciado que Max partía para Brasil? ¿Por qué no lo ha acompañado? ¿Por qué se ha quedado sola en Madeira? ¿Por qué no ha dado señales de vida? Carlota le confiesa a su hermano que llega a temer la llegada de las cartas de su familia, incluidas las suyas, pues está harta de sus preguntas. Maximiliano y ella han regresado a su paraíso de Lacroma, pero su familia sigue sin comprender. Y la posteridad también, ya que hasta la fecha el misterio sigue siendo total. ¿Por qué dejó Maximiliano a Carlota sola durante tres meses, sin otra explicación que el temor de que se mareara? Carlota cierra la boca y no dice nada.

Para colmo, Maximiliano la deja de nuevo nada más llegar a su casa y se marcha solo a Viena. Ninguna explicación aclara tampoco esta separación.

Su estancia en la capital del Imperio y los encuentros con su familia le inspiran a Maximiliano las observaciones más amargas sobre la situación. Por doquier, en todos los niveles de la administración, hay corrupción, concusión, ineficacia, parálisis. Al mismo tiempo, el pueblo brama y el gobierno imperial no lo oye. Maximiliano llega a evocar la Francia de Luis XVI en vísperas de la Revolución. Tal vez peque de pesimismo exagerado, confiesa, pero aun así siente la necesidad de poner sus asuntos en orden, es decir, que manda a Bruselas a un secretario encargado de reunirse en secreto con su suegro, el rey Leopoldo, y pedirle que haga una compra ficticia de sus propiedades de Miramar y Lacroma, a fin de no perderlas en caso de que las cosas vayan mal. Un Maximiliano ensombrecido por la amargura y la decepción es el que vuelve a su casa, a orillas del Adriático, donde es recibido por una Carlota jovial y despreocupada. En su carta a Felipe, la joven expresa su alegría por volver a ver a su marido. Nada más llegar, lo lleva a hacer una «encantadora excursión» a las bocas del Cataro, entre los paisajes más soberbios. Y reanudan su vida tranquila y, según ella, sumamente agradable.

La misma cantinela a su antigua institutriz, la condesa de Hulst. Carlota también le dice a ella que tiene el consuelo y la satisfacción de saber que hasta el momento ha hecho absolutamente feliz a «aquel a quien Dios la ha unido». Reconoce que la existencia que los dos llevan en ese momento no es la que ella había previsto; ya no gozan de honores, no tienen corte ni tampoco responsabilidades, pero en el fondo da gracias a Dios por ello, pues en los tiempos que corren vale más vivir lejos del mundo, y cuanto menos se posee, menos se pierde. Sin embargo, a pesar de su situación presente, está convencida de que Maximiliano tendrá un futuro brillante. «Porque ha sido creado para ello y dotado por la providencia de todo cuanto hace a los pueblos felices, y me parece imposible que esas dotes permanezcan enterradas para siempre tras haber brillado durante apenas tres años.»

El hermano mayor de Carlota, Leopoldo, duque de Brabante, que entre dos escalas de un crucero se detiene en casa de su hermana y su cuñado en mayo de 1860, pinta un cuadro mucho más realista de la situación de la pareja. Tras recibirlo con los brazos abiertos, Carlota y Maximiliano lo «colman» de bondades que siente no haber merecido y que le hacen avergonzarse. «Mi pobre hermana me da lástima. Ha pasado de la grandeza de Milán y Venecia a esta pequeña casa, refugio de todos los esplendores pasados y auténtico guardamuebles. Mi cuñado está más gordo, lleva unas patillas no demasiado grandes y tiene los dientes peor; en una palabra, el pobre muchacho, que además se ha quedado casi calvo, no está favorecido.» Sin embargo, la pareja, para su admiración, no se desanima. Llevan noblemente su infortunio y, pese a la crueldad de su situación, no se quejan. Su reducida corte es tan triste como la ciudad de Trieste. La guerra ha arruinado el puerto, ya no hay casi barcos y la mayoría de los comerciantes han quebrado. Casi todos los grandes nombres que rodeaban a Maximiliano y Carlota en la época de su soberanía han partido. Leopoldo sólo vuelve a ver a la fiel y anciana condesa Lutzoff.

La existencia dista mucho de ser distraída. Por la tarde se da un paseo en coche, en el transcurso del cual es obligatorio extasiarse ante la vista del mar y de las montañas todavía cubiertas de nieve. Se cena a las siete, en frac o en calzón corto: «cocina pasable». Pero lo que obsesiona a Leopoldo es la suerte de Carlota: «Mi pobre hermana, la brillante reina de Venecia y de Milán, donde se creía amada, se ha visto obligada a huir a toda prisa tras haber evacuado sucesiva y personalmente su plata y sus joyas para volver a Trieste y, más tarde, exiliarse en Madeira, a fin de no seguir estando tan cerca de ese bello reino que había perdido. Qué triste es y qué poco merecido. De todo esto, mi hermana no dice una palabra. Yo la encuentro como antes, y al igual que en Bruselas, a veces un tanto lánguida en el talante, la voz y los ojos, aunque goza de muy buena salud.» Evidentemente, lo llevan a ver el castillo de Miramar, que sigue en obras. Tanto el sitio como el edificio le parecen soberbios. Es muy divertido construir palacios y decorarlos, pero es preciso escoger el momento adecuado para hacerlo. Él está atónito de ver a Maximiliano invertir en Miramar todas sus rentas e incluso endeudarse.

Su hermana lo lleva a pasar unos días al Castelleto. La vista es espléndida, pero la casa francamente minúscula. «Pobre gente, pobre Austria, pobre Europa», concluye Leopoldo. Su lucidez hace tambalear el optimismo que exhibe Carlota. Unas semanas después de su partida, la joven sólo tiene una idea en la cabeza: dejarlo todo e ir corriendo a Bruselas a reunirse con los suyos, con los lugares amados de su infancia. «Ver de nuevo Bélgica, aunque sólo fuese un día, me haría un gran bien —le confiesa a su hermano Felipe—, porque no se puede estar tanto tiempo sin ver a los que nos son queridos y no sufrir». Teme, sin embargo, no poder llevar a Max con ella, pues el ambiente vuelve a estar tenso. Italia ha entrado en erupción. Bajo la dirección de Garibaldi y, detrás de él, de Cavour, las pequeñas monarquías conservadoras se desmoronan una tras otra. Después de muchos desembarcos, batallas, asedios y rebrotes, Italia avanza a paso de gigante hacia la conclusión de su unidad. ¿Quién dice que los nacionalistas italianos, impulsados por los dos personajes, no van a atacar Venecia, todavía austriaca, e incluso Trieste? Carlota experimenta la misma incertidumbre, la misma tensión que el año anterior. Al rasgar la realidad los cuadros idílicos que ella pintaba, reacciona como tiene por costumbre hacer: no dice nada, no confiesa nada, no es lo que escribe lo que resulta revelador, sino lo que no escribe. Se acaban las descripciones entusiastas de excursiones por parajes encantadores. Se acaban las parrafadas sobre una existencia deliciosa en su soleada tranquilidad. Se acaban las frases sobre Max rebosantes de amor.

Se intuye una crisis en la pareja que las circunstancias por sí solas no explican. Sin embargo, cuando están separados, las cartas de Carlota a su marido demuestran lo enamorada que sigue estando de él, al igual que las cartas de Maximiliano llevan el sello de una pasión inalterable por «el ángel adorado»: «Tus cartas son para mí rayos de sol en mi vida monótona. Me siento tan triste por no estar contigo que se me saltan las lágrimas de los ojos.» Por su tercer aniversario de boda, le escribe una carta apasionada. No obstante, aunque ya no tenga la excusa de sus obligaciones oficiales, se ausenta a menudo, se distancia de ella. Hay motivos para que la situación provoque en él la amargura que se trasluce en sus confidencias, desde luego, pero se presiente algo más profundo, más íntimo. Con todo, esta etapa difícil de sus relaciones permanece sumida en el silencio en que ambos la han envuelto.

Por Navidad de 1860, Maximiliano y Carlota pueden por fin realizar su sueño de trasladarse al castillo de Miramar. Como los obreros todavía están trabajando en el primer piso, la pareja se instala en la planta baja. Carlota le describe con exaltación a la condesa de Hulst los espléndidos aposentos, cálidos en invierno y frescos en verano, desde donde se oye el murmullo del mar. Siguiendo la tradición real de la época, los jardines han sido abiertos al público. Triestinos y forasteros se apresuran a visitarlos para descubrir la novedad. El grito es unánime: Maximiliano ha realizado una obra maestra.

El castillo, la verdad sea dicha, es como mínimo estrafalario; está compuesto por elementos bastante cursis, pero el conjunto conserva todavía hoy un romanticismo extraordinario, debido en parte a su posición, dominando el mar. Lo rodean terrazas y pérgolas que invitan a pasear. Un suntuoso parque con zonas umbrías y frondosas, con parterres de flores y alamedas perfumadas sube hasta la montaña. Junto al castillo han construido un puerto de juguete, dotado de un muelle minúsculo en cuyo extremo hay una esfinge egipcia de granito, traída por Maximiliano de una de sus expediciones y que escruta permanentemente con sus ojos ciegos el paisaje del Adriático. El interior del castillo es heteróclito, y sin embargo mantiene cierta unidad, aunque sólo sea en la opulencia. Hay *altes deutsch* —el estilo Renacimiento alemán, pesado y sombrío—, Tudor, neogótico, victoriano, Napoleón III; hay puertas magníficas arrebatadas a monasterios, muebles recargados del siglo XIX, algunas muestras espléndidas de la ebanistería de los siglos pasados; hay cortinajes lujosos, sedas de tonos delicados, muchos dorados, bronces, bustos de mármol, los inevitables retratos de familia y obras de paisajistas contemporáneos. Junto a algunos cuadros antiguos de calidad, se amontonan objetos decorativos, recuerdos exóticos, libros. Decididamente, Maximiliano, el inventor de este blanco castillo, posee un gusto tal vez discutible, pero fácilmente reconocible, muy personal. Tras un primer ensayo de decoración en la villa Lazarovitch, su antigua residencia triestina, encuentra su verdadera expresión en el acondicionamiento de Miramar, que quedará para siempre como su creación y casi su símbolo, hasta tal punto que las hordas de turistas que actualmente pisan los parquets adamascados del castillo no han conseguido eliminar la atmósfera densa y al mismo tiempo acogedora, cargada y sin embargo agradable, en la que se mueven los fantasmas de la célebre y trágica pareja.

Nada más mudarse, Maximiliano tiene que dejar de nuevo a Carlota, en esta ocasión por órdenes superiores. Su hermano Francisco José lo envía como representante al entierro del rey Federico Guillermo IV de Prusia. Para soportar esta prueba, lleva a su mejor amigo, Bombelles. Su padre fue el preceptor de Maximiliano y de Francisco José. Así pues, fue educado con los jóvenes archiduques, pero la edad y los gustos lo acercan más a Maximiliano, de quien no se ha separado prácticamente nunca.

De regreso de Berlín, después del entierro del rey, Maximiliano decide pasar por Viena. El viaje le reserva una aventura que hubiera podido revelarse fatal: «En toda mi vida no había pasado tanto miedo. El vagón real en el que yo me encontraba con Bombelles y los sirvientes, se incendió por un lado debido a un sobrecalentamiento. Todo empezó a arder, las llamas lamían el vagón, pero el incendio sólo resultaba visible desde el interior; desde el exterior, era completamente invisible. Por más fuerte que gritábamos, nadie nos oía, y estábamos absolutamente seguros de que nuestra alma iba a separarse de nuestro cuerpo. El tren avanzaba cada vez más deprisa. Las llamas se volvían cada vez más amenazadoras y la terrible humareda empezaba a asfixiarnos. Teníamos la muerte ante los ojos. Entonces, el hábil Bombelles tuvo una idea genial. Pese a la veloz marcha del tren, pese a la escarcha y el hielo del exterior, logró salir por la ventanilla y subir hasta el techo. Encontró un cable que iba hasta la locomotora y disparó dos veces contra él, produciendo un silbido que dio la voz de alarma. El tren se detuvo. Nos salvamos, pero por los pelos...»

Maximiliano le está tan agradecido a Bombelles por haberle salvado la vida, que este sentimiento refuerza todavía más la amistad entre los dos hombres.

De regreso en Miramar, Maximiliano pasa cada vez con más frecuencia las veladas alejado de Carlota, con Bombelles y oficiales de la guarnición austriaca a los que invita. Beben mucho, fuman gruesos cigarros en cantidad, cuentan historias intrascendentes, se divierten. En estas reuniones participa también un personaje que comienza a adquirir importancia. Scherztenlechner ocupa el puesto de primer ayuda de cámara de Maximiliano. Todo el mundo detesta a ese soldadote tosco, arrogante e ignorante. Únicamente Maximiliano lo aprecia. No sólo lo ha convertido en su compañero de francachelas, sino que lo nombra su canciller. Extravagante promoción, cuando se conoce la rigidez tradicional de la Casa imperial en lo relativo a los rangos y los títulos. Para que un sirviente se sentara a la mesa de su alteza imperial y real, debía poseer unas cualidades realmente extraordinarias. Y en este caso, ¿cuáles eran?

Carlota soporta sin rechistar que Maximiliano la deje de lado para estar con sus amigos. Se aburre, pero no protesta, y sin embargo tiene un temperamento imperioso y es capaz de cantarle las cuarenta a quien haga falta, empezando por sus hermanos. Con Maximiliano, en cambio, es muy distinta en ese aspecto. Manifiesta la voluntad de no contrariar jamás a su marido, ni siquiera en el más mínimo detalle.

Cuando Maximiliano fue solo a Viena, durante las reuniones familiares le estuvo describiendo Madeira a su cuñada, la emperatriz Isabel, de un modo tan atrayente que a ésta se le metió en la cabeza ir. En estos momentos Isabel atraviesa una de sus crisis habituales, lo que significa que se niega a ver a todo el mundo y sólo tiene una obsesión: aislarse lo más lejos posible. Todos protestan contra su proyecto de viajar a Madeira: la corte, el gobierno y, sobre todo, su marido, el emperador Francisco José. ¿Por qué no elegir para su retiro, si es que necesita retirarse, un lugar aislado pero dentro del Imperio, donde hay más que suficientes? Estas objeciones dan como resultado animar a la emperatriz en su determinación, y todos acaban por plegarse a su deseo. Se le advierte, sin embargo, que ningún navío austriaco podrá trasladarla hasta el corazón del At-lántico. Pero eso no la arredra; le escribe a su buena amiga la reina Victoria, que pone a su disposición su barco, el *Victoria and Albert*. Y la emperatriz se va a pasar cinco meses de invierno a Madeira. Francisco José está furioso con Maximiliano por haberle inspirado a Isabel el deseo de realizar esta expedición.

En cuanto ésta emerge de su retiro, el emperador, locamente enamorado de su esposa, se apresura a ir a buscarla a Miramar. En compañía de Maximiliano, embarca en el *Fantaisie* y sale al encuentro del *Victoria and Albert*. En cuanto a Carlota, espera en el muelle del castillo. El pintor Dell'Acqua inmortaliza la escena en un cuadro que sigue colgado en un salón de Miramar. La chalupa imperial acaba de acercarse al muelle en cuyo extremo se alza la esfinge. Los marineros sostienen los remos en posición de firmes. Maximiliano, con el uniforme de la marina, ayuda a su hermano a poner pie a tierra. Unos peldaños más arriba, la emperatriz y la archiduquesa se saludan sobre un fondo de oficiales con uniforme de gala y de sirvientes más engalanados aún que los militares. Isabel va vestida de verde botella y negro; Carlota, por su parte, ha escogido colores claros: un gran chal blanco sobre un vestido rosa.

Las dos cuñadas parecen rebosantes de cordialidad, pero, en cuanto los dos hermanos se van a la ciudad, Isabel le da a Carlota la espalda deliberadamente. No cabe duda de que esta «pequeña oca belga» la exaspera. Y lo que es más grave: se niega a mantener atado a un gran perro pastor que ha traído de Madeira, y lo que tenía que pasar pasa. El animal se abalanza sobre el perrito de lanas de Carlota, regalo de la reina Victoria, y se lo zampa de un bocado. Carlota está desesperada, mientras que Isabel ni siquiera se excusa. Al contrario, expresa en voz bien alta su estupor por el drama que se ha organizado por un incidente sin importancia; además, ella odia los perros pequeños. Carlota reacciona inteligentemente: pobre Isabel, su estado, como mínimo preocupante, requiere los mayores cuidados. Y les dice una y otra vez a sus hermanos lo preocupada que está por su cuñada. En una palabra: la trata de loca.

Para alivio de Carlota, la pareja imperial se marcha enseguida a Viena, aunque Max no tarda en seguirla. Isabel, que planea retirarse de nuevo, esta vez no a Madeira sino a la isla de Corfú, donde le han construido una villa blanca, la Achileon, decide que Max la lleve. Francisco José da su consentimiento a regañadientes, obligado una vez más por Isabel.

Carlota se queda de piedra. No se había percatado de que había nacido un idilio entre su marido y su cuñada. Y sin embargo, todos los elementos concuerdan. Isabel detesta a Carlota. Maximiliano experimenta cierto resentimiento hacia Francisco José, al igual que Isabel, por cierto, aunque por otras razones mucho más antiguas. Isabel y Maximiliano se parecen: son dos seres románticos, ávidos de poesía y de elevación espiritual, almas que planean muy por encima del pragmatismo tan bien representado por Francisco José, por un lado, y Carlota por el otro. Isabel, con su grandiosa facultad de hacer siempre lo que quiere sin tener en cuenta a nadie, no ha debido de vacilar ni un instante en embaucar a su cuñado. Y Max se ha dejado fascinar por la sirena. El amor físico no atrae a Isabel; además, mantener relaciones carnales entre cuñada y cuñado sería un tanto excesivo. Así pues, Max podrá sentir por ella un amor imposible, el mismo que le profesaba y le profesa aún a una muerta, su primera prometida, María Amelia de

Braganza. El amor sin obstáculos, como el que podría vivir con su esposa, Carlota, le atrae menos que estos sentimientos intensos que se ocultan en los repliegues tenebrosos del alma y que, al no poder realizarse, inflaman la imaginación.

Se conocen tan pocos detalles sobre el idilio entre la emperatriz y el archiduque que no debió de durar mucho tiempo, aunque sí el suficiente para exasperar a todo el mundo. Carlota no dice nada, no manifiesta nada. Francisco José, por el contrario, aborrece con todas sus fuerzas a su hermano. Incluso se murmura que le envía una carta furibunda. Se estudian sanciones contra Maximiliano. Las relaciones entre los dos hermanos se tensan al máximo.

Carlota seguía confiando en que se asignara a Maximiliano para otro puesto, pero después de lo que acaba de pasar ya no hay que esperar nada de Francisco José. El futuro se cierra ante la pareja, entre la cual, por añadidura, ya no reina la armonía.

La situación seguía igual cuando, a principios de octubre de 1861, anunció su llegada a Miramar un visitante de importancia: el conde Rechberg, ministro de Asuntos Exteriores del Imperio austriaco. Su visita, había precisado, debía ser secreta. A su llegada en un tren especial a la estación de Trieste, el ministro y su séquito fueron conducidos en unos discretos coches al castillo, donde sus anfitriones esperaban con tanta curiosidad como impaciencia. Enseguida les expuso el objeto de su visita: ¿aceptarían Maximiliano y Carlota ocupar el trono de un imperio que se va a fundar, el de México?

Imperio, emperador, emperatriz, trono, corona... esas palabras resonaron como marchas triunfales en los oídos de Maximiliano y Carlota. Pero ¿de qué se trataba exactamente? Unos cuarenta años antes, México, hasta ese momento colonia española, había obtenido la independencia y desde entonces no había recuperado el equilibrio. Había sufrido un sinfín de golpes de Estado y pronunciamientos, doscientos cincuenta en total. Incluso había fundado un imperio, de corta vida, que acabó con la ejecución del emperador Iturbide. En semejante estado de anarquía, las arcas estaban permanentemente vacías; México pedía dinero prestado al extranjero y no saldaba sus deudas. Inestabilidad y endeudamiento se habían convertido en los pilares del país.

En medio de este desorden endémico, un personaje extraordinario se había abierto camino desde hacía unos años. Benito Juárez, un indio zapoteca nacido cincuenta y cuatro años antes en una cabaña de campesinos perdida en las montañas que rodean la ciudad de Oaxaca. En su infancia había vivido en la más absoluta miseria, pero gracias a su inteligencia había cursado brillantes estudios. Tras hacerse abogado, se había introducido en el mundo de la política, donde, eliminando a superiores y rivales, había escalado puestos rápidamente hasta convertirse en la principal personalidad de la escena política mejicana. Detestaba a la Iglesia, por lo que había nacionalizado los bienes del clero e instituido el matrimonio civil. Como sentía por los extranjeros un odio comparable, estaba decidido a cerrarles la entrada a México y, sobre todo, a no pagarles. Por supuesto, una multitud de mejicanos se habían opuesto violentamente a este indio izquierdista y radical que los había barrido de un plumazo. Pertenecientes por lo general a grandes familias ricas, vivían en el exilio desde hacía años, después de haber ocupado puestos más o menos importantes en su país.

Uno de ellos, José Hidalgo, antiguo embajador, había estado dos años antes veraneando en Biarritz. Un día, dando un paseo, se alejó de la ciudad y se puso a hacer «coche-stop» para regresar. Al ver que un carruaje se acercaba a gran velocidad, empezó a hacer señas para que se detuviese. El cochero prosiguió su camino, pero la dama que iba dentro del vehículo, al ver al hombre que gesticulaba, tuvo de pronto la sensación de que su rostro le resultaba familiar. Al cabo de unos segundos reconoció a Hidalgo y ordenó al cochero que parase. Era la emperatriz Eugenia, que también estaba pasando las vacaciones en Biarritz. Ella había sido, por lo demás, la que había puesto de moda el lugar. Había conocido en otros tiempos a Hidalgo en España, pues ambos estaban emparentados con grandes familias castellanas.

Intercambiaron noticias, rememoraron el pasado, y mientras el coche seguía circulando, Hidalgo comenzó a hablar de México, un país que había que regenerar, un pueblo al que había que salvar. Pero primero era necesario acabar con Juárez, el indio impío, a fin de fundar después, con la ayuda de Francia, un gran imperio cristiano que educara a los mejicanos a la sombra de la Cruz y que les proporcionara prosperidad a la sombra de Francia. La sangre católica y española de Eugenia se encendió. México sería su causa.

Al día siguiente invitó a Hidalgo al yate imperial, y mientras Napoleón III gobernaba el velero, el mejicano repitió las palabras que había pronunciado la víspera ante la emperatriz. Aleccionado por su esposa, el emperador se entusiasmó tanto como ella por el proyecto.

Pero para constituir un imperio hace falta un emperador, de modo que Eugenia, Napoleón III, Hidalgo y otros exiliados mejicanos empezaron a buscar un candidato al trono. Entre los nombres que salieron de sus respectivos sombreros había aparecido el de Maximiliano, pero nadie había encontrado nada especial en él.

Mientras tanto, en Miramar, la condesa Lutzoff había tenido una brillante idea. Era una de las antiguas damas de honor de la corte milanesa de Maximiliano y Carlota que los había acompañado en su desgracia. Toda la familia quería mucho a la buena y fiel Lutzoff. Abnegada y decidida, formaba parte del mobiliario, y estaban tan habituados a verla que le prestaban poca atención. Ella, por el contrario, observaba atentamente a sus señores, y no había dejado de percibir el desencanto, la decepción y la frustración que se habían apoderado tanto de Maximiliano como de Carlota. Pues bien, la condesa tenía un yerno, José María Gutiérrez de Estrada, antiguo ministro de Asuntos Exteriores y distinguido miembro de la diáspora mejicana, y le había escrito para decirle que, si estaban buscando un emperador para México, el archiduque Maximiliano sería muy adecuado. El yerno había mordido el anzuelo y pedido numerosos detalles sobre Maximiliano, sobre Carlota, sobre su situación, sobre su estado de ánimo. La buena Lutzoff había respondido con perspicacia y habilidad. El yerno, convencido de que Maximiliano era el candidato ideal, había convencido a su vez, con una retórica ampulosa y desbordante, a los demás mejicanos exiliados, los cuales habían hablado de él a Napoleón III y Eugenia. De pronto, el nombre de Maximiliano empezó a correr de boca en boca.

Pero había una dificultad. La opinión general era que Estados Unidos nunca aceptaría la creación en México de un imperio dirigido por un príncipe europeo. La doctrina Monroe había establecido definitivamente a América Latina como coto reservado del gran vecino del norte, que no toleraba allí ningún rival. Ahora bien, desde fines del año anterior Estados Unidos se encontraba desgarrado por la guerra civil: el Sur, forzado por las exigencias y las presiones del Norte, había declarado la secesión. En respuesta, el Norte había enviado a sus ejércitos para meter al Sur en vereda de una vez por todas y, por lo tanto, de momento no se hallaba en condiciones de imponer la doctrina Monroe en México. En cuanto al Sur, sin duda alguna apoyaría la formación de un imperio mejicano. En Europa, todos aquellos que estaban realmente interesados en crear ese imperio se declaraban sudistas, pues las repetidas insolencias de Washington habían hecho que los enemigos de los nordistas se multiplicaran. Napoleón III, la reina Victoria y su tío, el rey Leopoldo, formaban parte de éstos y soñaban con poder ayudar militarmente a los sudistas. Y si bien los jóvenes bisnietos de María Amelia —los sobrinos de Carlota—, el conde de París y el duque de Chartres, llevados por su entusiasmo juvenil, luchaban en las filas del Norte, iba a ganar el Sur, que aceptaría la existencia de un imperio mejicano. El momento no podía ser más oportuno: habría imperio y Maximiliano sería el emperador.

Llegados a este punto, y puesto que Maximiliano era príncipe de la Casa de Austria, se dirigieron al jefe de ésta, su hermano el emperador, quien envió al ministro de Asuntos Exteriores, Rechberg, con el encargo de transmitir la propuesta.

La primera reacción de Maximiliano y Carlota es interrogar ansiosamente al ministro para hacerle precisar la posición del emperador respecto a este proyecto, pues están íntimamente convencidos de que es contrario al mismo. A Francisco José le habría encantado desembarazarse de su hermano enviándolo a la otra orilla del Atlántico, por supuesto, pero la idea de verlo elevado al mismo rango imperial que él debía de desagradarle especialmente. De hecho, estaba a punto de rechazar la oferta cuando su madre, la archiduquesa Sofía, en una escena violenta, le había reprochado haberse comportado siempre como un mal hermano con Max y lo había amenazado, si se oponía al proyecto mejicano, con retirarse de la corte, lo que no habría dejado de provocar mil enojosas conjeturas y de causar un escándalo. Francisco José acabó cediendo, empujado también por el hecho de que en ese mismo momento la perla de su Imperio, Hungría, estaba en plena efervescencia y había llegado al extremo de reclamar una especie de autonomía. Se hablaba de crear un reino independiente y de la posibilidad de ofrecérselo a Maximiliano. Estos rumores y veleidades, aun no teniendo futuro, bastaban para inquietar a Francisco José. Cuanto más lejos se encontrara Maximiliano, mejor. Así pues, aunque expresando ciertas reservas, no se manifestaba contrario a que su hermano aceptase la corona de México.

Carlota ya conocía México gracias a un testigo de excepción: su propio tío, Francisco de Orleáns, príncipe de Joinville. No era la primera vez, efectivamente, que los mejicanos se habían declarado en suspensión de pagos. Ya se había dado el caso durante el reinado de Luis Felipe, mucho antes de la aparición de Benito Juárez, y se había enviado una flota con el cometido de hacerles entrar en razón. El almirante, príncipe de Joinville, participaba en la expedición. Había tomado la fortaleza de San Juan de Ulúa, que protegía Veracruz, y a continuación había desembarcado en tierras mejicanas. Este alegre aventurero no sólo narraba los hechos con una gran viveza, sino que además los ilustraba con espléndidas acuarelas que pintaba él mismo. Y sus relatos y pinturas habían inflamado la imaginación de la niña que era entonces Carlota.

Antes de responder a la oferta todavía oficiosa de la corona mejicana, Carlota consulta a su familia, en primer lugar a su padre, cuya sensatez y prudencia conoce y del que espera los consejos más sabios. Ante todo, le escribe, habría que averiguar las verdaderas razones que tiene Francia para crear ese imperio y ofrecérselo, pues ella duda de que sea simplemente por amabilidad. Hace bien en desconfiar, aunque lo cierto es que se halla lejos de conocer el porqué de la operación. En este caso, los ideales más elevados van emparejados con los intereses más prosaicos. El predecesor de Benito Juárez en la presidencia de México había negociado con un banquero suizo de México, Jecker, un préstamo privado de sesenta y cinco millones al seis por ciento. Jecker, que conocía México y sabía los riesgos que corría, había buscado un aliado de peso y lo había encontrado en la persona del duque de Morny, hermanastro bastardo de Napoleón III, a quien había tenido la brillante idea de ofrecerle el treinta por ciento de los beneficios a cambio de su ayuda para conseguir la devolución del préstamo. El emperador barbicorto representaba una combinación de política tortuosa e ideas grandiosas o excitantes, mientras que el seductor Morny, verdadero genio de la política, representaba sobre todo los negocios y el dinero. El banquero Jecker, pues, había apuntado con tino. Al igual que Eugenia, pero por razones diferentes, Morny había hecho de México su causa ante el emperador. Si todo salía bien, por un lado se obligaría a los mejicanos a liquidar su deuda (el treinta por ciento de la cual iría a su bolsillo) y, por el otro, gracias al establecimiento de aquel imperio mejicano bendecido por Francia, se abriría una puerta a los mercados más interesantes y los beneficios más sustanciosos.

Carlota, aunque dista mucho de sospechar tales especulaciones, duda. Inglaterra no parece muy partidaria de este proyecto, lo que constituye un obstáculo enorme. De todas formas, habría que poner condiciones antes de aceptar y, sobre todo, informarse de la opinión de los mejicanos. Dicho esto, la idea es atrayente. México es uno de los países «más ricos del planeta». Está lejísimos, eso sí, y su población no es homogénea, pero la anarquía que reina abre la vía del poder a quien tenga la audacia suficiente para hacerse con él. Ese país nunca ha sido bien gobernado; si lo fuera, adquiriría una importancia considerable e incluso podría recuperar provincias conquistadas por Estados Unidos. «No carecería de cierto atractivo. Fundar una dinastía y ocuparse del bienestar de un pueblo son grandes tareas. Tienen sus dificultades, pero también sus satisfacciones cuando se llevan a cabo con éxito. Por lo demás, ¿no es el camino que trazó el querido papá con su ejemplo?» El «querido papá» está francamente desconcertado. Le gustaría mucho ver a su yerno y sobre todo a su hija tocados con la corona imperial. Además, las grandes aventuras, como la creación de un imperio, siempre le han atraído. Sin embargo, ese proyecto está plagado de incógnitas, de incertidumbres, de obstáculos, de dificultades, de modo que da una respuesta ambigua: «Mantener las manos libres sin rechazar la oferta.»

Maximiliano tiene una reacción distinta. Al principio se encierra para plasmar en papel sus reflexiones. «Se me encontrará siempre dispuesto, en todas las circunstancias de mi vida, a hacer los sacrificios más duros por Austria y por el poder de mi Casa. En el caso presente, el sacrificio sería tanto mayor, para mi esposa y para mí, cuanto que se trata de dejar Europa y sus condiciones de vida.» Es consciente de que su familia ha perdido mucho de su esplendor, de su poder. Mirad a los Coburgo, dice. Partieron de cero y no paran de apoderarse de un trono tras otro, extendiendo su influencia de día en día, mientras que su familia no hace más que perder territorios. El deseo de devolver a los suyos su antiguo lustre le hace considerar sin precipitación la propuesta mejicana.

A fin de averiguar qué opinan del asunto los mejicanos, decide enviar un emisario secreto a ver a Gutiérrez. ¿Y a quién elige? A Scherztenlechner. El antiguo sirviente es tan ignorante, dicen, que ni siquiera sabe dónde está México. Gutiérrez se forma de inmediato la opinión que todo el mundo tiene de él, es decir, la más desfavorable, pero le da la información requerida. México no tiene más que un deseo: el de ver llegar a Maximiliano lo antes posible para ceñir la corona. Que el archiduque se tranquilice; tendrá un recibimiento triunfal. Como si eso no fuera bastante, Maximiliano le confía al antiguo sirviente una carta para el papa Pío IX y lo envía a la ciudadela más augusta de Europa, el Vaticano. Scherztenlechner es recibido por el cardenal Antonelli, el altivo secretario de Estado, quien se pregunta qué mosca le ha picado al archiduque para hacerse representar por semejante patán. Pío IX responde hipócritamente a Maximiliano animándolo en su misión y felicitándolo por la halagadora elección de que ha sido objeto. En pocas palabras, el Papa espera que Maximiliano, convertido en emperador de México, le devuelva al clero los bienes expoliados por el indio zapoteca.

Consciente de que Scherztenlechner no era el intermediario ideal, Gutiérrez de Estrada desea reunirse lo antes posible con Maximiliano para convencerlo de que acepte la corona. Este hombre insistente logra que lo inviten a Miramar, adonde llega por Navidad. Su suegra, la buena Lutzoff, le ha preparado el terreno explicándole en sus numerosas misivas con quién va a tratar y cómo debe actuar. Guiado de forma sutil por ella, les pinta a Maximiliano y Carlota una situación sumamente alentadora y unas perspectivas casi infinitas. Su facundia derriba las reticencias; Gutiérrez convence.

Con la mente llena de las imágenes mirificas descritas por Gutiérrez, Maximiliano parte para Venecia. Su hermano Francisco José, que está visitando a la «novia del Adriático» todavía austriaca, lo ha invitado a ir. Maximiliano acepta no sin cierto temor, pues tiene muchas preguntas que hacer y, bajo la aparente calidez de los vínculos familiares, surge la tensión y una especie de miedo del hermano pequeño al mayor, al señor, al soberano que desconfía de él y le tiene celos. Los dos hermanos se encuentran en las encantadoras salas pompeyanas del palacio real, donde Maximiliano se había alojado en la época de su «realeza». Lejos de sus esposas y de las fricciones que se producen entre ellas, recuperan fácilmente la intimidad fraternal.

Maximiliano, animado, empieza por pedir dinero. De acuerdo en lo referente a un préstamo de los señores Rothschild, responde Francisco José, además de los capitales francés e inglés; y en signo de buena voluntad, él añade cien mil guldens austriacos destinados a los primeros gastos. Maximiliano no esperaba tanto. También necesita ayuda militar. De acuerdo, responde Francisco José; se podrán reclutar libremente voluntarios austriacos, que serán puestos bajo el mando directo de Maximiliano. La generosidad del hermano mayor llena al pequeño de estupor. Las nubes del pasado parecen haberse disipado por completo. Maximiliano encuentra a Francisco José tal como lo había conocido en otros tiempos, tal como lo quería.

Una vez resueltas estas cuestiones, estudian juntos la futura Casa imperial de Maximiliano, los títulos que habría que crear, las condecoraciones que habría que otorgar. Hablan de ello larga y gravemente, con ese interés atávico y esa profesionalidad que las majestades vinculan a tales asuntos esotéricos. Y los dos hermanos se separan como los mejores amigos del mundo.

De regreso en Miramar, Maximiliano recibe a otro exiliado mejicano, también antiguo embajador y además general, como la mayoría de sus compatriotas. Almonte lleva una carta de Napoleón III prometiendo dinero, zuavos, todo lo que haga falta para apoyar a Maximiliano. Almonte aporta también su granito de arena, jurando que todo México espera a su emperador. La emperatriz Eugenia entabla una correspondencia directa con Carlota. Su actitud y su opinión son las mismas. «Esperamos que esté cerca el momento en que tanto las ansias de los mejicanos como los deseos de las naciones civilizadas se vean cumplidos.» Se alegra por anticipado de lo providencial que será para la población, absolutamente desmoralizada, la llegada de Maximiliano y Carlota.

Este concierto embriaga un poco a Carlota. El proyecto mejicano se convierte en «algo bastante atractivo», le confía a su hermano Leopoldo. Que Maximiliano posee las aptitudes necesarias para dirigir un gran imperio, eso es indudable, y sería una tarea digna de él imponer el orden y la civilización. Maximiliano emperador de México: de nuevo no se pondría el sol en el Imperio de los

Habsburgo. «Este año se decidirá si vas a convertirte en cuñado de un emperador.» Bien pensado, a Carlota le gusta la idea de fundar «una nueva dinastía». Se trata de una mención bastante natural, casi banal, perdida en la carta, pero aun así suena muy extraña. Porque para fundar una dinastía hacen falta hijos... y Carlota sigue sin quedarse embarazada.

5

Mientras tanto, imponentes escuadras navegan rumbo a México. Benito Juárez había encontrado en las arcas de sus predecesores un tesoro de guerra destinado a devolver parte de las enormes deudas contraídas por México con las potencias, pero él necesitaba ese oro para sanear el país. Así pues, hizo que el Congreso mejicano aprobara la decisión de suspender el pago de las deudas. Sin pedir la opinión de Maximiliano y Carlota, sin siquiera advertírselo, el 31 de octubre de 1861 los tres grandes acreedores de México —Francia, Inglaterra y España— han firmado un acuerdo para obligarle a pagar. Envían allí buques de guerra para apoyar sus exigencias con tantos cañonazos como haga falta. Las tres escuadras llegan ante Veracruz. Juárez ha hecho evacuar la ciudad, dejando tras de sí únicamente la fiebre amarilla. No hay necesidad de bombardear, puesto que no hay nadie aparte de un microbio imposible de matar a cañonazos. Los aliados, tras desembarcar, no saben muy bien qué hacer. Juárez los deja madurar cierto tiempo; luego les envía a sus delegados. Para no hablar en las miasmas de Veracruz, se han instalado en un lugar llamado La Soledad, mucho más sano.

La suma de las deudas aliadas se eleva a doscientos cincuenta millones de francos oro. A los propios acreedores, la suma les parece un poco excesiva. Los mejicanos les hacen comprender que plantear reclamaciones exageradas no haría sino intensificar la anarquía y que de ese modo lo único que conseguirían sería perder toda posibilidad de recuperar un céntimo. En cambio, si se mostraran conciliadores, Benito Juárez estaría dispuesto a hacer un esfuerzo. Como garantía de su buena voluntad, les cedería algunas ciudades para que las ocuparan, con la condición de no atentar contra la soberanía y la integridad territorial de México. Los aliados aceptan sin vacilar la oferta de Juárez, y para concretarla firman con los mejicanos un convenio llamado de La Soledad.

Ahora ya se puede hablar de lo principal, es decir, del montante de la devolución.

Entretanto se han hecho grandes amigos. No sólo se respeta la soberanía mejicana sino que ya no se toca a Juárez, puesto que al fin y al cabo están tratando con sus delegados. El convenio de La Soledad constituye ni más ni menos que un reconocimiento implícito del régimen de Juárez, y así lo entiende nada más ser informado de ello Napoleón III. Sus imprecaciones están a la altura de su rabia. ¡Adiós imperio mejicano! ¡Adiós emperador Maximiliano! Conchabándose con Juárez, sus mandatarios han hecho añicos su sueño.

La primera reacción del emperador es destituir al jefe de la expedición y enviar a otro general al mando de un refuerzo de cuatro mil hombres, con instrucciones de avanzar, de conquistar, de perseguir a Juárez y de sentar a Maximiliano en el trono.

El general Lorencez cruza el Atlántico a toda vela y aparece en La Soledad con ganas de pelea, pues en sus oídos todavía suenan las declaraciones belicosas de su soberano. Encuentra a los representantes inglés y español charlando tranquilamente con los representantes de Juárez, sin contemplar otra posibilidad que la paz. ¿Cómo tienen los aliados de Francia la insolencia de tratar con esos bandidos que representan a Juárez, el bandido por excelencia? El inglés y el español responden que ellos han ido a México para conseguir la devolución de lo que se les debe y que están a punto de conseguirlo negociando. Pero, objeta Lorencez, ¿y la fe cristiana, la civilización, el progreso, la regeneración que el imperio garantizará a México? El inglés y el español se encogen de hombros. Sus instrucciones son claras y precisas: dinero y nada más que dinero; el imperio no les importa. Los ánimos se caldean.

Almonte, que ha regresado a su país tras la entrevista con Maximiliano, está frenético. Hay que actuar con rapidez, derrocar al indio impío y maldito, subir al trono a Maximiliano, brama ante la cara de los representantes de Juárez. El inglés y el español se enfadan. ¡Que Lorencez haga callar inmediatamente a ese energúmeno de Almonte! Lorencez se niega y se produce la ruptura. El inglés y el español, aprovechando la circunstancia, dan un portazo, embarcan en sus respectivos navíos y ponen rumbo a Europa. Un desastre.

No, en absoluto, ha sido todo un triunfo, le asegura Eugenia a Carlota: «Gracias a Dios, ya no tenemos aliados.» Ella dice que, mientras los españoles y los ingleses se encontraban en México y negociaban con Juárez, ni un solo autóctono se había atrevido a declararse a favor del imperio, pero que su marcha los ha liberado de sus inhibiciones. Por fin pueden expresar libremente sus deseos. Y sus deseos tienen un nombre: Maximiliano.

De repente se alza una protesta general contra el proyecto mejicano. Las advertencias de los embajadores enviados a Washington se multiplican. Seward, el secretario de Estado norteamericano, pese a estar ocupado con la guerra de Secesión declara que la creación de un imperio en México, agravada por la presencia de un príncipe extranjero a su cabeza, sería una ofensa para Estados Unidos. El conde Rechberg, ministro austriaco de Asuntos Exteriores, el mismo que había ido a ofrecerle la corona imperial a Maximiliano, pone en guardia a este último, aconsejándole que no se considere comprometido por las promesas hechas a Napoleón III. La reina Victoria y el príncipe consorte recomiendan al tío Leopoldo mucha prudencia. Pero la advertencia más autorizada procede del general Prim, que dirigía la escuadra española enviada a Veracruz y que acaba de volver de México. Éste le escribe una larga carta a Napoleón III en la que, con el debido respeto, explica que en México no hay un verdadero sentimiento monárquico, que el breve imperio de Iturbide no ha dejado ni nobleza secular ni ejemplo moral, pero sobre todo que la vecindad de Estados Unidos y «el lenguaje siempre severo de sus republicanos contra la institución monárquica» ha suscitado en México un sentimiento de odio contra la monarquía y creado una corriente republicana «que no resultará fácil destruir».

Carlota tiene cosas mejores que hacer que escuchar esos lúgubres razonamientos. Su padre, el rey Leopoldo, ha caído enfermo y corre serio peligro. A una dolorosa extirpación de cálculos le ha seguido una grave enfermedad de los pulmones. Nada más enterarse de la noticia, Carlota se ha montado en el primer tren y ha viajado noche y día hasta Bruselas, pero al llegar se le niega el acceso a Laeken, donde yace su padre. Entonces se entera por boca de sus dos hermanos que ellos tampoco lo han visto desde que está en cama. Espera varios días sin recibir ninguna indicación, de manera que no le queda más remedio que anunciar su partida. Entonces el rey Leopoldo acepta concederle una audiencia según las formas exigidas por el protocolo. Se ha levantado, se ha vestido e incluso se ha maquillado para recibirla, como lo habría hecho con cualquier otro de sus súbditos. Se muestra tan frío y distante que despierta la compasión del ministro del Interior hacia Carlota: «La pobre muchacha, que había venido tan deprisa y de tan lejos, tan sólo vio una vez a su padre. ¡Ah, los reyes!»

Afortunadamente para ella, en Miramar la esperan excelentes noticias. Tal como le había anunciado la emperatriz Eugenia, los franceses, liberados de sus aliados, tienen el campo libre en México y aprovechan esta circunstancia. Siete mil soldados avanzan a marchas forzadas hacia la capital mejicana. Por el camino, las ciudades se rinden tan deprisa que muy pronto llegarán a Puebla, la gran ciudad situada a medio camino entre Veracruz y México. El 7 de junio de 1862 Eugenia le escribe a Carlota en tono triunfal: «Las noticias son excelentes, el general Lorencez cree que ya controla el país. Todos los días nos llegan adhesiones de generales y ciudades... Probablemente el próximo correo nos traerá la noticia de la llegada a México...»

Ocho días más tarde, el 15 de junio exactamente, llega «el próximo correo» anunciando una sorprendente derrota de los franceses. El general Lorencez ha llegado a las puertas de Puebla, ciudad eficazmente fortificada, defendida por miles de mejicanos dispuestos a todo y, como colofón, dominada por la fortaleza casi inexpugnable de Guadalupe. Lorencez, para complacer a Napoleón III, muestra demasiado celo. Sin preparativos, sin examinar el terreno, sin plan de ataque, da la orden de cargar. La batalla es encarnizada, sangrienta. Los franceses sufren un descalabro total y Lorencez no puede sino dar la orden de retirarse. Unas hordas de mulatos y de indios mal entrenados y mal pertrechados han vencido al ejército más poderoso.

Un grito de alegría resuena en todo México, que todavía hoy celebra escrupulosamente todos los años este triunfo inesperado. A los vivas de los mejicanos responden los gritos furiosos de Napoleón. Lorencez es un imbécil que ha cometido error tras error.

Fuera Lorencez. Se envía a un sustituto, el general Forey, con veintiocho mil hombres y dos adjuntos, los generales Douay y Bazaine. Con este dispositivo, sería el colmo si no se «pacificara» México.

En el mismo momento, los griegos expulsan a su rey. Tras haber obtenido la independencia, habían buscado un soberano y lo habían encontrado en la persona de un príncipe bávaro. Ahora, a Otón I se le agradecen sus treinta años de buenos y leales servicios, salpicados de intentos de establecer una monarquía absoluta, con una pequeña revolución. Los griegos intentan reemplazarlo. Ya han sido rechazados varios candidatos cuando de pronto surge el nombre de Maximiliano.

El gobierno inglés se entusiasma. El hecho de que la hija de un anglómano como Leopoldo I, la prima hermana de la reina Victoria, ocupe el trono de Atenas, significa introducir la cultura inglesa en Grecia. Lord Palmerston, gran señor de la política exterior británica, le ruega al rey Leopoldo que transmita a sus hijos la proposición griega, que la reina Victoria apoya de todo corazón. Leopoldo duda. Sin embargo, el trono de Grecia es en definitiva mejor que un trono inexistente, como el de México, país todavía más inestable y con una población todavía más variable. Por lo demás, Atenas se encuentra más cerca de Bruselas que México, y el rey Leopoldo valora esa proximidad. Así pues, le transmite la oferta a Maximiliano, que se ofende mucho. ¿Cómo se atreven a hacerle una proposición tan humillante? «Sería el último en aceptar una corona que ya ha sido ofrecida sin éxito a media docena de príncipes.»

Carlota hila más fino. Para aceptar el trono de Grecia, habría que convertirse a la religión ortodoxa y, por lo tanto, renegar del catolicismo, cosa impensable.

A fines del invierno de 1863, dejando al margen el asunto mejicano, la única ocupación de Carlota es casar a Felipe. Se ha convertido en una obsesión para ella, que no para de escribirle cartas interminables, de diez páginas o más. Pasarse horas ante su escritorio llenando páginas con su letra fina, inclinada, elegante y clara es su punto flaco, como ella misma reconoce lúcidamente: «Ya estoy otra vez escribiendo tomos. Es una mala costumbre que precisamente hoy quería corregir.» En cada misiva pasa revista a las posibles candidatas para su hermano. Su preferida es su prima hermana Chiquita, la hija del príncipe de Joinville, que en su infancia encontraba a Carlota muy esnob, pero Felipe no quiere ni oír hablar de ella. También está la princesa heredera de Brasil, la hija del emperador Pedro II. Evidentemente, para Felipe sería una posición incomparable, pero tendría que dejar Bélgica para siempre. Al contemplar esta posibilidad, Carlota recuerda su propia marcha y tiene un arrebato de ternura que constituye un hermoso homenaje a su país natal: «Cuando os dejé a todos y me marché de Bélgica, creí que me arrancaban el corazón. Cuando volví la primera vez, después de cuatro años, y bajé en la estación de Bruselas, me pareció que iba a desplomarme. Y sin embargo, soy absolutamente feliz y disfruto de toda la dicha que se puede tener en la tierra. Incluso disfruto cada día más de ella.» Carlota se extiende hablando de su felicidad conyugal, comparándola con la de sus primas inglesas: «Las cosas duraderas nunca empiezan con demasiado ardor, y eso puede aplicarse a los matrimonios. Vicky y Fritz eran una hoguera antes de casarse, mientras que yo estaba absolutamente tranquila, y actualmente Max y yo somos infinitamente más felices de lo que Vicky lo es con Fritz...» Seis años después de casarse, Carlota, contradiciendo todo lo que ha proclamado hasta entonces, da a entender que no se casó únicamente por amor, sino que su decisión había sido cuidadosamente meditada.

En México las cosas avanzan a buen ritmo. El general Forey, que ha sustituido al inepto Lorencez, no tiene más que una idea: complacer a su soberano, Napoleón III, y para conseguirlo tomar Puebla. Esta vez, los franceses cuentan con treinta y siete mil hombres y ciento setenta y seis cañones para atacar la ciudad. Contra todo pronóstico, sin embargo, el asedio dura tanto que Napoleón III se impacienta; no obstante, la ciudad acaba por rendirse. Lo que sigue no es más que un desfile militar hasta México, ilustrado por una proeza. En la pequeña ciudad de Camarón, sesenta y cuatro soldados de la Legión Extranjera resisten durante nueve horas el ataque de dos mil mejicanos. El nombre de Camarón entra así en la leyenda.

Pero Juárez, comprendiendo que ha perdido la partida, abandona la capital en dirección al norte con las tropas que le quedan... y por supuesto el Tesoro público. El general Forey entra en la capital acompañado de su ayudante, Bazaine, que va a su derecha. A partir de ese momento los acontecimientos se desarrollan con rapidez.

El mando francés designa a treinta y cinco notables, a los que bautiza con el nombre de junta mejicana, la cual saca de la chistera una asamblea de doscientos quince representantes, todos ellos elegidos por su docilidad profrancesa. El primer acto de este parlamento fantoche es aprobar el establecimiento de la monarquía y ofrecerle la corona a Maximiliano. Una delegación compuesta por los mejicanos más ilustres partirá inmediatamente para Europa a fin de reunirse con el candidato a emperador.

México parece por fin al alcance de Maximiliano y Carlota. Por si acaso, ambos han empezado a estudiar la lengua de su futuro imperio, y Maximiliano escribe en el más puro castellano «*Mi querido ángel*», «*Mi más que muy querida Carlota*», «*Señora de mi corazón*» y otras fórmulas amorosas dirigidas a Carlota.

Si están separados es porque Maximiliano, una vez más, se ha ido de excursión a bordo del *Fantaisie*, dejando a Carlota en casa. Describe con humor una cena húngara cocinada por Scherztenlechner, a quien sí ha llevado con él. El menú fue «tan nacional que a algunos les produjo violentos dolores de vientre. Otros se levantaron de la mesa con hambre y asco, y todos, excepto los húngaros, cantaron un himno elogiando al tan vituperado cocinero...» Resumiendo, que en el transcurso de estos cruceros sin Carlota lo que no faltaba era diversión.

A principios de 1864, Maximiliano y Carlota deciden hacer las averiguaciones oportunas para saber a qué atenerse en el asunto de México, pues la realidad de ese imperio lejano parece escapar a todo análisis y a toda tentativa de comprenderla. Así pues, convocan en Miramar al señor Bourdillon, enviado especial del *Times* en México. Lo primero que éste les dice es que los mejicanos son mentirosos, ladrones y perezosos. Pero ¡cuántas riquezas hay en ese país en minas, en agricultura...! ¡Son prácticamente inagotables! ¡Y cuánto dinero también! Es «el dios de los mejicanos, que están dispuestos a todo por un peso». Sobre todo, no hay que confiar en los políticos, todos corruptos. Por lo demás, el país desconoce hasta la palabra democracia, y si se quiere imponer, el ejército de ocupación francés tendrá que quedarse el tiempo necesario. En cualquier caso, la única solución para México es la monarquía, la única esperanza para México son Maximiliano y Carlota.

Estos últimos, si bien un tanto desconcertados por un análisis tan directo, sólo retienen el final, que corrobora los informes del general Almonte. Tras su regreso a México con el general Forey, Almonte defiende fervientemente a Maximiliano y lo bombardea con cartas en las que lo llama «sire» y «majestad».

Napoleón III, por su parte, alberga ciertas reservas. Sí, ha ordenado a sus tropas que arremetan contra México, que acaben con Juárez y que le preparen el terreno a Maximiliano, pero le parece que todo ha ido un poco más deprisa de lo deseable. Considera que la junta, el parlamento que sus generales han inventado, no da una apariencia de seriedad. El veleidoso emperador querría un sí franco y masivo de los mejicanos en favor de Maximiliano.

De pronto, Francisco José convoca a Maximiliano en Viena para hablar del asunto mejicano. Carlota se niega a dejar que vaya solo. Así que ahí los tenemos, en los aposentos de la lúgubre Hofburg, el palacio imperial austriaco. Las vastas estancias tapizadas de damasco rojo oscuro dan, a través de pequeñas ventanas, a patios grises. Los grandes muebles de madera oscura están dispuestos sin gracia; en las paredes, cuadros religiosos y contemporáneos carentes de inspiración alternan con retratos de Habsburgo muertos hace mucho tiempo. Maximiliano y Carlota, preocupados por lo que oyen, no hacen caso de la decoración. Nadie les aconseja abiertamente que rechacen el trono mejicano, pero de hecho todo el mundo les hace mil advertencias: el conde Rechberg, ministro de Asuntos Exteriores, en su exordio; los embajadores austriacos, en sus informes; y la familia imperial de forma unánime. La más categórica es la archiduquesa Sofía, la madre de Maximiliano, que al principio se alegraba ante la perspectiva de ver a su hijo preferido ceñir una corona. Después, su realismo le ha hecho cambiar de opinión:

—El proyecto es excesivamente peligroso. Hay que rechazarlo —aconseja.

—La situación dista de ser menos favorable ahora que al comienzo —objeta Carlota—; tiende, por el contrario, a un desenlace digno y feliz.

—Mirad lo que le ha sucedido a mi sobrino, el rey de Grecia, Otón. Las potencias le habían garantizado el trono, y todo lo que hicieron fue enviar un destructor inglés a recogerlo cuando los griegos lo expulsaron. Vosotros no tendréis ni siquiera un destructor que vaya a recogeros cuando los mejicanos se rebelen.

—Os lo ruego, tía, no nos hagáis más infelices manteniendo una opinión contraria a la nuestra, aunque, en cualquier caso, nada cambiará la decisión de Max una vez que la haya tomado.

La archiduquesa Sofía, que siempre ha favorecido abiertamente a Carlota en contra de Isabel, se pregunta si no ha sido una equivocación. Trata de hacerles comprender a su hijo y a su nuera que allá, en México, se los considerará extranjeros, siempre serán extranjeros.

—No se puede hablar de influencias extranjeras o de conquistas extranjeras —replica Carlota— mientras México forme parte de las posesiones dinásticas austriacas.

¿Qué sentido tiene continuar este diálogo de sordos? La archiduquesa Sofía está convencida de que nada hará que Carlota cambie de decisión y se echa a temblar.

Otra anciana tiembla también, y por la misma razón. Se trata de la reina María Amelia, firmemente contraria al proyecto mejicano con el respaldo de todos los Orleáns, sus descendientes. Le escribe a su nieta para aconsejarle que abandone el proyecto, insinuando que sólo ha visto en la quimera de México la vanidad de un trono. Carlota se pica: «Yo soy la última persona que quiere un trono. Si lo recordáis, hubiera podido acceder a uno cuando tenía diecisiete años y no lo quise. En cuanto a rechazar el de México, cuando se siente la posibilidad y la capacidad de realizar una gran tarea, sería pisotear la propia conciencia y negarse a cumplir el deber para con Dios.» María Amelia deplora esta obcecación, cuando ella hubiera deseado un porvenir mejor para su nieta. «¡Pero si México es un país muy hermoso!», replica ésta. María Amelia insiste. Si después de haber aceptado, expulsaran a Maximiliano de México, no les quedaría nada. «Claro que sí —contesta Carlota—, sigue quedándole la sucesión al trono austriaco, pues a pesar de los rumores que afirman lo contrario, no ha renunciado ni a uno solo de sus derechos hereditarios.»

Lo conseguiremos, se repite Carlota. Lo conseguiremos, le

contesta Maximiliano. Éste inaugura su política exterior acercándose a los estados del Sur de Estados Unidos, estableciendo calurosas relaciones con el general James Williams, su representante en Europa. Le escribe al presidente sudista prometiéndole una estrecha alianza: «La causa del Sur y la causa de México son una sola.» Estos tejemanejes tienen un efecto provocador en el Norte, cuya opinión pública se enardece contra Maximiliano. Mientras los senadores pronuncian discursos incendiarios en el Congreso, periódicos, revistas, opúsculos y conferenciantes rivalizan en denigrarlo.

En lo que se refiere a Inglaterra, el rey Leopoldo está convencido de que ha logrado «encarrilar» al gabinete británico en la dirección correcta. Después de todo, señala lord Palmerston pensando en la reina Victoria, ese imperio podría no ser una mala cosa. Permitiría mantener unas relaciones comerciales provechosas con México, es decir, que abriría la puerta a miríficos negocios para Inglaterra. Victoria, por su parte, siente un profundo afecto por Maximiliano y Carlota, que le recuerda muchísimo, por la calidad de su juicio y su sentido común, a la angelical reina Luisa. Por supuesto, el asunto mejicano es arriesgado, pero Max ya está harto de su *dolce far niente*, quiere una ocupación. Victoria está convencida de que el deseo de ir a México es cosa de Max; Carlota se contentaría con acompañarlo al fin del mundo.

En medio de la agitación que sigue provocando el proyecto mejicano, para Carlota la roca firme es, como siempre, su padre, Leopoldo I: «Si algo pudiera haber que aumentase en mí los sentimientos de amor, de veneración y de reconocimiento con los que no he dejado de miraros desde que estoy en el mundo, sería sin duda alguna vuestra tan apreciada carta, que ha penetrado hasta lo más profundo de mi alma. Hace muchos años tuve una vez la dicha de recibir de la querida mamá el mismo testimonio escrito de que jamás le había causado un instante de pesar. Entonces tenía diez años, y esas palabras de una madre como ella siempre han sido una de las más dulces satisfacciones de mi vida. Ahora, querido papá, sois vos quien, en términos tan afectuosos que jamás podré olvidarlos, os dignáis concederme vuestra aprobación al decirme que siempre habéis estado contento de mí. No sé cómo expresar la profunda alegría que me causa este elogio, el más elevado de todos los que puedo recibir en la tierra, que envuelve en sosiego todo mi pasado y que me inspira confianza para el resto de mi existencia. Nunca he tenido un deseo mayor que el de corresponder a este afecto vuestro, y siento como un premio el hecho de satisfaceros, de contribuir a vuestra felicidad, de honraros ante el mundo desde que me fui de vuestro lado...» Redacta páginas y páginas en este tono de amor, de sinceridad, de lirismo. Pese a la frialdad casi insultante con que la trató cuando fue a verlo durante su enfermedad, y pese a las distancias que la neurastenia lo empuja a mantener, ella nota que la quiere. No sólo que la quiere, sino que la valora. Así pues, para Carlota sólo cuenta su padre. A su marido no le ha escrito nunca en el mismo tono. Comparado con el distinguido seductor, con el poeta soñador que es Maximiliano, Leopoldo es el hombre dotado de una autoridad y una superioridad absolutas que, tal vez a causa de su reserva, atrae a Carlota. De Leopoldo es de quien espera la respuesta final a sus vacilaciones. A Leopoldo es a quien toma la iniciativa de ir a visitar sola a Bruselas.

Durante varios días, frente a frente, plantean argumentos a favor y en contra del proyecto mejicano. Frases interminables y ociosas que parecen no llevar a ninguna parte y que, sin embargo, finalizan con este diálogo:

—Querido papá, ¿debo ir enseguida con Maximiliano a México?

—Hija mía, es tu deber.

Y a Carlota, transportada, le falta tiempo para telegrafiar a Maximiliano: «Animada. Todo va a pedir de boca.»

La delegación encargada de ofrecer solemnemente el trono a Maximiliano ha desembarcado en Europa. Después de atravesar el continente, los mejicanos se han apeado del tren en Trieste. El 3 de octubre de 1863, los coches los han llevado a Miramar. Los ayudantes de campo de Maximiliano se apresuran a recibirlos, los hacen subir la escalinata de mármol, entrar en el gran vestíbulo, y desde allí los conducen al dormitorio de Maximiliano y Carlota, de donde simplemente han retirado las grandes camas gemelas. Los mejicanos miran a su alrededor las paredes tapizadas de damasco azul grisáceo con arabescos, entablados de madera clara con incrustaciones de madera oscura y techos trabajados. A través de los dos grandes ventanales, la vista se extiende sobre el mar y la costa adriática en dirección a Venecia.

Los mejicanos llevan frac y condecoraciones. Entre ellos hay viejos conocidos: Gutiérrez de Estrada e Hidalgo. Carlota no está presente; será una reunión de hombres.

Maximiliano parece mucho más alto de lo que es en realidad debido a su delgadez. El uniforme de la marina, azul oscuro con botones de oro, le sienta muy bien. Alrededor del cuello, colgando de la cinta roja, destaca el toisón de oro. Sonriente y hospitalario, parece cortés, agradable, afable.

Gutiérrez de Estrada es el encargado de hablar. Se adelanta y, papeles en mano, lee el discurso. Los representantes del pueblo han aprobado por unanimidad que se restablezca la monarquía y se ofrezca la corona al archiduque Maximiliano. Los mejicanos le piden, pues, que acepte esta corona y la ciña. El contenido de este discurso se conocía por anticipado, por lo que la respuesta de Maximiliano ha sido laboriosamente redactada después de innumerables discusiones. En una palabra, Maximiliano no rechaza el ofrecimiento, pero antes de aceptar pone como condición que el pueblo mejicano se exprese libremente sobre la cuestión. De hecho, pide una especie de sufragio universal. El sufragio universal es la palabra clave del siglo XIX, la divisa de los intelectuales, de los liberales, la bandera de la reivindicación y de la protesta, la píldora dorada que administran los príncipes ilustrados. Sin sufragio universal, imposible aceptar la corona, declara Maximiliano.

Cabría pensar que los mejicanos van a mostrarse escépticos. ¡Organizar unas elecciones libres en un país medio ocupado por las tropas extranjeras y medio presa de la anarquía! Sin embargo, aceptan la respuesta de Maximiliano, pues presienten que éste y sobre todo Carlota, en el fondo de su corazón, ya se han decidido.

Todo lo que ha ocurrido hasta ahora es obra de la Providencia, le asegura Carlota a su antigua institutriz, la condesa de Hulst. Dicha Providencia se le ha manifestado a ella con tanta claridad desde hace dos años que de ninguna manera puede dudar de su acción. Hay que seguir, por lo tanto, a dicha Providencia, sin desviarse de los caminos marcados por la prudencia humana, por supuesto. Y acto seguido Carlota compara su elección y la de Maximiliano con una auténtica vocación, inspirada directamente desde el cielo por su madre, la reina Luisa, pues tiene la sensación de que ese ángel no ha dejado de animarla a seguir por esa vía. «Hace dos años que todo esto ha sido sopesado una y otra vez, y finalmente se ha visto que era posible seguir adelante.» Tal es la respuesta de Carlota a una carta durísima de la condesa de Hulst, acusándola de que lo único que busca embarcándose en la aventura mejicana es satisfacer una ambición despreciable.

El rey Leopoldo, al que Carlota se ha quejado, le escribe a su vez a la antigua institutriz: «¿Carlota ambiciosa? Estáis soñando, condesa. Todo lo que quiere es llevar una vida útil, activa, y dar el mejor uso posible a sus aptitudes. Dicho sea entre nosotros, la vida en Miramar era realmente muy aburrida. Al ser Max el segundo en la línea sucesoria, tiene todas las desventajas de su posición y ningún medio económico para mejorarla. Carlota no se ha dejado cegar por la oferta mejicana; al contrario, ella era muy consciente de sus peligros. El que está verdaderamente entusiasmado es Max.» Leopoldo I comparte la convicción de la reina Victoria: ha sido Max quien ha incitado a aceptar, cuando todo el mundo piensa que es Carlota la responsable.

En México aún no se ha llegado al sufragio universal pero se va directamente hacia él, gracias a la pacificación francesa llevada a cabo con rapidez. El general Forey ha sido destituido porque se consideraba a sí mismo un conquistador y Napoleón III quería un libertador. Su ayudante, el general Bazaine, ha sido nombrado para ocupar su cargo. Tiene cincuenta mil hombres a su disposición y sabe cómo actuar. Así pues, la «pacificación» se prolonga, es decir, la persecución encarnizada de los partidarios de Benito Juárez. Una a una, ciudades y provincias se rinden. Los partidarios de Juárez se funden como la nieve, incluso los más allegados lo abandonan y le aconsejan que dimita, pues no tiene ninguna posibilidad.

Estas noticias entusiasman a los mejicanos que siguen en Miramar y que presionan a Maximiliano para que parta cuanto antes rumbo a México. Pero Carlota no se fía de ellos. «Su impaciencia es legítima, pero hay en todo esto cierta propensión a la intriga que me apena y en ocasiones me repugna, aunque en fin de cuentas sean buenas personas.» De modo que Carlota elude su invitación a partir en el primer barco. «Sin votación, sin dinero y sin garantía de ninguna clase —escribe a su padre—, habría sido una locura imperdonable caer en esa trampa.»

Una muestra de las contradicciones de Carlota y de las vacilaciones de Maximiliano: la pareja parte unas semanas más tarde para realizar una gira por las cortes europeas con objeto de despedirse antes de embarcar rumbo a México. Maximiliano y Carlota siguen sin haber recibido «ni votación, ni dinero, ni garantía de ninguna clase», pero, en la confusión reinante, preparan su marcha como si tal cosa.

Naturalmente, el viaje empieza por Bruselas. En el propio seno de la pareja suenan notas discordantes. «Todo está organizado», proclama Carlota. «No hay nada organizado», la contradice Maximiliano en público. El rey Leopoldo percibe el mal humor de su yerno e intenta calmar las cosas prodigándole los más sabios consejos.

En París, la etapa siguiente, Carlota y Maximiliano son acogidos por Napoleón III y Eugenia con los honores debidos a los soberanos reinantes y el afecto que se dispensa a los viejos amigos. «La emperatriz nos esperaba en la puerta de un salón. Distinguida y bella, como una estatua griega realizada por un cincel español.» Carlota penetra con curiosidad en las Tullerías —que conoció en su infancia— y detecta muchos cambios. En la época de su abuelo, aunque la corte poseía una dignidad innegable, le faltaba un poco de brillo. Ahora deslumbra a causa de su esplendor. Todo centellea en el palacio. No hay más que bronces dorados, mármoles raros y brocados lujosos, cuya riqueza desvía la atención de los retratos de la dinastía napoleónica que sustituyen los de los Orleáns. ¿Dónde han quedado las veladas tranquilas en torno a la mesa de trabajo de la reina María Amelia, cuando sus hijas bordaban mientras el rey Luis Felipe charlaba en un rincón con algunos familiares y la pequeña Carlota jugaba a las muñecas con sus primas? Ahora hay todas las noches galas magníficas, bailes que no terminan antes del alba, banquetes de una abundancia increíble, perfumes, diamantes, flores, sedas, mujeres hermosas, multitud de uniformes. Por supuesto, tanta ostentación es propia de nuevos ricos, pero el torbellino de fiestas dadas en su honor embriaga a Carlota. A una representación de *La Traviata* sigue una cacería en el parque de Versalles, y durante más de una semana se suceden cientos de entretenimientos distintos. Constantemente afluyen regalos, atenciones y reverencias de parte de Napoleón III, Eugenia y su corte. Incluso el jefe de las cocinas imperiales se permite la creación de un suculento postre que bautiza, sin ironía, con el nombre de «bomba mejicana».

Los placeres no impiden, sin embargo, mantener conversaciones serias. Los soldados franceses, anuncia Napoleón III, no permanecerán eternamente en México, pero que Maximiliano se tranquilice, se retirarán de forma progresiva, dando suficiente tiempo al nuevo emperador para consolidar su trono. En cuanto al dinero, antes de nada hay que hablar de la deuda Jecker. Napoleón, aguijoneado por su hermanastro, Morny, que espera con impaciencia el treinta por ciento prometido en el trato, exige que se dé prioridad a su devolución. Jecker cobrará, afirma Maximiliano. También hay que tener en cuenta los gastos de mantenimiento de las tropas francesas en México, y Napoleón III enuncia sumas cada vez más astronómicas. Eso no es ningún obstáculo, contesta Maximiliano, negociemos un préstamo de... pongamos doscientos millones de francos oro. Napoleón, decididamente en vena negociante, propone las condiciones. Maximiliano las acepta todas. Naturalmente, se pondrá todo eso por escrito y se firmará en un cordial tratado en Miramar.

Todo va, pues, de maravilla en el más maravilloso de los mundos, y sin embargo... La corte de Napoleón III está abarrotada de príncipes y reyezuelos atraídos por las Tullerías como por un imán. Casualmente, en ese preciso momento se encuentra allí un primo hermano de Carlota, el duque Ernesto de Sajonia-Coburgo-Gotha, un sujeto despreciable. En la última cena dada en honor de los futuros soberanos de México, el ambiente es, si cabe, todavía más brillante y alegre. Carlota está deslumbrante. Al levantarse de la mesa, Napoleón III hace un aparte con el duque alemán, lo lleva a un rincón, se vuelve para mirar pensativamente, de lejos, a Maximiliano, y suelta: «Es un asunto muy feo; si yo estuviera en su lugar, jamás habría aceptado.» El duque Ernesto cree haber entendido mal, pero no, el emperador repite varias veces las mismas palabras.

Desde París se dirigen a Londres. Después de la corte de las Tullerías, no demasiado exquisita pero deslumbrante y distraída, la corte de Inglaterra parece una tumba. Dos años antes murió el príncipe consorte, Alberto, el adorado esposo de Victoria, llevándose de casa de su esposa toda la alegría, todas las ganas de diversión. ¿Se puede hablar siquiera de corte en esa sombría existencia, sin recepciones ni fiestas, que discurre en palacios enormes y silenciosos por donde vagan unos cuantos cortesanos permanentemente de luto. Victoria ya no se entusiasma con nada ni con nadie, y su ministro lord Palmerston es demasiado prudente para manifestar el más mínimo asomo de interés por el proyecto mejicano. En consecuencia, la visita a Londres tiene sobre la pareja el mismo efecto que una ducha de agua fría, efecto que agrava todavía más la visita a Claremont. Rodeada de los hijos que le quedan y de sus nietos, la octogenaria reina María Amelia recibe con profunda emoción a su nieta preferida y a Maximiliano. Pero, por más que quiere dar ánimos, ya no tiene fuerzas, y en lugar de prodigarse en felicitaciones, llega a exhortarlos por última vez a cambiar de opinión y rechazar el trono mejicano. Suplica, gime, llora. Maximiliano está conmovido y los ojos se le llenan de lágrimas, ante el estupor de la pequeña Blanca de Orleáns, de seis años y medio, hija del duque de Nemours: «En general, las que lloran son las mujeres, pero esta vez es el hombre.» Carlota, por su parte, permanece impasible. Ni una crispación, ni una lágrima. Semejante frialdad asombra a la prima Chiquita, quien se pregunta qué debe de tener Carlota en el lugar del corazón. María Amelia, dada su edad, sabe que lo más probable es que no vuelva a ver a Maximiliano y Carlota. Así pues, cuando se despiden de ella, los bendice con todo su amor. Ha recobrado la calma en el momento de los adioses, pero, una vez el carruaje se ha perdido de vista, se derrumba y dice sollozando ante su familia: «Los asesinarán, los asesinarán.»

Maximiliano y Carlota se dirigen ahora a Viena. Son recibidos con gran pompa en la estación por el emperador en persona, quien esa misma noche ofrece en su honor un gran banquete en palacio. La corte de Austria es un modelo de aburrimiento. La emperatriz está casi siempre ausente, y el emperador, con la austeridad de un sargento mayor, detesta las fiestas y las frivolidades. No obstante, las noches de gala transforman el palacio. Se ha sacado de los armarios la porcelana y los enormes centros de mesa de plata del siglo XVIII. Los uniformes húngaros, bohemios y polacos rivalizan en alamares, galones y bordados. Personajes que llevan los apellidos más ilustres del Imperio lucen las joyas históricas de sus familias. En cuanto a la emperatriz Isabel, presente de forma excepcional, con un vestido de muselina y estrellas de diamantes en su famosa y abundante melena, es como siempre la más bella. El emperador de Austria ha tirado la casa por la ventana para recibir al emperador de México. Maximiliano y Carlota no caben en sí de satisfacción.

A la mañana siguiente el conde Rechberg, ministro de Asuntos Exteriores, se presenta en los aposentos de Maximiliano, que lo recibe con la mayor amabilidad del mundo. Rechberg le tiende un documento. En ese texto, que lee con estupor, Maximiliano renuncia para él y sus descendientes a sus derechos a la corona de Austria, así como a su parte de la fortuna familiar; en resumen, ya no es nadie en la Casa de Austria. Rechberg le tiende una pluma:

—Firmad, vuestra alteza imperial y real.

—Jamás.

Al estupor le han seguido una indignación y un sufrimiento sin límites. Maximiliano tiene la impresión de que su hermano quiere arrancarle el corazón. Rechberg se bate prudentemente en retirada y se apresura a informar a su señor.

Francisco José, negándose a hablar directamente con Maximiliano, le escribe de habitación a habitación. Si Maximiliano no firma su renuncia, Francisco José no dará su consentimiento para que ciña la corona de México. Max está indignado. ¿Cómo ha tenido su hermano la perfidia de esperar hasta el último momento para exigir dicha renuncia? Para ser sinceros, en este caso se toma ciertas libertades con la verdad. Durante una estancia anterior de Maximiliano en Viena, unos meses atrás, Francisco José ya había enviado al conde Rechberg para que hablara con él de la necesidad de esta renuncia. El archiduque había hecho oídos sordos. Y poco antes de su partida para Bruselas, Rechberg le había enviado un memorándum en el que repetía los argumentos que demostraban que dicha renuncia era indispensable. Maximiliano lo había leído distraídamente: ya habría tiempo de ocuparse de eso más adelante... De hecho, para no afrontar el asunto, Maximiliano se limitaba a apartarlo simplemente de su mente.

Bajo esa «iniquidad», como dice Carlota, subyacen los celos y la desconfianza de Francisco José hacia un hermano menor con más aptitudes y más popular que él, y eso pese a las innumerables pruebas de fidelidad y lealtad que Maximiliano le ha dado.

Hay que pertenecer a la realeza para comprender el horrible dilema en el que se encuentra Maximiliano. Se ha comprometido tanto con México que ya no puede echarse atrás, pero tampoco quiere renunciar a Austria, que es para él su familia. Además, de momento la sucesión imperial sólo está representada por un niño pequeño, el archiduque Rodolfo. Y, quién sabe, si éste llegara a desaparecer, sería Maximiliano el próximo emperador. Se le pide que renuncie también al patrimonio imperial. El dinero no es tan importante, pero ver que le hurtan su parte de una herencia transmitida durante casi mil años le resulta insoportable. Como insoportable le resulta también pensar que le arrebatarían incluso su querido Miramar.

Por la noche está prevista una cena en familia. Max declina la invitación; en cuanto a Carlota, declara que por nada del mundo asistirá. Francisco José envía a sus dos hermanos más pequeños para hacerlos cambiar de opinión, sin resultado. Entonces aparece en su aposento la persona más inesperada, la emperatriz Isabel. Según Carlota, «se mostró muy tierna, me rogó que creyera en sus sentimientos por Max y por mí y me aseguró que jamás sufrirían ninguna alteración, y yo aprecié ese gesto». Con todo, esta declaración de simpatía no mejora la situación de Max, que, sin saber ya a quién dirigirse, hace entrar a su madre en liza. Indignada por la humillación infligida a su preferido, ésta se emplea a fondo para ablandar a Francisco José, sin ningún éxito. El emperador no atiende a razones. Ofendida, la archiduquesa Sofía abandona el palacio y se retira a Laxenburg, un castillo de los alrededores de Viena. Maximiliano y Carlota, que han decidido no permanecer ni un minuto más bajo el mismo techo que el emperador, se reúnen con ella. Según las normas imperiales austriacas, Laxenburg es pequeño. Su decoración sin gusto, su ambiente sin calor —nunca mejor dicho, ya que la calefacción no funciona bien y uno se congela— resultan todavía más lúgubres debido al invierno. Las extensiones de césped, amarillento como consecuencia de las heladas, se prolongan en alamedas bordeadas de árboles pelados que alzan sus tristes siluetas sobre un fondo de nubes. El tiempo es gris, cae una lluvia fina, fría, que cala, y en el castillo reina la humedad. En los salones mal iluminados, Sofía, Max y Carlota se abrazan y lloran.

Maximiliano tiene conciencia de su imposibilidad de resistir y de la debilidad de su posición. Nadie lo defenderá. La corte y el gobierno obedecerán ciegamente a Francisco José, sobre todo en un asunto que concierne exclusivamente a la familia imperial. Incluso su madre, acaba de constatarlo, es totalmente impotente ante la obcecación del hijo mayor.

Sin embargo, es preciso reaccionar. Maximiliano solicita ver a

Francisco José, que no puede negarse. La entrevista tiene lugar en la Hofburg, en presencia de las esposas. Los cuatro se encierran en el despacho de Francisco José, una vasta y austera estancia con largas mesas repletas de documentos. La conversación se prolonga varias horas y Carlota se la relata fielmente a su padre: «Max quiso que estuviera presente. Se desarrolló una de esas escenas que pueden leerse en la historia pero que encajan más en el ámbito de la novela. Todas las cosas conmovedoras, nobles y generosas que puede decir un hermano fueron dichas, pero también hubo reproches válidos y legítimos, llamamientos a la justicia, a la sangre y al honor. Francisco José estaba de pie junto a la mesa, con una mano en el uniforme y el semblante atormentado por una emoción, no sé cuál, emocionado pero inexorable, pues no había corazón bajo esa guerrera gris, ni corazón de hermano ni corazón de honor. Es de esos soberanos nacidos para la desgracia de los pueblos, que creen que el atributo del poder es imponer mediante la dureza. Yo creo, por el contrario, que un príncipe está más obligado a escuchar que cualquier otra persona. El emperador no lo hizo.»

De hecho, Maximiliano le habla a una pared. «Vuestra majestad tendrá la satisfacción de haber arruinado a su servidor más fiel», le espeta finalmente. Cuanto más se exalta el hermano pequeño, más impasible permanece el mayor. Carlota sufre lo indecible, intenta apoyar a su marido, pero ¿qué puede hacer? «¡Oh, Dios mío, dame fuerzas para aceptar mi deber!», exclama Maximiliano. La amargura de Carlota es tal que suelta una carcajada. Isabel, que sigue teniendo debilidad por su cuñado, ve en los labios de su mujer una «sonrisa innoble» y, en el momento en que Maximiliano se siente tentado de ceder, le dispara a su cuñada la flecha del parto llamándola «el ángel de la muerte de Max». «Hemos terminado», sentencia Francisco José. Y Carlota concluye: «El emperador hizo un breve y envarado gesto de saludo que me recordó a los reyes de opereta. La Casa de Austria acababa de atraer la maldición del cielo mediante una de las injusticias más grandes que se hayan cometido jamás desde Caín y Abel.» Cuando las dos parejas se separan, un gran foso se ha abierto entre ellas.

Maximiliano y Carlota sólo piensan en una cosa: refugiarse en su casa, en Miramar. Allí son recibidos por los mejicanos, que siguen esperando la señal de partida hacia México y a los que se les ruega sin rodeos que no pregunten nada, que no esperen nada y que regresen a su casa hasta nueva orden. Carlota se precipita hacia su escritorio para dar rienda suelta a su corazón escribiéndole a su hermano Felipe: «Querido amigo: Si supieras las dolorosas emociones que he padecido en los últimos tiempos, ya no me preguntarías por qué dejamos este país. Max ha sido objeto por parte de todos los suyos de la peor de las infamias, y no temo decirlo aunque esta carta fuera a ser llevada directamente al emperador Francisco José. Han querido arrancarle una inicua renuncia a sus derechos, privarlo de la herencia de sus padres y hacerle jurar eso con las condiciones y las imprecaciones que se emplean para hipotecar la conciencia de un hombre al que se está engañando, todo ello la víspera de una partida conocida y aprobada ante Europa y el mundo. Como bien supondrás, ese documento no se ha firmado; sin embargo, como de repente, sin preparación ni incitación previas, el emperador de Austria lo había convertido en la condición *sine qua non* para aceptar el trono de México, esto ha hecho que la delegación aún no haya sido recibida. Entre su honor de hombre y de príncipe, y el único porvenir que le queda, porque después de lo que nos han hecho no hay para nosotros más que un exilio voluntario o un trono, por más espinoso que sea, Max no había vacilado y lo había rechazado todo, tanto la condición como la corona, que era el precio. Deseo con todas mis fuerzas salir de este país que ya no puedo amar, ¡qué digo!, que mi corazón odia desde hace ocho días, sin vulnerar en nada las leyes de la justicia y el derecho. Al menos todo esto es providencial para eliminar los únicos pesares que hubiéramos podido experimentar. Imagínate, yo allí, presenciando todo lo que sucedió e intentando lanzar los sarcasmos más amargos contra los instrumentos de esa iniquidad. Hubiera querido no hacer otra cosa que morder y soltar veneno; no sabía si estábamos en el siglo XV o en el XIX, si era la Edad Media o la Antigüedad, una novela o la historia. Desde luego, no era nada honrado ni cristiano, y en cualquier caso este recuerdo me perseguirá hasta mi lecho de muerte. Se puede perdonar, pero no se olvida. Acabo de ser iniciada en este hecho. La cuestión es que, cuando he tenido oportunidad, he defendido a Max lo mejor que he podido. Para que mi naturaleza sosegada haya alcanzado este paroxismo de indignación que se desprende de lo que te escribo, puedes imaginar la gravedad del insulto que hemos sufrido, la doblez pérfida con la que se nos ha puesto entre la espada y la pared.»

Habrá que decirles la verdad a los mejicanos. Maximiliano y Carlota convocan a los más ilustres, a sus viejas amistades, Hidalgo y Gutiérrez de Estrada; luego, en presencia del indispensable Scherztenlechner, el criado ascendido a canciller que está al corriente de las más secretas negociaciones, Maximiliano cuenta lo que ha pasado en Viena. Los mejicanos están abatidos. Maximiliano propone solicitar la intervención del Papa. Los mejicanos no están de acuerdo. El Papa no servirá de nada. Una sola persona puede actuar: Napoleón III. Hidalgo telegrafía a las Tullerías, donde tiene sus contactos, para anunciar que las exigencias de Francisco José han hecho imposible que Maximiliano acepte la corona de México. Simultáneamente, Carlota se desahoga por escrito con Eugenia. Un decreto impenetrable del cielo les impedía, a ella y a Maximiliano, contribuir a la felicidad de México, por el que estaban dispuestos a sacrificarlo todo de sí mismos. Las condiciones impuestas por Francisco José eran incompatibles con el honor de Maximiliano e incluso con el porvenir del futuro imperio mejicano. Así pues, la respuesta es «no».

En las Tullerías reina la consternación. A las dos de la madrugada, Eugenia le escribe al embajador de Austria, pese a ser un fiel amigo, una carta en la que suelta toda su bilis. En cuanto a Napoleón III, tiene la impresión de ver desmoronarse su sueño más querido justo en el momento en que estaba haciéndose realidad. Curioso personaje. Veinte días antes, le susurraba al duque de Sajonia-Coburgo que Maximiliano había tomado una decisión errónea. Y ahora que Maximiliano ha renunciado, lo bombardea a telegramas: Maximiliano se ha comprometido con México, con Francia, con él mismo, Napoleón III. Aún no han firmado los tratados, pero para el caso es lo mismo, no puede echarse atrás. Napoleón III no quiere inmiscuirse en asuntos familiares que sólo conciernen a la Casa de Austria; él sólo sabe una cosa: que Maximiliano no puede, no tiene derecho a retirarse de México.

En este instante de la historia llega a Miramar un personaje que justo entonces no hacía falta para nada. Varios meses antes, Carlota le había pedido a su padre que le recomendara a un hombre de confianza para llevarlo con ella a México. Quiere un belga. El rey Leopoldo, tras realizar minuciosas indagaciones, le había recomendado al hijo de un notario, Félix Éloin. Éste ha sido convocado y, desconocedor de los últimos acontecimientos, llega a Miramar tan tranquilo. Impresionado por los cuatro robustos marinos que montan guardia, es conducido a un saloncito lleno de obras de arte y de recuerdos de viajes que forman una especie de pintoresco batiburrillo. Bombelles, que lo recibe, lo encuentra amable, inteligente y simpático.

Al poco es introducido en el gabinete de Maximiliano, que lo primero que hace es contárselo todo. Éloin está impresionado por la dignidad con la que Maximiliano contiene su indignación y la nobleza con la que evita las expresiones demasiado fuertes contra los que lo han traicionado. Félix Éloin está horrorizado por las exigencias de Francisco José, que despojan a Maximiliano de todo, «como si quisieran declararlo civilmente muerto».

Al salir de esta larga entrevista, es acompañado al gabinete de Carlota, una estancia que hace esquina y da por tres lados al plácido y gris mar invernal. Carlota le ofrece amablemente asiento y, acto seguido, le lee una larga carta que está escribiéndole al rey Leopoldo para informarle. Y mientras ella lee, Éloin queda atrapado por el indefinible magnetismo que desprende Carlota. Le impresiona la orgullosa indignación, la elevación de sentimientos, la nobleza que expresa «esa hija herida en lo más querido que posee». En Bruselas le habían dicho que Carlota era una princesa notable, pero se quedaban cortos.

Éloin entra en el juego, es decir, en las conversaciones que ocupan día y noche a todo Trieste. Se contemplan todas las soluciones: partir clandestinamente para México, lanzar proclamas desde territorios neutrales, expresar protestas solemnes... en resumen, se encuentran atrapados en un círculo vicioso hasta que Maximiliano da con la solución. Se podría añadir una cláusula secreta que le garantizara, en caso de que fuera expulsado de México, recuperar todo lo que hubiese perdido en Europa a consecuencia de su renuncia. Todo el mundo aplaude y se apresuran a telegrafiar la propuesta. No, responde Viena.

Llega a Miramar el general Frossard, ayudante de campo del emperador de Francia, quien le entrega a Maximiliano una carta bastante severa de Napoleón III a la que él añade sus propios comentarios, de una energía y una franqueza absolutamente militares. Maximiliano no tiene derecho a retractarse de lo de México. De las disputas entre los Habsburgo, ellos no saben nada. En cambio, las promesas de Maximiliano no las olvidan. ¿Y las tropas francesas encargadas de preparar su llegada? ¿Y el préstamo aceptado? ¿Y la devolución de la deuda? ¿Y los mejicanos que esperan febrilmente a su emperador? ¿Cómo se le puede pasar siquiera por la cabeza a Maximiliano cambiar de opinión? ¿Qué diría él si Napoleón III, pese a los compromisos adquiridos, retirara de repente sus tropas de México? Para suavizar este rapapolvo, anuncia un gesto conciliador por parte de Francisco José que ha conseguido él personalmente, pues antes de ir a Miramar ha pasado por Viena.

Ese pequeño detalle le llega a Maximiliano en forma de tres breves notas manuscritas. Si Maximiliano firma la renuncia, Francisco José continuará pagándole su pensión anual, permitirá el reclutamiento de los voluntarios austriacos y, finalmente, si Maximiliano fuera expulsado de México, Dios no lo quiera, y regresara a Europa, no tendría queja del amor fraternal de su hermano. Más vale eso que nada, pero sigue siendo francamente decepcionante. Apoyado por Carlota, Maximiliano intenta conseguir un poco más y envía varios telegramas en este sentido a Viena.

Entonces Francisco José, a través de Rechberg, da un puñetazo en la mesa. Están hartos de las exigencias de Maximiliano. Han llegado al límite máximo de las concesiones. Maximiliano debería estar loco de agradecimiento en lugar de pedir sin freno. No darán un paso más y, sobre todo, no quieren que se les siga molestando a diario con las recriminaciones procedentes de Miramar. Maximiliano levanta los brazos hacia el cielo: «Por mí, si alguien viniera a anunciarme que todo ha acabado, me encerraría en mi cuarto para saltar de alegría. Pero ¿y Carlota?...» Ella no da su brazo a torcer y propone ir sola a Viena a hacer un último intento ante Francisco José. Maximiliano, abatido por la repugnancia que le producen todas esas sórdidas discusiones, profundamente decepcionado por su hermano e inmensamente cansado, la deja partir.

Francisco José dispensa toda clase de atenciones a su cuñada. Va en persona a recibirla a la estación, la instala en uno de los aposentos más bonitos y menos incómodos de la Hofburg y la escucha pacientemente exponer sus argumentos. Luego responde que únicamente sus deberes para con la dinastía lo han obligado a pedir esa renuncia y que esos mismos deberes imperativos le impiden dejar de hacerlo. En un intervalo de la conversación, Carlota escribe un telegrama dirigido a su padre, que se encuentra de visita en el castillo de Windsor. «Estoy en Viena para negociar. Resultado incierto. Relaciones con emperador buenas, pero en caso de tener que elegir, ¿hay que optar por futuro, renuncia o compromiso? Ruego opinión, las cosas están muy confusas. Carlota.» La conversación se reanuda. Francisco José se presta a hacer concesiones. Max podrá beneficiarse de determinadas disposiciones testamentarias de su familia y, en caso de que fuera expulsado de México y regresara a Europa, cobraría una pensión honorable, pero se mantiene la renuncia para él y sus posibles descendientes al trono de Austria, así como a los derechos y honores de archiduque. «*Mezzo termine* imposible», le telegrafía tristemente Carlota a su padre. No puede hacer otra cosa que marcharse. Entonces Francisco José le anuncia —honor insospechado— que se dignará a ir en persona a Miramar para asistir a la firma de la renuncia de su hermano.

En medio de este intenso ajetreo, nadie repara en un acontecimiento significativo. El 4 de abril de 1864, el mismo día que tiene lugar la entrevista descorazonadora entre Carlota y Francisco José, en Washington, la Cámara de representantes aprueba por unanimidad una resolución por la que se opone al reconocimiento de una monarquía en México. Carlota no se preocupa mucho de Estados Unidos, cuando ni siquiera sabe si irán a México. Considera la posibilidad de irse subrepticiamente de Miramar con Maximiliano y firmar una renuncia en Roma o en Argel, es decir, fuera del Imperio austriaco. De este modo, la renuncia, jurídicamente nula, podría ser impugnada más adelante. Maximiliano, que no soporta más discusiones, propuestas y contrapropuestas, rechaza categóricamente esta sugerencia. Carlota se da finalmente por vencida, tal como le anuncia a su padre: «Nada obtenido de Viena. Max no puede, sin desertar, salir de Austria sin haber renunciado. Emperador llega mañana para asistir al acto. Seguirá aceptación y partida el lunes. En caso de tener sugerencia u observación, ruego hacerla enseguida. Carlota.» La escritura de Carlota, siempre tan clara y firme, se ha vuelto en este borrador de telegrama temblorosa y casi ilegible.

El 9 de abril de 1864, temprano, el tren de Francisco José se detiene en la pequeña estación privada del castillo de Miramar. El emperador desciende rodeado de todo el aparato imperial austriaco: siete archiduques y numerosos generales de uniforme, tocados con largas plumas verde brillante, además de varios ministros, entre ellos el imprescindible Rechberg, con uniforme constelado de condecoraciones. No va para complacer a Maximiliano. Va para engañar a la opinión pública. Porque si se hubieran conocido sus exigencias, su inflexibilidad, su dureza, la injusticia que estaba cometiendo con su hermano, su popularidad se habría visto mermada. Si Max hubiera hablado, Francisco José habría perdido mucho. Pero Max, leal como siempre, calló.

Los dos hermanos se encierran solos en la biblioteca para mantener una última conversación. Max intenta ablandarlo sabiendo de antemano que lo tiene todo perdido. Finalizado este formalismo, reúnen al séquito en un salón y Max firma. Una vez obtenido lo que quería, Francisco José no tiene necesidad de quedarse más tiempo. Max lo acompaña hasta la pequeña estación, en lo alto del parque. Taconazos, ruido de sables, saludos militares. Francisco José ya ha puesto el pie en el estribo del vagón cuando de pronto se vuelve y, en un arrebato incontrolado de emoción, estrecha a su hermano contra su corazón. «¡Max!», exclama. Después monta en el tren. Los dos hermanos no volverán a verse jamás.

Max ha cedido, pues, pese al sufrimiento que ello le causa, y Carlota ha aceptado que ceda pese a su determinación. Los dos han sido aplastados. Aplastados entre su destino mejicano ya en marcha y la inflexibilidad de Francisco José.

El día siguiente, 10 de abril, es la «coronación». En Miramar no hay sala del trono, o más bien no está terminada, pues la que Maximiliano está instalando en el primer piso se encuentra todavía en obras. Se escoge, pues, una sala bastante pequeña de la planta baja. Hay poca gente, sólo los miembros de la Casa de Maximiliano y los delegados mejicanos que siguen en Trieste, con Gutiérrez de Estrada e Hidalgo a la cabeza. Maximiliano lleva, como de costumbre, el uniforme de almirante austriaco. Está pálido, crispado. Tal como se había acordado, los mejicanos le han llevado el resultado del sufragio universal, es decir, la lista de las ciudades y los pueblos «liberados», simplemente con el número de habitantes junto al nombre, pues se da por supuesto que toda la población de esas localidades se pronunciaría en favor de Maximiliano. Qué más da si no ha habido votación; una farsa más o menos no tiene ninguna importancia.

Gutiérrez de Estrada se adelanta y pronuncia un discurso en francés, garantizando la abnegación y el amor de todos los mejicanos por su nuevo emperador. Éste responde en español, prometiendo consagrarse a su nueva tarea. Hacen entrar al obispo de Trieste para que reciba el juramento de Maximiliano. Las palabras «prosperidad», «integridad», «independencia» y «felicidad del pueblo» brotan de los labios imperiales, igual que en todos los juramentos, tan banales como éste.

Carlota avanza también. Con un vestido rosa y diamantes alrededor de la cabeza, está radiante y pronuncia a su vez el juramento imperial. La bandera es izada en la torre más alta de Miramar y tres o cuatro buques de guerra anclados ante el castillo disparan salvas de honor. Maximiliano y Carlota ya son el emperador y la emperatriz de México.

Maximiliano pasa a la estancia contigua con el representante de Francia, el general Frossard, y firma apresuradamente el tratado de Miramar, que concreta las condiciones impuestas por Napoleón III al nuevo emperador. Hay algo patético en esa ceremonia celebrada deprisa y corriendo en un castillo de recreo, ante unos dignatarios más o menos engalanados y ese puñado de expatriados que se desgañitan gritando: «*¡Dios salve a Maximiliano emperador de México!*» Deja una impresión de irrealidad desvinculada de ese imperio lejano, inmenso y misterioso que espera a sus nuevos soberanos.

El día siguiente, 11 de abril, debía ser el de la partida, tal como Carlota había informado al rey Leopoldo a través del telégrafo. Pero la víspera, después de la «coronación», Maximiliano se había puesto de repente tan pálido y parecía encontrarse tan mal que su médico particular, el doctor Jilek, lo había examinado. Le había prohibido asistir a la gran cena, de modo que Carlota había presidido sola la mesa de las autoridades. Jilek también le había prescrito a Maximiliano tres días de aislamiento y de reposo absoluto. Así pues, la partida había sido atrasada y Maximiliano se había encerrado en el Castelleto, la casita situada en lo alto del parque, desde donde durante tantos años había supervisado las obras del castillo. No quería ver a nadie, y cuando Carlota iba a verlo para hablar de las disposiciones que había que tomar, la despedía sin miramientos. «Te he dicho que no quiero que se me hable ahora de México.»

Esta situación no podía prolongarse. El 14 de abril Maximiliano emerge de su aislamiento. Da una última vuelta por el parque de su querido castillo. Los sirvientes que no lo acompañan a México están llorando. Todo Trieste ha ido a decirle adiós, pues allí es extraordinariamente popular. Con Carlota cogida de su brazo, avanza entre la multitud. Las bandas militares tocan el himno imperial austriaco, la lenta y solemne música de Haydn, y el nuevo himno imperial mejicano. Los espectadores los vitorean.

Maximiliano y Carlota bajan los peldaños de mármol que conducen al muelle del minúsculo puerto. Suben en la chalupa en cuyo mástil ondea una gran bandera mejicana verde, roja y blanca, con la corona imperial en el centro.

Un cuadro que todavía puede verse en Miramar inmortalizará la escena. La multitud, en la escalera de mármol, agita manos y pañuelos. Al fondo se alinean unos barcos, todos con sus pabellones en los mástiles. Incluso se distingue el *Fantaisie*, reconocible por sus dos chimeneas inclinadas hacia popa. Los marinos, con bigote y patillas, se disponen a remar. Los generales de uniforme y las damas de honor vestidas de viaje permanecen muy erguidos. En la popa de la chalupa, decorada con alfombras rojas con cenefas doradas, Maximiliano y Carlota, de pie, miran a los espectadores y el castillo, de espaldas al barco. Él lleva un traje de paisano oscuro y sin nada de particular. Carlota se ha puesto una especie de capelina negra, un sombrerito cuya gasa flota al viento... La chalupa pasa por delante de la esfinge de granito traída por Maximiliano de Egipto y llega a la batayola de la fragata austriaca, la *Novara*. Al son de los silbidos de los marinos, Maximiliano y Carlota suben a bordo. El pabellón mejicano es izado en el palo mayor, la nave despliega las velas y leva anclas. La sigue un buque de guerra francés, el *Themis*. Se alejan lentamente al son de las salvas de honor y de los alegres gritos de la multitud.

Maximiliano ha tenido que hacer un esfuerzo para disimular su desazón. Las discusiones familiares, la crueldad inesperada de su hermano y las difíciles negociaciones de las últimas semanas lo han dejado agotado. Agotado hasta el punto de que ya no puede apreciar lo que quería y ha obtenido, porque él deseaba la corona de México con todas sus fuerzas, hasta el extremo de aceptar todas las condiciones impuestas por Napoleón III, hasta el extremo de admitir un engaño evidente como el resultado de un sufragio universal en su favor.

Desde pequeño, su madre le había adjudicado a él, su preferido, todas las cualidades. Más tarde, Carlota lo había colocado sobre un pedestal. Pero ¿era tan fuerte como esas dos mujeres fuertes le hacían creer? ¿Era capaz de asumir el destino soberbio y abrumador que le esperaba? Eso es lo que él se preguntaba con una angustia que lo sumía en la depresión.

Carlota está tan radiante como lo estaba cuando presidió sola la cena de gala la noche de su «coronación». Se alegra de tener esta oportunidad de poner a prueba sus aptitudes. Se alegra de llevar a cabo esta maravillosa y gran misión para la que intuye que Maximiliano y ella están hechos. Su felicidad es tal que este viaje se convierte para ella en una evasión que se complace en describirle a su padre. El tiempo era tan malo que sufrió mareos y su frasco de sales no sirvió de nada. La *Novara* rodeó la península italiana y desembarcaron en Civitavecchia, el puerto de los Estados Pontificios que ella denomina con desdén «una especie de burgo». Los soldados franceses enviados por Napoleón III para proteger al Papa hicieron un pasillo, y al pasar ellos gritaron «¡Viva el emperador!» enérgica y espontáneamente, como señala Carlota. Maximiliano y ella, acompañados de su séquito, montaron en un vagón antediluviano que traqueteaba sobre viejos raíles. «Es el ferrocarril menos civilizado que conozco.»

En Roma, más soldados presenciando el paso de su cortejo y muchos curiosos rebosantes de afecto y benevolencia. Se alojan en el palacio Marinelli, que pertenece a Gutiérrez de Estrada. El objeto de haber dado este rodeo es visitar al papa Pío IX, y Carlota describe largamente su llegada al Vaticano, a los camareros secretos con traje español y gorguera estilo Enrique IV, y a los suizos con uniforme de la época de Julio II que, alabarda en mano, los preceden por la gran escalera de mármol del Vaticano. Carlota, de negro tal como exige el protocolo, con perlas y diamantes, y Maximiliano, con uniforme de gala y condecoraciones, recorren una sucesión de salones lujosamente tapizados. En el último, Pío IX aparece y avanza hacia ellos «con paso seguro y expresión radiante y bondadosa. Nos indicó con benevolencia que nos levantáramos y nos condujo a la estancia contigua, donde se sentó bajo un dosel y nos hizo tomar asiento en sendos sillones». Todo transcurre de maravilla. Pío IX rebosa de benevolencia y afortunadamente no se habla demasiado de la espinosa cuestión de los bienes del clero incautados por Benito Juárez. Les dice que coman con él, los invita a su misa privada al día siguiente, va a visitarlos a su residencia del palacio Marinelli. Carlota describe hasta la saciedad esos honores que la colman, pues la convierten un poco más en emperatriz de México. Siguiendo su costumbre, no deja de visitar el Coliseo a la luz de la luna, la villa Borghese, la fuente de Trevi y otros monumentos.

Vuelven a embarcar en Civitavecchia. La *Novara* recorre el Mediterráneo, bordea las costas de España, cruza el estrecho de Gibraltar e inicia la larga travesía del Atlántico haciendo una sola escala en Madeira, tan cargada de recuerdos.

Pese a ser un navío de guerra, la *Novara* dispone de comodidades. Los camarotes de la pareja imperial son espaciosos y tienen amplias ventanas que dan al mar. Carlota pasa allí la mayor parte del tiempo. A su séquito le sorprende que, en lugar de tomar el aire y entretenerse en la cubierta, permanezca horas y horas encerrada trabajando. Se dedica a perfeccionar su español, a leer obras sobre la historia, la fauna, la flora y la economía de México. Con Maximiliano, pone por escrito lo que será su futura corte, las ceremonias públicas, las condecoraciones, la guardia palatina, los uniformes, las libreas, el número de funcionarios, los rangos, el protocolo, las ceremonias. No se deja nada al azar, y de sus reflexiones salen seiscientas páginas manuscritas. Otra prioridad, cuya iniciativa corresponde a Carlota: protestar contra la renuncia im puesta a Maximiliano en un documento que redacta ella misma. Ambos juran no haber tenido noticia de la renuncia que Maximiliano ha firmado y haber sido objeto de presiones insoportables. Como necesitan dos testigos, llaman a Scherztenlechner, que por supuesto acompaña a su señor, y al recién llegado, Félix Éloin, el belga enviado por el rey Leopoldo y llegado en un momento tan inoportuno a Miramar. No sólo se había quedado con ellos, sino que lo llevan a México con los demás acompañantes: Bombelles, el amigo de la infancia de Maximiliano, Kuhacsevich, el tesorero, y la mujer de éste. Todos estos personajes se envidian entre sí, en ocasiones se detestan e intentan evitarse, tarea nada fácil en un barco. Los días transcurren con monotonía. Hasta que llegan a las Antillas, es decir, al continente americano, Carlota no emerge para aparecer, radiante, en la cubierta. En las escalas de Martinica y Jamaica contempla, maravillada, las playas blancas, los cocoteros, los papagayos, la vegetación exuberante, el mar transparente. Este exotismo le parece un delicioso anticipo de México. Cada vez está más impaciente por llegar. El 28 de mayo de 1864, al amanecer ya está en la cubierta. Escruta el horizonte, donde el mar y el cielo se confunden en una especie de bruma gris azulada, hasta el momento en que aparece una línea un poco más oscura que poco a poco va haciéndose más precisa. Se dibuja una costa: México.

Carlota regresa a su escritorio y allí su pensamiento se dirige hacia su abuela, la reina María Amelia. «Avistamos Veracruz. Vuestra bendición y vuestros buenos deseos, querida abuela, han dejado su feliz huella en nuestro viaje, que no ha podido ser mejor. No ha resultado nada pesado sino, por el contrario, interesante y agradable. Estoy encantada con los Trópicos y sólo sueño con mariposas y colibríes. Estos últimos son las criaturas más dotadas de gracia poética que posee la naturaleza. La belleza de esta naturaleza tan rica y variada es inenarrable. No se puede reproducir mediante ninguna descripción, y mi corazón empieza a tomarle apego sin resentirse físicamente. Jamás hubiera creído que, en lo relativo a las regiones donde vamos a vivir, mis deseos se viesen tan colmados...»

Carlota deja la pluma y mira por la ventana. El sol naciente inunda de luz anaranjada la tierra de su imperio. Ojalá México pueda ser para ella esas mariposas y esos colibríes con los que sueña.

6

Esa mañana de primavera, el sol ha acabado de salir y lo que Carlota descubre carece de atractivo. Frente a ella se levanta la fortaleza de San Juan de Ulúa, un recinto feo, macizo, siniestro, donde a lo largo de los siglos han muerto miles de prisioneros. Unos arrecifes negros, contra los que se han estrellado naves cuyos cascarones o mástiles todavía emergen aquí y allá, impiden acceder a ella. La costa que Carlota ve es amarilla, está cubierta de dunas de las que el viento levanta torbellinos de arena igualmente amarillos. Vegetación, poca o ninguna.

Desde lejos, Veracruz forma como una mancha oscura coronada por los innumerables campanarios. Los habitantes de la ciudad han preparado bien las cosas para recibir a sus nuevos soberanos. Se ha construido un pabellón de honor para acoger a las autoridades. Se ha contado con un elevado presupuesto para organizar un banquete y un baile. Sin embargo, la delegación de México aún no ha llegado y, en consecuencia, se retrasa el desembarco.

Pasan el día esperando. La *Novara* se balancea suavemente, hace mucho calor. Maximiliano y Carlota no se cansan de mirar la tierra firme, la de su imperio, donde tan impacientes están por poner el pie.

Hacia las seis de la tarde, la delegación, que por fin ha llegado, sube a bordo guiada por Almonte, que había sido el primero en saludar a Maximiliano en sus cartas utilizando su título imperial. Pese a ello, se salta el protocolo. No realiza una inclinación respetuosa ante su soberano, sino que le estrecha enérgicamente la mano. En cuanto a la señora Almonte, en lugar de hacer una reverencia, se permite un abrazo. Maximiliano y Carlota se quedan atónitos. La señora Almonte, sin percatarse de nada, saca del bolsillo de su vestido un paquete de cigarrillos y le ofrece amigablemente a Carlota. «¿Gusta usted?»

Durante la noche estalla una tormenta, el viento ruge en las crujías de la *Novara*, que se bambolea. La costa y la ciudad desaparecen bajo nubes de arena.

A la mañana siguiente, 29 de mayo de 1864, Carlota y Maximiliano se levantan antes de que amanezca y asisten a misa a bordo. Cuando llega la hora de desembarcar, la tormenta ha cesado, pero el viento continúa soplando con fuerza, cubriendo el mar de crestas blancas. Los cañones de las fortalezas de Veracruz disparan salvas de honor y son relevados por los de la flota francesa, anclada delante de la ciudad. Son las cinco de la mañana cuando la chalupa imperial atraca en el muelle de la ciudad. No hay ni cortesanos, ni autoridades, ni curiosos. A esa hora temprana todo el mundo duerme aún. ¡No será un nuevo emperador quien haga levantar a los mejicanos tan pronto! En las rectas y vacías calles de la ciudad baja y plana flota el olor indescriptible de la muerte, pues Veracruz se halla bajo el imperio del *vómito negro*, la epidemia endémica de los Trópicos. Los muertos se cuentan por centenares y los habitantes se encierran en sus casas.

El fresco del amanecer ha desaparecido casi enseguida. La calina cubre el cielo, la atmósfera se vuelve sofocante, bandadas de mosquitos atacan a los recién llegados. Para colmo de males, el viento ha derribado durante la noche los dos arcos de triunfo de madera y lona construidos en honor de los nuevos soberanos. Maximiliano y Carlota pasan junto a los restos. Él, invadido por el desánimo, permanece silencioso, estupefacto. Ella, pese a su enorme dominio de sí misma, tiene lágrimas en los ojos.

Se dirigen presurosos a la estación, donde meten a los soberanos, a su séquito, a los oficiales franceses y a la servidumbre, además de decenas de baúles, en un tren especial que arranca jadeando. Los vagones de madera, con sus asientos duros, resultan particularmente incómodos, y los viajeros son rudamente zarandeados. El convoy atraviesa extensiones arenosas, salpicadas de árboles canijos y de cactus. El tren se detiene el tiempo necesario para comer en La Soledad, donde unos indios manifiestan una evidente simpatía... lo que resulta tranquilizador.

Lo que no es tan tranquilizador es esa nota que ha llegado misteriosamente a manos de Maximiliano y Carlota: «A un hombre le es dado, señor, atacar el derecho de los demás, apoderarse de sus bienes, acosar a quienes defienden su nacionalidad, hacer de sus virtudes crímenes, pero hay una cosa que semejante perversidad no puede impedir, y es el terrible juicio de la Historia...» Firmado: Benito Juárez. Con la cabeza alta pero el corazón encogido, Maximiliano y Carlota suben al tren, que continúa hasta Loma Alta, diez kilómetros más allá, donde la vía férrea se acaba al pie de las montañas escarpadas que cruzan la llanura. Allí es preciso tomar lo que los indígenas llaman las «diligencias de la república», unos coches rápidos pero muy incómodos. Hay seis para llevar al emperador, la emperatriz y su séquito, rodeados por los jinetes con uniforme centelleante que forman la escolta mejicana. El cortejo sube las pendientes abruptas de las montañas siniestramente arboladas, donde hay lugares cuyos nombres —por ejemplo, Salsipuedes— describen elocuentemente las condiciones del viaje. Además, el tiempo ha cambiado. Se ha puesto a llover y el viento sopla con violencia. A un coche se le rompe un eje, otro vuelca y está a punto de caer a un barranco, dejando milagrosamente con vida a un ministro del nuevo emperador.

Como de costumbre, Carlota oculta cuidadosamente sus verdaderos sentimientos. En la descripción que le hace al rey Leopoldo, no dedica ni una sola palabra al lúgubre desembarco en Veracruz: «Éstas son mis impresiones de este país. No está tan mal como yo creía. La población es entusiasta y sinceramente afectuosa.» A continuación describe los desiertos que atraviesa y «que no eran nada alegres. Confieso que se me encogía un poco el corazón al ver aquellos parajes. Me parecía que nuestra misión era un tanto abrumadora. Nadie puede hacerse una idea de las carreteras, son indescriptibles. Al principio parecían no tener ningún trazado, como si ningún ingeniero hubiera trabajado en ellas jamás. Después pasan a ser caos de piedras de varios metros de longitud, lechos de torrentes. Da la impresión de que los ejes se romperán cien veces, están a punto de acabar todos hechos añicos, pero no ocurre nada».

Las paradas obligadas acumulan los retrasos. Ha caído la noche y hace tiempo que ha pasado la hora prevista de llegada a Córdoba. Pese a la oscuridad, Carlota percibe que el paisaje que los rodea ha cambiado. La pesadez tropical ha dejado paso al agradable fresco que emana de una vegetación abundante. Oye correr el agua de las fuentes. Entrevé plantaciones de café, de tabaco, de bananos, y, protegidos por tapias bajas de tierra seca, jardines exuberantes.

Llegan a Córdoba a las dos de la madrugada, muertos de cansancio y de hambre. Los indígenas, que no se han acostado, manifiestan ruidosamente su entusiasmo. De pronto, Maximiliano y Carlota salen de su embotamiento y se reaniman.

Tras una noche de descanso, al despertar reciben la noticia de que unos bandidos han atacado un coche gubernamental que transportaba dinero. Millones de monedas se han evaporado. Reanudan la marcha de inmediato. A medida que la carretera se eleva, la vegetación se hace más densa. Siguiendo a contracorriente el río que, bordeado de árboles enormes, baja entre las rocas redondeadas, se llega a una verde hondonada rodeada de antiguos conos volcánicos. En el centro, la pequeña ciudad de Orizaba se apiña en torno a su catedral. Carlota se pregunta qué acogida les estará reservada en ese lugar destacado del republicanismo, donde los espera, visible desde lejos, una multitud considerable. Hace mal en preocuparse, pues ella y Maximiliano son recibidos con un entusiasmo inusitado que se complace en describir a su familia. Los indios quieren desenganchar su coche; han acudido más de diez mil y se oyen por doquier gritos ensordecedores de «¡Viva el emperador!» Los sentimientos expresados por los mejicanos le recuerdan lo que ha conocido en Bélgica: la unión entre el soberano y el pueblo. En cuanto al paisaje, son los Alpes, el Tirol, «una vegetación alegre, un aire de una pureza y una levedad incomparables».

Qué más da si la ciudad no es muy bonita, si está mal trazada, mal pavimentada, formada por casas bajas y tristes que se prolongan en tejadillos improvisados para proteger tanto del sol como de la lluvia. Carlota sólo tiene ojos para esa población abigarrada que la aclama. Durante los homenajes que recibe, se fija, como pintora aficionada que es, en la variedad de trajes, que marca la diversidad de razas. Los que se precian de tener sangre española, saludan al estilo europeo. Con sombrero de ala muy ancha, chaqueta corta sujeta con un cinturón que lleva incrustaciones de plata y pantalón amplio cuyas perneras van metidas en botas de piel, los hombres inclinan bruscamente la cabeza; las damas, con bolero bordado, falda corta, mantilla y flores en el cabello, se deshacen en reverencias. Los indios, vestidos simplemente con una camisa suelta sobre el pantalón y, encima, una colcha con una abertura para pasar la cabeza —el sarape nacional—, miran a Carlota embobados y se contentan con sonreír como niños. Las mujeres, con falda blanca y envueltas en un chal de flores —el rebozo—, lanzan sobre la emperatriz humildes flores cogidas del campo.

Dos días más tarde se ponen de nuevo en camino hacia México. En todas las ciudades y por la carretera, indios entusiastas surgen de la nada para ver pasar a sus soberanos: «En todas partes nos han colmado de flores, de poesías, de papeles dorados. Lo que más me impresiona es que este pueblo estaba realmente ávido de monarquía y que al parecer sentía un gran vacío en su corazón desde hacía mucho tiempo, pues es ese sentimiento el que expresa fundamentalmente. Los indios en particular, que salen a la carretera con sus bastones de mando y grandes cetros de claveles, nos miran con una curiosidad indefinible, apáticos y oprimidos desde hace tanto tiempo que no siempre dan inmediatamente libre curso a sus sentimientos, pero cuando estallan, lo hacen con toda el alma.»

Muy pronto, la carretera se vuelve tan escarpada que hay que abandonar las «diligencias de la república» para seguir a caballo. En el puerto de Acultzingo, a dos mil metros de altitud, hacen un alto. Los indios han preparado una colación y, por primera vez en su vida, Maximiliano y Carlota prueban el guacamole —una especie de puré de aguacate—, los frijoles del país —judías negras— y los tacos y burritos, que son unas tortitas rellenas de carne picada y especiadas más allá de los límites de lo imaginable. Los miembros de su séquito están atónitos de verlos engullir esas comidas exóticas y picantes como si se tratara de exquisiteces salidas de las cocinas imperiales y reales de la vieja Europa. Para Carlota, toda comida es suculenta, toda cama es confortable: «En todas partes nos han alojado perfectamente y nos han alimentado de maravilla», lo que dista mucho de ser la opinión de su séquito, acosado por las pulgas, condenado a colchones demasiado duros, enfrentado a un servicio inexistente y anquilosado por la humedad.

Una tarde llegan a las puertas de Puebla y pasan la noche en una hacienda situada en las colinas que rodean la ciudad. A la mañana siguiente, Carlota descubre un extraordinario espectáculo. Situada en medio de una llanura, Puebla se presenta como un inmenso damero en el que se distinguen innumerables cúpulas y campanarios, jardines y terrazas de palacios. Un cinturón de opulentos vergeles y granjas prósperas rodea la ciudad, y en el horizonte se alzan los dos volcanes más altos de México, el Iztaccíhuatl y el Popocatépetl, cuyas cumbres están cubiertas de nieves perpetuas. Lo más selecto de Puebla ha salido de la ciudad, a caballo o en coche, para presentarse ante Carlota y Maximiliano. Lanzan vítores estridentes. Ante esta acogida, Carlota toma conciencia de las tradiciones, percibe el germen de una civilización probablemente superior a la de algunos países europeos, una civilización que contrasta con la tosquedad de los caminos que ha seguido y lo agreste de los desiertos que ha atravesado.

La entrada en Puebla le causa a Carlota una impresión deliciosa. El entusiasmo de los autóctonos es inimaginable. De todos los tejados y todas las terrazas llueven coronas de papel doradas y flores con un perfume tan intenso que dice sentirse «asfixiada». Los gritos de «¡Viva el emperador!» y «¡Viva la emperatriz!» se entremezclan con los «*Vive l'empereur!*», «*Vive l'impératrice!*» pronunciados por los soldados franceses, que recuerdan que México es un país ocupado y que de momento el imperio se sostiene tan sólo gracias a su presencia. Carlota, alejada de tales pensamientos, encuentra sus aclamaciones extraordinariamente «simpáticas».

El cortejo se detiene ante la catedral, uno de los monumentos más imponentes de México, donde se cantará un Te Deum. Carlota admira el bosque de estatuas blancas que orna la fachada, las cúpulas pintadas de verde y amarillo, las inmensas puertas de madera de cedro. El interior le parece una cueva de Alí Babá llena de custodias, candelabros, relicarios, altares y lámparas de plata maciza con incrustaciones de oro, todo de un tamaño desmesurado. Por la noche, los artilleros franceses lanzan desde las colinas que rodean Puebla un fantástico castillo de fuego.

El avance, ahora triunfal, prosigue. Los soberanos se detienen en Cholula, en otros tiempos la ciudad más importante de los aztecas. Carlota reza en el santuario de los Remedios, construido sobre el *tocali* donde se practicaban los sacrificios humanos. Cruzan el puerto del Aire, situado a tres mil doscientos metros de altitud, se adentran en la sierra Nevada pasando por el pie del Popocatépetl y luego comienzan a descender lentamente hacia la planicie de México. De pronto aparecen, abajo, a lo lejos, unas extensiones claras. Son los lagos que rodean la capital: «Era un momento solemne, como cuando los cruzados vieron Jerusalén. Bajamos del coche con un entusiasmo religioso. El espectáculo era grandioso, en efecto. Había impresionado a Cortés hace trescientos años, había sido el centro de las migraciones de grandes pueblos, había detenido tanto a los aztecas como a los españoles, y ahora nos veía acercarnos a nosotros.»

Maximiliano y, sobre todo, Carlota han decidido dar un rodeo para pasar por el santuario de Santa María de Guadalupe, donde tuvo lugar una aparición de la Virgen, antes de entrar en México. Sigue siendo el lugar de peregrinaje más importante de México, a la vez que un punto de unión, un símbolo nacional que todos los mejicanos, incluso los no creyentes, llevan en el corazón. Para Carlota, el hecho de ir allí obedecía también a otro motivo: «Una antigua profecía dice que un joven rubio venido de oriente entrará en México por Guadalupe y fundará allí un imperio que hará florecer de nuevo la raza india.»

Al igual que en Puebla, la gente acomodada había salido a recibir a sus soberanos. Aquí no eran centenares, sino miles de jinetes y de mujeres elegantes en coche, que se desgañitaban: «¡Viva México independiente!», «¡Viva el Imperio mejicano!», «¡Viva Maximiliano I!», «¡Viva Napoleón III!», «¡Viva el rey de los belgas!», «¡Viva Leopoldo I!». Estas últimas aclamaciones hicieron que a Carlota se le saltaran las lágrimas.

A la entrada de Guadalupe montaron en un elegante coche guiado por dos postillones con librea roja, el mismo de Benito Juárez, cosa que Carlota interpretó como la firme intención de instalar el nuevo poder entre el mobiliario del antiguo. Cuando se detuvieron ante el santuario, la multitud rompió los cordones de protección y se precipitó sobre ellos, ávida de tocarlos. De no ser porque eran bastante altos, constató Carlota, los habrían aplastado. «Jamás había visto entusiasmo semejante; era más que delirio, era frenesí.»

Carlota y Maximiliano se prosternan ante la estatua milagrosa de la Virgen. En el transcurso del Te Deum suena por primera vez el *Domine salvum fac imperatorem*, el himno que se canta en todas las cortes europeas para preservar al soberano. Es la primera vez que este homenaje, tan familiar a sus oídos, va dirigido a Carlota y Maximiliano. Se les hace un nudo en la garganta.

Más tarde, en la casa capitular, reciben a los personajes influyentes de la capital. Entre ellos se adelanta un militar con bigote y más bien orondo, de aspecto bastante imponente y rostro ancho y redondo, en el que contrastan unos ojillos oscuros medio ocultos por unos gruesos párpados. Se trata del general Bazaine, comandante en jefe de las tropas francesas. Maximiliano y Carlota le dispensan una espléndida acogida, pues saben que de él depende su suerte. Cuando las tropas francesas hayan limpiado los últimos reductos ocupados por los partidarios de Benito y hayan acabado de pacificar el país, entonces podrán realmente reinar, de lo contrario... Bazaine, pese a sus zalamerías de cortesano sutil y a su facundia de hombre astuto, ha juzgado a la pareja en el acto. Se siente superior al emperador y la emperatriz. Ellos, por su parte, se han dado cuenta instintivamente de que deben desconfiar de él.

Al día siguiente, 12 de junio de 1864, Maximiliano y Carlota montan otra vez en tren. «Un breve cuarto de hora de viaje» los conducirá a las puertas de la capital. Carlota no despega la cara de la ventanilla, atónita ante el desfile de los barrios periféricos de su capital. «Las afueras son las de una gran ciudad; me parecía estar llegando a París.» Una comparación quizá un tanto exagerada, debida a un entusiasmo desbordante. En la estación, un elegante coche descubierto los conduce por las avenidas adoquinadas, pasan bajo los arcos de triunfo construidos para la ocasión, una lluvia de poemas caligrafiados, flores y coronas doradas cae de los balcones. Toda la ciudad ha salido a la calle para aclamarlos. Ya no hay diferencias de clase o de opinión política, aun cuando los pobres están abajo, en la calle, mientras que los ricos han pagado hasta cuatrocientos francos por un sitio en una ventana y dos mil quinientos en un balcón. Las aclamaciones de los «republicanos» se suman a las de los conservadores. Incluso se ve a una dama conocida por sus ideas liberales precipitarse hacia el coche imperial, desafiando a los caballos de la escolta, para ofrecer un ramo de flores que Maximiliano coge al vuelo al tiempo que exclama: «¡Cuidado! ¡Cuidado con los caballos!» Junto al coche cabalga el general Bazaine con uniforme de gala, seguido de todo su estado mayor. Carlota responde a las aclamaciones. Observa a esa multitud que la recibe calurosamente; luego sus ojos se posan en los uniformes franceses, por los que tiene debilidad desde pequeña. «Los gritos de "¡Viva el emperador!" sólo eran interrumpidos por los de "*Vive l'empereur!*"; era como un símbolo de esa importante alianza cuyo nexo somos nosotros. Porque, si hemos venido aquí, es porque los mejicanos nos han elegido y Francia nos ha querido. Somos el vínculo entre ambos y espero que sigamos siéndolo.»

Maximiliano no se entrega a reflexiones de este tipo. Su mirada se dirige al coronel Miguel López, que cabalga delante del coche encabezando la escolta mejicana. Este oficial de pelo rubio, tez blanca y ojos azules parece más francés que mejicano. Atractivo, elegante, con el porte y los modales de un hidalgo, fue enviado por Almonte para recibir al emperador en Veracruz y enseguida impresionó a Maximiliano, hasta tal punto que éste lo nombró inmediatamente jefe de la escolta imperial. Ha acompañado a sus soberanos desde la costa hasta la capital, prodigándose en atenciones, caracoleando con maestría y no perdiendo ninguna ocasión de hacer que su emperador se fije en él.

Acompañado de los gritos de la muchedumbre desatada, el cortejo llega al lugar más venerable de la capital, el Zócalo, el antiguo centro sagrado de los aztecas, lugar místico destacado de su religión donde, tiempo atrás, uno de sus emperadores sacrificó, por una sola victoria, a veinte mil prisioneros. Después, los españoles arrasaron las pirámides para hacer sitio a la opulenta catedral barroca y el gigantesco palacio de los antiguos virreyes.

Maximiliano y Carlota recorren a pie el Zócalo y penetran en lo que será su residencia. Allí los esperan los dignatarios y notables, ante los que Maximiliano pronuncia un breve discurso lleno de buenos sentimientos.

Por la noche, toda la ciudad está brillantemente iluminada. Los habitantes no quieren marcharse del Zócalo y piden una y otra vez que su emperador y su emperatriz salgan al balcón. Asisten a unos deslumbrantes fuegos de artificio cuyos cohetes dibujan, como impone el gusto de la época, diferentes figuras, sobre todo la del castillo de Miramar. ¡Miramar en destellos de luz en el cielo de la antigua Tenochtitlán de los aztecas! Carlota, cuyo entusiasmo no disminuye, observa que los mejicanos hacen los fuegos artificiales más bonitos del mundo: «Entre otras cosas, hay un cohete que va y viene como un fuego fatuo y que se llama el *correo*.»

Finalmente, la pareja puede retirarse para buscar un poco de reposo. Pero ¿dónde encontrarlo? Lo que llaman el «palacio imperial» no está preparado para albergarlos, de modo que es preciso resignarse. Maximiliano se tumba sobre una mesa de billar y Carlota se instala en un espantoso sillón. Tanto la incomodidad como la excitación le impiden conciliar el sueño. Se vuelve de un costado, del otro, se levanta, camina arriba y abajo, se sienta de nuevo. Oye los ruidos, los murmullos de la ciudad, tan diferentes de los de Europa. Se alegra de hallarse en «ese viejo palacio de los virreyes que, desde Moctezuma hasta Juárez, siempre ha contenido lo que en ese país llevaba el nombre de poder». Ahora, el poder son Maximiliano y ella. Ocupan su sede. Da igual si ese viejo palacio está mal amueblado, es incómodo e insalubre; da igual si está invadido por las pulgas. Cuando una se llama Carlota y un pueblo te ofrece unánimemente el poder en una bandeja de plata, se soportan todos los insectos de la tierra.

A lo largo de todo el día siguiente, ese mismo pueblo regresa al Zócalo para seguir manifestando su afecto hacia sus soberanos. A pesar de que esa plaza es una de las más grandes del mundo, hay tanta gente aglomerada que «no cabría ni un alfiler». «Ya no se trataba de vítores, sino de murmullos confusos de personas que hablan todas a la vez y tienen tantas cosas que decir que las palabras se agolpan en su boca.» Se oye repetir hasta el infinito el grito lancinante: «¡Que salga el emperador!» Maximiliano y Carlota no tienen más que aparecer, e inmediatamente los «murmullos confusos» se transforman en vivas frenéticos.

Por la noche tiene lugar una representación de gala en el teatro nacional. La señora de Miramón, esposa de un ex presidente de la República convertido en adepto de Maximiliano, ha sido invitada. Pese a su afición a los sucesos de la vida mundana, mantiene la lengua acerada y la mirada penetrante sobre los miembros del cuerpo diplomático, la corte, las autoridades, la alta sociedad de México, los hombres de frac con condecoraciones, las mujeres con vestidos a cual más vistoso. La sala ha sido brillantemente iluminada y decorada con grandes guirnaldas de flores sobre los cortinajes de terciopelo carmesí. Los palcos han sido alquilados a un precio exorbitante. La dama ve entrar al emperador y a la emperatriz, soberbios y graciosos, la imagen misma de la monarquía, él de frac, con la gran banda de la novísima orden de Guadalupe en el pecho, ella con un vestido blanco cubierto de encaje de Valenciennes, una diadema de brillantes en la cabeza y un collar de enormes perlas en torno al cuello. Al llegar a la altura de su palco, Carlota pasea la mirada por la concurrencia. Le pide a su nueva dama de honor, la señora Almonte, que le diga el nombre de las personalidades. Cuando ve a la señora de Miramón, pide que vayan en su busca. «Oh, no, Vuestra Majestad, como ha sido presidenta y es muy orgullosa, jamás aceptará venir.» La amiga de la señora de Miramón, la condesa del Valle, que ha sido nombrada mayordoma mayor de la corte, le repetirá a la interesada este comentario «venenoso» de la señora Almonte.

Al cabo de un tiempo, la señora de Miramón y su marido son invitados a comer, pues Carlota no la ha olvidado. Con una rapidez increíble, Maximiliano, constructor y decorador nato, ha transformado tan positivamente el palacio que la señora de Miramón no reconoce el lugar donde ha vivido. El emperador ha derribado los tabiques de varias salas que se alinean en la fachada principal y las ha transformado en un vasto «salón de los embajadores». Ha hecho cubrir el suelo con una alfombra burdeos traída de Europa y colgar de las paredes tapices que llevan el escudo de armas del nuevo imperio —un águila sujetando una serpiente con sus garras—, inspirado en la mitología azteca, así como la divisa, no demasiado poética, creación suya: «Equidad en la justicia.» Estando un día en una de las salas peor conservadas de su nuevo palacio, Maximiliano vio en el suelo unos trozos de estuco que habían caído del techo. Al levantar los ojos, entrevió a través de los agujeros unas vigas pintadas. Hizo sacar a la luz y limpiar los techos admirablemente decorados de la época de Cortés, a los que devolvió su lustre original.

La señora de Miramón está deslumbrada por los inmensos espejos de Venecia, los jarrones de mármol, las estatuas que pueblan las crujías que ella ha conocido desiertas y, sobre todo, por esos gigantescos candelabros de porcelana de Japón de los que surgen brazos de bronce que sostienen las velas. Se pregunta cómo han podido llevar en tan poco tiempo todos esos tesoros.

Anunciada por el gran chambelán, la pareja imperial aparece en la puerta del salón. Carlota lleva ese día un vestido de seda gris con bordados y pasamanería, unos pendientes de diamantes y, en el cabello, un tembleque de brillantes. Los soberanos saludan a los invitados, dirigiéndole a cada uno las palabras más amables. Luego todos pasan al comedor, también completamente redecorado. La señora de Miramón se extasía de nuevo ante el servicio de porcelana de Sèvres, la cristalería de Bohemia y la cubertería cincelada. Ella no sabe que esta última no es realmente de plata, sino una imitación inventada por la casa Christofle. Maximiliano y Carlota han querido rodearse de suntuosidad para impresionar a sus súbditos, pero, dado que los créditos no son ilimitados, en ocasiones es preciso conformarse con imitaciones.

Día tras día, los festejos prosiguen: revistas militares, galas, banquetes e incluso una fiesta veneciana ofrecida por la municipalidad. El pueblo acude y aplaude. En cuanto a la alta sociedad, está loca de frenesí. La república tenía cosas buenas y, sobre todo, cosas malas. Había abolido los títulos de nobleza y otros «consuelos de la vanidad» inventados y repartidos por los españoles de la época del virreinato. Había sido preciso, en perjuicio de los antiguos beneficiarios, relegar al fondo de los cajones las precedencias y los pergaminos ilustrados donde se enumeraban las distinciones nobiliarias. Y ahora el imperio, con la mayor naturalidad, los desempolvaba.

Los mejicanos pertenecientes a familias antiguas, cuenta la señora de Miramón, un día tomaron conciencia de que eran condes, marqueses, grandes de España... Una dama a la que ella conocía exigió airadamente un trato especial, ya que descendía, afirmaba ella, directamente del emperador Moctezuma, el último soberano azteca. Esa sociedad elegante y refinada, que sabía vivir mejor que los aristócratas de Europa pero a la que años de república habían enseñado a comportarse con una familiaridad excesiva, se sometió alegremente a los rigores del protocolo que llevaban en su equipaje sus soberanos.

Carlota disfruta descubriendo la ciudad, que recorre todos los días en coche descubierto, rodeada de un pelotón de caballería. Tal vez no sea París, como ella afirmaba, pero México, por sus proporciones y la amplitud de sus avenidas, tiene indudablemente mucha clase. Los monumentos, construidos por los españoles para demostrar la indiscutible grandeza de su Imperio, son espléndidos. Los palacios privados dan fe de la fortuna de las viejas familias. Las casas —los edificios de pisos todavía escasean— están construidas de acuerdo con la tradición árabe, es decir, alrededor de un patio central, al que dan salas y dormitorios; pero, al contrario que los árabes, los mejicanos han abierto grandes ventanas que dan a la calle y llegan hasta el suelo, protegidas por rejas de elegantes volutas. La capital se prolonga en interminables barrios periféricos de calles rectas, en las que se alinean casas bajas de tierra batida donde se amontonan familias de indios y de mestizos.

Carlota pasa también largas horas en su balcón, protegida del sol por una marquesina de rayas. Aprende a conocer a sus súbditos observando sus idas y venidas. Pasa al galope un jinete con las piernas muy rectas y el cuerpo inclinado sobre el arzón; su montura lleva una piel de animal sobre la grupa y una silla con incrustaciones de plata. Carlota oye rebuznar a un asno: unos indios del campo han ido «con sus jumentos»; tocados con sombrero de paja, avanzan con paso indolente. Cuando la lluvia empieza a caer, se cubren tranquilamente con un sarape. Los indios van a pie, mientras que los descendientes de los conquistadores de raza blanca, que llevan redingote y sombrero europeo, sólo se desplazan a caballo. A veces llevan el traje de ranchero, mitad andaluz y mitad árabe, entre el majo y el lanzador de lazo.

Las únicas mujeres que se ve por la calle son indias. Las damas sólo salen para ir a misa, con el rostro oculto por una mantilla.

Los zuavos se pasean por parejas bajo el balcón de Carlota, «con aire travieso y desenvuelto, arrogantes, como se diría en París», con su fez rojo echado hacia atrás y la bayoneta-sable en un costado. Los oficiales llevan pantalones bombachos recogidos en la base, que los hacen parecer, desde el balcón donde Carlota está observándolos, una especie de pirámide. La emperatriz oye las cornetas francesas y las campanillas de las carretas.

Transcurren las horas sin que se canse de contemplar este espectáculo abigarrado. Se siente serena, se siente confiada. Ya se han acabado las vacilaciones que los habían torturado a Maximiliano y a ella antes de aceptar. Ha bastado que aparezcan para que el país entero se adhiera a ellos. Los aristócratas, el clero y los conservadores era de esperar que lo hiciesen, pero también lo ha hecho la burguesía y, sobre todo, los indios, e incluso los republicanos, tanto más cuanto que su jefe, según la opinión general, es un hombre acabado.

Nada más poner el pie Maximiliano en tierra mejicana, Juárez inició la retirada hacia el norte. Y si bien Maximiliano se había detenido en la capital, «la lamentable caravana de la república», perseguida por las tropas francesas y minada por las deserciones, se alejaba cada vez más. Exhausta, ha acabado haciendo un alto en Monterrey. Un escobazo de Bazaine, y Juárez dejaría de existir. El Imperio mejicano, inventado con pretextos más o menos confesables, se había convertido en una realidad debido a la convicción de Maximiliano y Carlota. Una convicción alimentada no sólo por sus aptitudes y sus cualidades, sino por la voluntad de consagrarse a México, de servirlo con todas sus fuerzas. Ese nuevo imperio haría olvidar hasta el nombre de la república, pues estaba hecho para enraizarse, para durar, para prosperar. Carlota y Maximiliano así lo creían, México así lo creía.

Tal como se espera de ella, Carlota empieza a recibir en palacio. Todos los lunes da bailes más íntimos, más atrayentes que las ceremonias oficiales, con menos invitados pero muy escogidos. Justo antes de que dé comienzo la fiesta, Maximiliano lo inspecciona todo, hasta el tocador destinado a las damas, para que se retoquen. A las ocho y media, los soberanos penetran en el pequeño salón reservado al cuerpo diplomático y a los altos cargos de la corte. Él lleva el uniforme, ornado con el toisón de oro y la gran banda de la orden de Guadalupe. Carlota gusta de los tonos claros: blanco, rosa, amarillo. Luce diamantes y perlas enormes, y la gran banda de la orden de San Carlos, que ha instituido para las damas, le cruza el pecho. El maestro de ceremonias, el conde del Valle, abre la puerta de dos batientes y, con voz estentórea, anuncia: «Señores, Sus Majestades.» Los soberanos recorren los salones donde los esperan sus invitados, pertenecientes a la sociedad más selecta de México. Caballeros y señoritas devoran con los ojos a esta magnífica pareja. Los dos altos, distinguidos, dotados de una desenvoltura natural, él rubio, ella morena, ofrecen la imagen de una unión perfecta, de un amor profundo que los llena de gracia y seducción.

Esa noche, la condesa del Valle, copiando a Carlota, lleva un vestido blanco recubierto de encaje y luce diamantes, aunque menos grandes que los de la emperatriz. La señora de Sánchez Navarro, con un vestido rojo cubierto de flores naturales, parece una virgen de Murillo. La señora de Arrigunaya, célebre por su belleza, tiene los pies más pequeños del mundo. Enriqueta Cervantes, una de las hijas más bellas de México, una primavera personificada, hace sonar su voz argentina hablando con Antonia Barandiarán, una auténtica estatua griega. Todas se ríen de la canóniga tras sus abanicos. Es el título que lleva una de las damas de honor austriacas que ha acompañado a Carlota. Es muy alta, enorme, siempre viste de negro y en el pecho exhibe la cinta roja indicativa de su rango. Las jóvenes mejicanas la comparan, entre risas, con un elefante.

Están, por supuesto, los Almonte, los Miramón, el general Bazaine y todos los oficiales superiores franceses. Sus Majestades empiezan por saludar a sus invitados, avanzando lentamente ante dos filas de éstos y deteniéndose delante de cada uno para dirigirle una frase. A continuación empieza el baile propiamente dicho, y es una maravilla ver a esas hermosas muchachas bailar entre los brazos de los oficiales austriacos, mejicanos y franceses. La multitud de uniformes hace olvidar el puñado de fracs negros, un tanto lúgubres.

Pepita de la Peña tiene diecisiete años, una preciosa cabellera negra y un tipo muy español. Esta encantadora huérfana de padre es hija única de una excelente familia. Perfectamente educada, habla francés. Esa noche se divierte como una loca bailando con el capitán Detroya, un seductor oficial de la marina francesa, cuando el general Almonte, al que conoce desde la infancia, le toca un hombro: «Pepita, permíteme que te presente al general Bazaine, que desea conocerte.» Se la arrebata a su pareja y la conduce ante el comandante en jefe. Éste la mira largamente y, a modo de cumplido, le dice que se parece mucho a su bienamada esposa, fallecida justo un año antes. Acto seguido la invita a bailar, no en el salón reservado a la juventud, sino en la sala donde la emperatriz baila la contradanza con las primeras damas de la ciudad. Allí no se admite a una muchacha tan joven como Pepita, pero al general Bazaine no se le niega nada. Gracias a él, Pepita evoluciona graciosamente ante la mirada atónita de Carlota.

Llega la hora de cenar. Los invitados se precipitan hacia los bufés, donde correrá el champán rosado, el último grito del lujo. Los sirvientes, todos mejicanos, han tenido tiempo de ser aleccionados por los mayordomos austriacos de Maximiliano, de modo que su conducta es impecable. El emperador cena con el cuerpo diplomático; la emperatriz, con las damas más importantes. Los jóvenes han sido agrupados en torno a la mesa más alejada, aquella donde más se divierten.

Bazaine le pide permiso a Maximiliano para no cenar con él y acompañar a Pepita en la mesa de los jóvenes. Maximiliano acepta sonriendo y luego comenta: «Esta noche, Bazaine se ha enamorado locamente de la señorita De la Peña.»

Las horas pasan y el cansancio se impone a la animación. La

madrugada hace caer las máscaras. La señora de Miramón sigue observando a los nuevos soberanos. Maximiliano tiene la misma edad que su marido, el ex presidente, es decir, treinta y pocos. Tiene las facciones regulares, un porte majestuoso, la piel blanca como el marfil, el cabello rubio. Sus expresivos ojos azules dan a su fisonomía un aire particularmente simpático. Su carácter parece jovial, le gustan las bromas y las maneja con elegancia, aunque a veces sus palabras tienen un toque punzante, incluso amargo. Es un apasionado de las bellas artes, la literatura y la poesía, y un gran entendido en botánica. Las damas de honor de su esposa, todas un poco enamoradas de él, le cuentan a la señora de Miramón que cuando Maximiliano sale de palacio la tristeza se abate sobre todo, «hasta sobre las plantas del jardín».

Ahora le toca a Carlota. A la señora de Miramón le parece que tiene la cabeza un poco pequeña para lo alta que es. Tiene la cara redonda, dos manchas rosadas en los pómulos, las mejillas muy blancas y el pelo y los ojos negros. Su mirada permanece largamente perdida en el vacío. Es muy inteligente y muy culta; habla con soltura seis o siete lenguas, entre ellas el latín. Posee conocimientos en toda clase de materias, como, por ejemplo, el arte de la navegación. Sin embargo, le falta cierta delicadeza. En ocasiones, su orgullo hiere a las damas de su entorno. No invita a sentarse a la condesa del Valle, que está embarazada, durante las audiencias que le concede. En el transcurso de sus salidas en coche, se complace en hacer a sus damas de honor preguntas a las que ninguna es capaz de responder: «¿Bajo qué virreinato español se construyó la escuela de minas?» Silencio. «¿Y la catedral? ¿Cuántos siglos tiene?» Silencio. «¿De qué escultor es la fuente de Tlaxbana y la fachada de la iglesia del Sagrado corazón?» Silencio. La expresión de Carlota dice claramente a sus confundidas damas que las considera ignorantes en grado sumo.

Por lo demás, Carlota no se muestra menos exigente con el ejército francés. En su opinión, los generales se dedican a dormir en sus laureles. Bazaine y los oficiales superiores sólo pueden desplazarse rodeados de un areópago de ayudantes de campo y ordenanzas. No es un crimen, pero Carlota ve en ello un «síntoma de ociosidad». Bien mirado, Bazaine no es el águila que ella creía. Al parecer, los honores —los ha recibido todos, Legión de Honor incluida— le hacen ser perezoso. Porque, de hecho, el partido republicano no está muerto del todo.

Finalmente, Bazaine, tal vez estimulado por Carlota, entra en acción. En el sur, sus tropas vencen al general Uraga, el último que se resiste a Maximiliano. En la región sólo queda el reducto de Oaxaca, ocupada por un tal Porfirio Díaz. Se trata de un mestizo originario de la región, como Juárez. De familia pobre también, ha preferido la aventura al rango. Ha estado en prisión por sus actividades como guerrillero y su breve existencia está tejida de acontecimientos rocambolescos. Pese a su origen humilde, tiene un brillo que está lejos de poseer Juárez, hombre mucho más frío, reservado y calculador. Ambos son astutos, pero mientras que Juárez es un estadista, Porfirio es un líder.

Aunque este último ya da que hablar, Bazaine lo considera una insignificancia de la que se ocupará cuando llegue el momento. Su principal objetivo es Monterrey, es Juárez. Sus tropas se dirigen hacia el norte arrollándolo todo a su paso. Juárez se ve obligado a proseguir precipitadamente su retirada y no se detiene hasta llegar a Chihuahua, a unos cientos de kilómetros de allí. Por prudencia, manda a su mujer y a sus hijos a Estados Unidos. Con él sólo queda ya un puñado de fieles que viven en la indigencia y cada día tienen menos esperanzas.

Esta serie impresionante de éxitos obliga a Carlota a mirar con otros ojos al comandante en jefe de las tropas francesas: «Bazaine es un hombre de mente un tanto fría que ha sucumbido por completo al encanto de Max, quien lo emociona hasta el punto de hacerle llorar. Seis meses atrás no hacía nada en absoluto, y no le gusta que cuando él no hace nada los demás hagan algo. Sin embargo, nuestra llegada lo ha sacado de su letargo.»

Para obtener la «pacificación», Bazaine no ha dudado en actuar con mano dura. Cuando Maximiliano se entera, monta en cólera y hace que el jefe de su gabinete, Éloin, le escriba al comandante en jefe. El fiel Éloin enumera cuidadosamente las «atrocidades» francesas. La ciudad de Zacualtipán ha sido incendiada, Huauchinango ha sido saqueada «con una barbarie de otra época», en Tenancingo, varios rebeldes han sido fusilados, y otras cosas del mismo tenor. «A Su Majestad le gustaría creer que esas noticias son falsas.»

Carlota, por su parte, acumula observaciones sobre sus súbditos de las que hace partícipe a su padre. Esta nación mejicana, que Juárez llamaba *el soberano*, no es una nación sino una yuxtaposición de razas, de lenguas, de caracteres y de orígenes completamente distintos. Tan sólo el amor a la independencia une a los mejicanos, independencia encarnada ahora por Maximiliano. A Carlota le sorprende enormemente su docilidad, que por lo demás hace su tarea y la de Maximiliano mucho más sencillas que la de sus homólogos europeos. Sin embargo, todo está por hacer. Hay que insuflar energía por doquier, combatir la pereza, y eso sí que es un trabajo duro, ya que no pueden apoyarse en nadie. ¿El gobierno? Papel. Dictan decretos, promulgan leyes... que quedan sin efecto. El caos al que Maximiliano y ella se enfrentan constantemente le produce en ocasiones una sensación de impotencia.

Sin embargo, no tiene ni derecho ni tiempo de recrearse en esa sensación de abatimiento, por otro lado pasajera. Maximiliano se pasa el día clavado a su escritorio, concede audiencias, estudia informes, redacta instrucciones. Las obligaciones oficiales y cotidianas le corresponde cumplirlas a ella. «Ayer representé durante todo el día con una majestad inaudita —le confía a su padre—, asistí a la misa y al Te Deum con una capa de terciopelo rojo, y reuní en mi persona durante veinticuatro horas toda la dignidad de la monarquía.»

Tiene veinticuatro años. Su nueva posición la excita, pero, educada en la democrática Bélgica, es capaz de poner freno a los homenajes exagerados. No autoriza a Bazaine a colocar un busto suyo en una plaza y ordena suprimir el palio bajo el que Maximiliano y ella entran en los santuarios. ¡Poco les ha faltado a los indios, comenta en tono de broma, para tomarlos por el Santo Sacramento!

Maximiliano y Carlota están tan agobiados de trabajo, y el palacio imperial se presta tan poco a la intimidad y el descanso, que han decidido buscar un lugar de retiro en el campo. Lo encuentran el día que su paseo diario los lleva a un sitio llamado Chapultepec. Se trata de una residencia sin carácter que data de fines del siglo XVIII, situada a unos kilómetros de la capital y construida por los virreyes españoles para pasar allí las vacaciones. Más tarde, el pequeño castillo se convirtió en cuartel y después en hospital, hasta que acabó por ser abandonado. Sin embargo, ocupa una posición excepcional, en lo alto de un enorme peñasco desde donde se domina toda la llanura. Desde sus terrazas se ve México, los lagos, los campos a lo lejos y, al fondo de todo, los inaccesibles volcanes. Alrededor se extiende un bosque de tamariscos gigantes, cedros y cipreses, que mantiene el lugar envuelto en un delicioso frescor.

Chapultepec seduce a Maximiliano y Carlota, y el emperador se pone inmediatamente manos a la obra. Es su propio arquitecto de interiores y su propio decorador. En el lugar que ocupa el modesto y pequeño castillo de los virreyes, edifica un vasto castillo de estilo francés, al que añade columnatas, una terraza cubierta, arcadas, miradores. Transforma las habitaciones existentes y crea otras nuevas, tapiza, amuebla importando de Europa cargamentos enteros. Decide unir su castillo de recreo con el centro de la capital mediante una larguísima avenida bordeada de eucaliptos y de césped. El paseo de Carlota —así lo bautiza él— no quedará acabado hasta mucho después de su reinado; convertido en paseo de la Reforma, continúa siendo el eje de la capital mejicana.

Carlota y Maximiliano se instalan sin tardanza en Chapultepec. Él elige para sus aposentos la parte más tranquila, pues tiene el sueño ligero y cualquier cosa lo despierta. Se levanta a las cuatro de la mañana para montar a caballo disfrutando del fresco del amanecer. A las nueve está en su despacho y sólo interrumpe el trabajo para ir a nadar a un estanque natural que ha descubierto en el bosque, donde según la leyenda iba a bañarse Malinche, la famosa amante india de Cortés.

Carlota se levanta más tarde y desayuna en sus aposentos. Ella también va a montar a caballo, su deporte favorito. Galopa por las alamedas arenosas que serpentean entre los árboles inmensos, salidos de una imagen de la prehistoria. Luego, juntos o por separado, ambos se trasladan en coche al despacho, es decir, al palacio imperial de México: él, para recibir a sus ministros; ella, para presidir consejos de beneficencia. Vuelven a encontrarse en Chapultepec a las cuatro, en la cena, que tiene lugar en presencia de sus séquitos respectivos. La conversación es allí libre y relajada. Se puede hablar de todo salvo de política. Después, Carlota se retira con sus damas al tocador, mientras que Maximiliano lleva a los señores a la sala de fumar. Según las normas mejicanas, todavía es pronto cuando se da por finalizada la velada y Carlota y Maximiliano se quedan por fin solos. Antes, Carlota veía en Miramar el nido que Maximiliano había concebido para albergar sus amores.

Dado que no lo disfrutó, espera con todo su corazón que Chapultepec desempeñe ahora ese papel y que el castillo rodeado de bosques los proteja para que puedan amarse libremente, con todas sus fuerzas.

Pero, nada más instalarse, Maximiliano le anuncia su partida.

7

Ese verano, el del año 1864, Maximiliano decide realizar una gira por provincias. Sabe que su presencia aumenta las adhesiones y refuerza las lealtades. Por supuesto, Carlota forma parte de la expedición, o más bien formaba parte, porque de pronto «se» le retira la invitación. A su padre no puede ocultarle su profunda decepción: «En mi última carta os anuncié un viaje al norte, pero el destino se ha vuelto en mi contra y Max se ha marchado solo.» Siguen explicaciones, excusas. Maximiliano quiere viajar deprisa y llegar lo más lejos posible, de modo que es más prudente que Carlota no lo acompañe por unas carreteras infectas en esta estación. Además, alguien tiene que quedarse en casa. A la gente no le gusta que el palacio permanezca vacío. Y por último, Maximiliano le ha encargado a Carlota que presida el consejo de ministros, así que debe quedarse. Es un razonamiento a la vez admisible e inadmisible. A todas luces, ella estaba deseando realizar ese viaje con su bienamado Max, y las razones que da para justificar el hecho de que la deja en México no resultan muy convincentes.

Una vez más, Carlota se muerde la lengua, pero cuando ve a su marido alejarse experimenta tal pesar que cae enferma. «Ayer y hoy he pasado unas horas en la cama; tengo cólicos y probablemente diarrea. Igual que antes de que te marcharas pero más fuertes, así que sólo como sopa. Espero que dentro de unos días se me haya pasado... No tengo muy claro si mi sufrimiento es físico o moral... Como ves, el tiempo no transcurre muy agradablemente para mí. Tras haber llevado una vida interesante, me siento como paralizada por tu marcha... Quiero poner fin a estas jeremiadas que te demuestran que no estoy en mi estado normal, pues me siento triste, ociosa, inútil.»

Acaba de irse y ella ya desea ardientemente que vuelva. Para consolarse, compra unos colibríes verdes con el pecho lila, a los que alimenta personalmente con azahar y agua azucarada. Los observa largamente aspirar el jugo de las flores revoloteando sobre ellas. Su aleteo provoca tal zumbido que a Carlota le parece que hay nubes de moscas, y cuando se acerca a la jaula le llegan unas ráfagas de aire como producidas por un abanico.

Max viaja hacia el norte. El convoy lo constituyen seis coches, rodeados de pelotones de caballería franceses y mejicanos. Ha llevado a Scherztenlechner, o más bien éste ha conseguido que se le invite. Scherztenlechner detesta a Éloin, el belga que ha adquirido tanta influencia sobre la pareja imperial, está celoso de él. Y como Éloin se ha quedado en México para ayudar a Carlota, Scherztenlechner ha decidido aprovechar este viaje para recuperar su ascendente sobre Max. Hay otro personaje nuevo, Joseph Loysel, un bretón de treinta y nueve años veterano de Saint-Cyr. Bazaine se lo ha asignado a Maximiliano, que enseguida ha trabado amistad con este oficial discreto y leal.

Tras partir el 10 de agosto, Maximiliano se encuentra cinco días más tarde en San Juan del Río, a ciento setenta kilómetros por la carretera del norte, para celebrar dignamente la fiesta oficial del emperador de los franceses. Luego llega a la etapa siguiente, Querétaro. Le escribe una carta tras otra a Carlota: «Ángel de mi corazón», «señora de mis deseos», «jamás puedo ser totalmente feliz cuando no estoy con la estrella de mi vida». Estas declaraciones, que se repiten hasta la saciedad, deberían ser la expresión de una pasión devoradora. Y sin embargo ha sido él, Maximiliano, el que no ha querido llevar a Carlota. ¿Acaso sólo la quiere cuando se encuentra lejos de ella?

Carlota se desahoga desde México escribiéndole a su padre largas cartas en las que le habla de todo lo que le pasa por la cabeza y, sobre todo, de los mejicanos, tema inagotable. Imposible emplearlos en el gobierno. De hecho, sólo se puede confiar de verdad en los extranjeros. Si éstos llegaran a abandonar el país por una u otra razón, el futuro de México se vería comprometido. La raza hispanoamericana, como la llama Carlota, es muy inteligente, aprende cualquier cosa deprisa y bien, demuestra estar enormemente dotada para las artes, pero ¡qué pereza tan tremenda, qué falta de obediencia, de disciplina, de orden en las ideas! Con todo, Carlota es probablemente la primera que se interesa por los indios, o sea, la mayoría del pueblo mejicano. La tierra que trabajan no les pertenece. Viven, observa Carlota, en un estado de sometimiento que raya en la servidumbre. Los terratenientes, que en ocasiones poseen provincias enteras, tratan a los indios apenas mejor que al ganado. En tales condiciones, ¿cómo se puede exigir valor, iniciativa, entrega? Y sin embargo, pese a su inercia, experimentan amor y confianza.

Maximiliano es recibido en todas las ciudades con un entusiasmo «frenético» porque conoce realmente su cometido, le cuenta con orgullo Carlota a su padre. Convence a los mexicanos de que lo espera todo de ellos, les repite que los admira, hace cuanto está en su mano para animarlos. Demuestra ante esas multitudes intimidadas una delicadeza y una benevolencia que las transporta. En una palabra, Maximiliano trata a los mexicanos como a niños a los que hay que distraer sin parar, evitando repetir las mismas cosas para no aburrirlos. Se pueden depositar algunas esperanzas en México y los mexicanos, pero, en espera de que se vean cumplidas, «ningún derecho, ninguna igualdad, ninguna justicia y ningún clero valen nada. Todas las ramas del gobierno y la administración son un desastre». Además, Carlota ha notado que, en el fondo, a sus súbditos les horrorizan los extranjeros, incluso cuando éstos les aportan innovaciones útiles.

Max ha dejado atrás Celaya y a principios de septiembre llega a Irapatao, donde invita a cenar al general Uraga, todavía ayer jefe rebelde y hoy adepto en cuerpo y alma. Al día siguiente, el emperador cae enfermo; tiene anginas. No puede levantarse de la cama debido a la fiebre ni tampoco hablar. Desamparado, busca a Carlota, a quien expresa por escrito lo solo y perdido que se siente y le confiesa que la echa terriblemente de menos. Carlota pasa varios días muy preocupada. La distancia que la separa de Maximiliano incrementa su sufrimiento. Finalmente, al cabo de varios días se encuentra completamente repuesto. Había sido una falsa alarma. «Alabado sea Dios, estás mejor. Temer por tu salud me ha hecho pasar unos días difíciles. Todavía ayer estaba muy preocupada por la noticia de que tus males no remitían. Tú no eres igual que los demás, por eso siempre temo que caigas enfermo y que lo estás más de lo que se dice. Ni siquiera sé ya si tienes cuerpo, pues los relatos de tu viaje me producen tal admiración que te veo mucho más como un ángel. Estoy celosa de todo lo bueno que haces solo y, sobre todo, de tus ideas, tan rápidas y prácticas...» No obstante, en Bruselas, el rey Leopoldo se inquieta y le aconseja a Carlota que le impida a Maximiliano cometer imprudencias, cosa a la que tiene demasiada tendencia. Sobre todo, nada de exceso de celo y de cansancio, que favorece las enfermedades. Para subirle la moral, el padre de Carlota le anuncia que todas las naciones europeas ya los han reconocido como soberanos de México. Una preocupación menos para la emperatriz, sobre cuyos hombros recaen cada vez más responsabilidades.

Al partir, Maximiliano le había pedido que presidiera el consejo de ministros cuando fuese necesario, pero, poco a poco, la acumulación de asuntos urgentes la ha empujado a asumir una verdadera regencia. Bazaine va todas las semanas a informarla, igual que haría si estuviese Maximiliano. Carlota toma la iniciativa de conceder los domingos audiencia pública a quien desee ser recibido. En consecuencia, las peticiones se multiplican y ella expresa su estupor por lo que en ocasiones se le pide y por el descaro con que se hace. Pero Carlota no se deja engañar por nadie, ni por el comandante en jefe de las tropas francesas ni por los solicitantes. Imperturbable, pronuncia discursos, preside ceremonias benéficas, inspecciona instituciones; mantiene largas entrevistas con Corta, un diputado francés cedido a Maximiliano para reformar la economía mejicana, una tarea titánica.

Carlota se complace en leer atentamente los informes, en examinar las cuestiones financieras, en encontrar soluciones. La obligación de sustituir repentinamente a Max le hace descubrir su verdadera dimensión. Le enorgullece anunciarle a su padre que, tras mantener una larga conversación con Corta, los dos han decidido no conceder a las ciudades los subsidios solicitados, lo que supone un gran ahorro que la satisface.

¡Y si los únicos problemas fuesen los económicos! En septiembre se produce la primera señal de alarma. Carlota se entera a través del telégrafo de que diez mil hombres del contingente francés son reclamados. Está a punto de caerse de la silla, pero en cuanto se recupera comprende que se trata de una decisión tomada por razones políticas en beneficio de Napoleón III. Bien, piensa para tranquilizarse, Bazaine se hará cargo, ese hombre prudente encontrará la manera de enviar a los hombres con cuentagotas, empezando por los que están de permiso y los enfermos. De todas formas, para mantener el orden en un imperio tan vasto como México hacen falta muchas tropas francesas. Un pantalón rojo de zuavo enganchado en un árbol, le confía Carlota a su padre, sería más eficaz para defender un pueblo que todos los soldados mejicanos.

La retirada anunciada de una parte de las tropas de ocupación le preocupa, tanto más cuanto que desde hace algún tiempo detecta cierta laxitud por parte de los franceses. Por ejemplo, con las aduanas. Desde que la administración francesa se mantiene un poco menos vigilante, los ingresos han disminuido. Por ejemplo, con las pensiones. Desde que los franceses se ocupan un poco menos de ellas, tardan en ser pagadas. Por ejemplo, con los ladrones. Desde que los franceses no los persiguen con tanto celo, su número va en aumento y operan hasta en los alrededores de la capital. Se contabilizan casi cien mil en todo el país, «sin mencionar a los otros bandidos y sin contar a los que roban a domicilio, entre los que hay que incluir a los sirvientes de la mayor parte de la población». Sí, Maximiliano y ella se han ganado el corazón de los mejicanos mucho más de lo que lo había hecho ningún presidente en el pasado, pero aun así los franceses son muy útiles.

Por otro lado están los curas. Carlota recibió una educación muy religiosa de su madre y más tarde de su institutriz, pero su abuelo Luis Felipe no creía en nada y sus tíos Orleáns son librepensadores. Parece que Carlota se acerca más a ellos, en especial a la hora de juzgar al clero mejicano. En México, la religión son pasiones políticas y, sobre todo, cuestiones de dinero. Pese a la eliminación de las secuelas de la época colonial, pese a la confiscación de los bienes del clero por parte de Juárez, los prelados se creen «mandarines» y continúan actuando con la rapacidad y la ferocidad de los señores feudales. Da igual que un pueblo carezca de educación, de sacramentos, de consuelo, los curas se despreocupan de eso con tal de recuperar sus privilegios y sus bienes.

Carlota se percata de que la cuestión de los bienes del clero constituye el problema número uno de México. Precisamente han anunciado la visita de un enviado especial del Papa para resolver el asunto. A Carlota no le cabe ninguna duda: llegarán a un acuerdo con ese nuncio, y si no llegan a un acuerdo con él, pues seguirán sin él.

En medio de estas preocupaciones, Carlota conoce una especialidad mejicana inédita para ella. La noche del 2 al 3 de octubre de 1864, acaban de dar las dos de la madrugada cuando un estruendo y unos crujidos que hacen temblar toda la estructura del edificio la despiertan. El palacio entero parece una nave que se debate para avanzar al tiempo que unos rezones tiran de ella en sentido inverso. Unos minutos más tarde, los movimientos se suavizan. Su primer pensamiento es que una mina ha estallado debajo del palacio. En realidad, se trata de un terremoto. Ni por un instante ha tenido miedo.

La gira de Maximiliano prosigue triunfalmente, su pueblo lo conoce y empieza a quererlo. Ha pasado por Dolores y por León, y ha llegado a la antigua y magnífica ciudad de Morelia... Día tras día oye a su fiel Scherztenlechner repetirle que los franceses sólo piensan en hacerle sombra a su corona y que, de hecho, podrían prescindir de ellos. En cuanto al clero, es preciso meterlo en vereda enérgicamente, cantinela a la que el emperador está más que dispuesto a prestar oídos.

Finalmente se acerca el momento de su regreso, tan esperado por Carlota, que no piensa sino en la dicha de volver a verlo e imagina su encuentro. Está tan impaciente que decide salirle al paso. El 2 de octubre de 1864 sale de México a las seis de la mañana de un día radiante. El sol empieza a diluir la bruma acumulada en la cima de las montañas. Hacia las ocho, al llegar a Santa Fe, aldea que domina México, baja del coche para montar a caballo. Bazaine la espera y le propone acompañarla con todo su estado mayor. El general monta un magnífico caballo blanco, le cuenta Carlota a su padre. Al otro lado cabalga Almonte. Alrededor de la una el cortejo llega a Llano de San Lázaro, un admirable valle alfombrado de flores y de abetos verde oscuro, por donde pasa un arroyo. Un cazador de África vigila desde una colina, de pie sobre su caballo como una estatua. Carlota ve las tiendas blancas de un campamento francés improvisado.

Bazaine la invita a comer en su cuartel general. La emperatriz pasa un buen rato con sus oficiales, a los que encuentra amables, y con «el buen mariscal, que estaba rebosante de satisfacción». «Rebosante», en efecto, ya que acaban de nombrarlo mariscal de Francia. Después de comer, Carlota hace la siesta en una tienda más grande que las demás. Reina una calma deliciosa. En los alrededores, el silencio de la naturaleza sólo se ve turbado por el paso de los centinelas, que se relevan, por los caballos, a los que llevan a beber agua al río, y por un murmullo confuso de conversaciones y órdenes.

Un rato más tarde reanudan la marcha. Los paisajes que ve Carlota le recuerdan Austria, con sus bosques verdes y sus grandes grupos de árboles salpicando los campos de maíz. El resto de la vegetación cambia cada cuarto de hora. Hay flores amarillas, azules, rosa, entre las cuales destaca la salvia de flor roja. A dos leguas de la ciudad de Lerma, donde pasarán la noche, un gran número de jinetes se presenta ante Carlota, según la costumbre, gritando: «¡Viva la emperatriz! ¡Viva el mariscal Bazaine!», cosa que parece emocionar profundamente a este último, pese a que aparente indiferencia. Estalla una tormenta y empieza a llover, obligando al cortejo a dirigirse a Lerma a galope tendido.

A la mañana siguiente, después de misa, parten hacia Toluca. Carlota va en el coche de los Almonte. Nada más entrar en la ciudad le anuncian que Max llegará dos horas más tarde. Sube de nuevo apresuradamente al coche para ir a su encuentro. Bazaine la precede con sus oficiales, que llevan albornoz, «como en los tiempos de los beduinos del desierto». Por el camino se cruzan con un oficial francés que les advierte que Maximiliano se encuentra a menos de una legua. Finalmente Carlota divisa al grupo de jinetes que forman la escolta mejicana de su marido. Bazaine, por discreción, aminora el paso a fin de dejar pasar delante el coche de la emperatriz. Unos instantes más tarde, Max y Carlota, sin preocuparse de la multitud que los rodea, caen uno en brazos de otro, llorando de emoción, de alegría. Carlota no se ha sentido jamás tan feliz y constata que Maximiliano experimenta los mismos sentimientos.

La larga separación ha atizado su amor, que se inflama cuando vuelven a encontrarse.

Max se aparta de Carlota para estrechar la mano de Bazaine, y entonces ella se fija en el atuendo mejicano recientemente adoptado por su marido y que le sienta de maravilla: sombrero grande, chaqueta negra y pantalón con botones de plata. Los dos estados mayores, el de Max y el de Bazaine, se saludan: «Max —observa Carlota—, va acompañado del comandante de estado mayor Loysel, oficial de gran mérito, correcto y con mucho tacto...»

Al día siguiente, Maximiliano y Carlota pasean a caballo por los alrededores de Toluca cuando de pronto ven a unos hombres de aspecto inquietante avanzar a paso furtivo. Son guerrilleros pertenecientes a una de las bandas que infestan la región. A los emperadores no les da tiempo de asustarse, pues inmediatamente aparece una compañía de soldados franceses para dar caza a los individuos, pero éstos desaparecen en un abrir y cerrar de ojos en las colinas.

¿Se trata de bandidos o de opositores políticos? Ésa es la cuestión. Desde su independencia, México siempre ha vivido inmerso en una inseguridad endémica. Secuestros, saqueos y asaltos a mano armada forman parte de la vida cotidiana. De vez en cuando aparece una causa política que canaliza esta violencia atávica y le pone un nombre. De pronto los bandoleros se convierten en defensores de un ideal, sin por ello cambiar de método. Quién es salteador de caminos y quién lucha por la libertad, o en qué momento el mismo hombre es una cosa u otra, resulta difícil precisarlo.

De todas formas, saqueadores o republicanos, para Maximiliano los que él ha visto huir son rebeldes. Es la primera vez que se encuentra con alguno, pues durante toda su gira han permanecido ocultos. Así pues, esos «disidentes» que le aseguran que han sido aniquilados existen. Así pues, la «pacificación» no ha terminado, pese a lo que afirma Bazaine. Furioso por este descubrimiento, decide en el acto que no se revisará ninguna sentencia pronunciada por los tribunales militares franceses, que no concederá ningún indulto y que la ejecución de las condenas será inmediata. Esta severidad satisface a Bazaine, a quien la indulgencia obstinada de Maximiliano irritaba hasta entonces. También satisface a Carlota, que ha constatado con indignación que los guerrilleros molestan a los campesinos, saquean sus campos, sus rebaños, sus casas, les roban lo poco que tienen. Liberados de esos malandrines, el entusiasmo que despierta en los infelices su libertador se multiplica: «¡Viva nuestro emperador! ¡Viva quien nos dará la libertad! ¡Viva nuestro padre!»

De Toluca, Maximiliano y Carlota parten hacia la capital. Por la noche llegan a Cuajimalpa, donde Bazaine ha establecido su campamento y los espera con su estado mayor. Las tiendas han sido instaladas sobre una gran extensión de césped desde donde Carlota descubre un paisaje admirable. A la izquierda, un gran bosque, enfrente, los lagos y las montañas, y a lo lejos, México bañado por los rayos del sol poniente. Una enorme tienda sobre la que destaca una inmensa bandera imperial mejicana espera a la pareja. Los zuavos han trepado «como gatos» a los árboles, con objeto de coger ramas que servirán para hacer antorchas y alimentar las fogatas. Esta actividad guerrera en medio de la admirable naturaleza conmueve el corazón de Carlota.

Al oscurecer, los artilleros lanzan unos fuegos de artificio que a Carlota le producen el efecto de un bombardeo. Tras una noche absolutamente tranquila en la que duerme a pierna suelta, el sol naciente la recibe al mismo tiempo que la banda de la Legión Extranjera tocando el himno nacional austriaco, de acordes tan lentos y lastimeros. Frente a la tienda imperial, los soldados del cuerpo de ingenieros preparan para la misa un altar rodeándolo de ramajes y coronándolo con una gran cruz de vegetación. A las siete y media, el capellán da comienzo al servicio divino con la oración *Per Maximilianus imperator nostrum* y la mirada de Carlota se posa en los soldados que la rodean, en sus rostros bronceados por el sol y por cien campañas realizadas en lugares alejados.

Durante el camino en coche hacia México, el sol es abrasador y el cielo está blanquecino por efecto del calor. A partir de Santa Fe empiezan a verse dignatarios mejicanos y oficiales franceses que han ido a recibir a los soberanos, así como damas de la alta sociedad de México que, para protegerse de la incandescencia, se agrupan bajo quioscos. A medida que se acercan, crece la multitud. La acogida es todavía más delirante que durante la entrada solemne de Maximiliano y Carlota, y cuando entran en el palacio imperial las campanas de la catedral se ponen en movimiento y tocan a vuelo.

Antes de nada, Carlota le presenta las cuentas a su marido, es decir, le hace balance de su «regencia». Los ladrones, pese a su elevado número, han sido expulsados de los alrededores de la capital, numerosas calles han sido reparadas o pavimentadas. Carlota ha logrado reconciliar al comandante de la plaza de México y al prefecto, que estaban constantemente peleándose. Ha puesto fin a una irritante polémica de la prensa. Ha dado una solemnidad especial a la fiesta de la Independencia para consolidar ésta «en las barbas de los ministros extranjeros». Ha desbaratado mil pequeñas intrigas, ha vencido la inercia ambiental en mil asuntos. Ha calmado las susceptibilidades, suavizado las tiranteces, apaciguado los descontentos. Maximiliano la escucha tocándose distraídamente la rubia barba. Su mirada es tan dulce como impenetrable. Le da las gracias a Carlota, pero la felicitación que ella esperaba no llega.

La llegada de voluntarios belgas le produce una profunda alegría. Ya contaban con los legionarios austriacos enviados por Francisco José a su hermano para apoyar el trono de Maximiliano. Ahora, el rey Leopoldo ha decidido hacerle un regalo a su hija permitiendo a sus súbditos enrolarse libremente para ir a México a formar una especie de guardia personal de la emperatriz. A fines de noviembre desembarcan en Veracruz.

Carlota se entera de que los franceses los han recibido con la mayor amabilidad del mundo. El comandante D'Ornano y los oficiales del batallón de África, llamados los Céfiros, han ido a caballo desde Orizaba para confraternizar con los belgas. Por supuesto, Maximiliano y Carlota se trasladan a los puertos de México para recibirlos.

La emoción que siente la antigua princesa de Bélgica es tan intensa que cree que va a caerse del coche. Aunque las lágrimas no llegan a correr por sus mejillas, el corazón le palpita aceleradamente; tiene la impresión de estar recibiendo a su familia, porque, le escribe a su padre, «Bélgica sois vosotros». Observa detenidamente a esos hombres, todos apuestos y jóvenes, de expresión afectuosa, advierte la elegancia de su uniforme de campaña y sus gorros blancos. El comandante atrae las miradas debido a su rostro de facciones marcadas. De su persona emana una gran energía, un valor indomable, una personalidad volcánica. Es también un calavera, violento y a veces incluso cruel, que no obedece ni a Dios ni al diablo y desde luego ninguna orden. Se llama Alfred van der Smissen. En la larga descripción que hace Carlota de ese día apasionante, no le dedica ni una sola palabra a él, ni siquiera lo menciona. Y sin embargo...

A primeros de diciembre de 1864 el enviado especial del Papa, el nuncio Meglia, llega a México para hablar del asunto de los bienes del clero confiscados por Juárez.

Inmediatamente se le invita a una cena de gala en palacio. A Carlota le causa buena impresión; le parece un hombre honrado. Se le ha hecho entrega de un pequeño concordato que Maximiliano, por si acaso, ha preparado cuidadosamente con sus consejeros. En él no se habla demasiado de bienes materiales, pero, para complacer a los liberales, se insiste en la libertad religiosa. El nuncio no ha digerido bien ese artículo y tampoco le han hecho gracia otros párrafos. Sin embargo, ha agradecido que se le hable con franqueza. Carlota no duda de que tras unas cuantas reuniones cederá. Pese a que, en su visita al Vaticano, Pío IX le pareciera un Papa conciliador, le alarman sus opiniones, transmitidas por su representante.

Es evidente que la cabeza de la Iglesia desconoce la cuestión. Pero ¿cuenta realmente el punto de vista personal del Santo Padre frente a la realidad mejicana?

Pues bien, para sorpresa de Maximiliano, la respuesta del nuncio es una imposición clara y directa: restitución inmediata de todos los bienes del clero y nada de tolerancia de cultos, tan sólo se reconocerá el catolicismo. Semejante intransigencia cae como una bomba. Carlota cree que el nuncio se ha vuelto loco. Solo hay una solución, le susurra a Bazaine, que rompe a reír: arrojarlo por la ventana. Maximiliano le envía a uno de sus consejeros para hacerle entrar en razón. Monseñor Meglia contesta que no tiene instrucciones de negociar y que únicamente ha ido para hacer respetar la voluntad del Santo Padre.

Se hallan en un punto muerto que es preciso superar. Carlota está convencida de que, si hay alguna posibilidad, le corresponde a ella tratar de aprovecharla. El nuncio parece abierto a argumentos serios, fundados en los hechos. Se rendirá a la evidencia.

Así pues, Carlota lo recibe en su salón del palacio de México. En las paredes están alineados los retratos de sus padres, sus hermanos y sus abuelos. Un brasero de cobre desprende un poco de calor y las altas ventanas permanecen cerradas, pues en México suele hacer mucho frío en invierno. Sobre las mesas hay montones de libros, ya que Carlota los devora, y jarrones en los que se mezclan las flores mejicanas que a ella tanto le gustan. Por orden suya, hacen pasar al nuncio, un hombre grueso, de cara redonda y expresión obstinada, con un rictus amargo en el semblante. Durante un buen rato la emperatriz desarrolla su dialéctica, a la que pocos hombres, y ella lo sabe, pueden resistirse. Pero Meglia se resiste. Carlota tiene la impresión de estar hablándole en chino, ya que parece no entender nada de lo que le explica y su argumentación resbala sobre él como el agua sobre el mármol. Está claro que tiene frente a ella ni más ni menos que el infierno, «pues el infierno no es otra cosa que un callejón sin salida».

Meglia se aferra a sus exigencias: restitución de los bienes del clero y ninguna tolerancia religiosa. En realidad, es una simple cuestión de hacer justicia, porque ¿acaso no ha sido el clero el que ha hecho subir a Maximiliano al trono de México? Ha sido el clero el que ha construido el imperio. Al oír este argumento, que recibe como un insulto, Carlota se sonroja. Sus ojos negros echan chispas. Se levanta tan bruscamente que está a punto de derribar el sillón: «Un momento, no fue el clero, sino el emperador quien hizo el imperio el día que llegó aquí.» El nuncio se marcha dando un portazo... o casi, y dejando a Carlota perpleja.

Maximiliano, por su parte, está fuera de sí. En él se mezcla la infinita reverencia de los católicos y de los austriacos hacia la Iglesia con el atavismo de los reyes contra el Vaticano, siempre deseoso de ponerles trabas. Publica un decreto confirmando el de Juárez sobre la nacionalización de los bienes del clero. El imperio sigue los pasos de la república. Después de esto, el nuncio y los sacerdotes no tendrán más remedio que callar.

Pero éstos, lejos de ser abatidos por el golpe, montan en cólera. Heridos de muerte en lo más valioso que poseen, sus bienes temporales, reaccionan con una violencia, un fanatismo y una astucia sin precedentes, arrastrando a todos los partidos conservadores en un peligroso clamor de indignación contra Maximiliano.

Carlota se pregunta hasta dónde llegarán sus manejos. No le extrañaría que estuvieran reavivando la energía desfalleciente de sus adversarios más encarnizados, los republicanos, los rebeldes partidarios de Juárez que los despojaron de sus bienes. Bazaine ha ido a tomar la ciudad de Oaxaca, que sigue resistiendo. Todo el mundo está seguro de que acabará con ella en un abrir y cerrar de ojos; además, ha utilizado grandes medios: ha construido una carretera de cuatrocientos kilómetros para trasladar a cinco mil hombres. Sin embargo, para sorpresa general, Oaxaca se defiende con una gran energía gracias al lugarteniente de Juárez, Porfirio Díaz, ese aventurero rocambolesco y con carisma que se revela también un genio militar. Parapetado en el inmenso convento barroco de Santo Domingo, que ha transformado en fortaleza, resiste a los ataques y los bombardeos. Curas y conservadores interpretan la alianza contra natura que parece estar formándose entre ellos y los «disidentes» como una señal del cielo contra Maximiliano.

Carlota se siente entonces invadida por el desánimo. Hace al Papa responsable de ese alud de calamidades. Además, éste es conocido por traer *la jettatura*, por ser gafe. Y forzoso es constatar que desde que su representante ha puesto los pies en México, nada va bien.

Gafado o no, el Imperio mejicano atraviesa una crisis. Si la supera, magnífico, pero si no, el destino de la pareja imperial está en manos de Dios. Puede suceder cualquier cosa. «Durante los primeros seis meses, todo el mundo encuentra al gobierno encantador; cambiad algo, poneos manos a la obra, y os maldecirán. La nulidad es lo que no quiere ser destronado. No fue tan difícil construir las pirámides de Egipto como lo es vencer la nulidad mejicana.»

De hecho, todo depende de Bazaine. Entre él y la pareja imperial, aparentemente la luna de miel continúa. Maximiliano le profesa un profundo afecto y Carlota, tras haberlo analizado cuidadosamente, lo tiene en gran estima. Observa en él unos sentimientos elevados, una inteligencia poco común, la agudeza mental de un hombre superior. Admira su forma de no demostrar nunca nada y de no decir más de lo que quiere. Tiene respuesta para todo y no se deja desconcertar jamás. En el fondo es un hombre recto, posee un carácter leal y un buen corazón, a lo que se suman su gran valentía, su rapidez en hacerse una composición de lugar y su arte para sorprender en todo.

El único problema es que este mariscal cincuentón está enamorado como un chiquillo. La encantadora señorita Pepa de la

Pena, a quien cortejó en el baile de la emperatriz, lo tiene tan cautivado que desde entonces no ha dejado de pensar en ella, hasta el punto de que acude a Carlota para contarle sus cuitas: está enamorado de Pepa y quiere casarse con ella; pero, sobre todo, que la emperatriz le guarde el secreto. Ésta se lo promete y acto seguido se apresura a anunciar este estrafalario noviazgo a su gran amiga, la emperatriz Eugenia. Semejante idilio haría sonreír si no distrajera al comandante en jefe de las fuerzas francesas de su deber. No se puede estar enamorado de una jovencita y a la vez sofocar una rebelión. Naturalmente, los juaristas aprovechan las circunstancias para atacar Toluca, donde unas semanas antes Carlota se había reunido con Maximiliano. El golpe es tan grave que la emperatriz llega a temer que los rebeldes vayan a pavonearse de su éxito a las puertas de la capital.

Se apresura, pues, a convocar a Bazaine para preguntarle con ansiedad qué medidas piensa tomar. «No es para tanto», le responde sonriendo el mariscal. A partir de ese momento, el tono de Carlota cambia imperceptiblemente. Continúa elogiando al mariscal, pero se queja ante la emperatriz Eugenia de su «indulgencia». No se ha atrevido a escribir «negligencia», pero eso es en realidad lo que piensa. La inseguridad aumenta y Carlota hace responsable de ello a Bazaine. ¿Son bandidos o rebeldes esos hombres que practican el secuestro y piden rescates, que roban y asesinan de tal forma que ya no se puede salir de la capital sin llevar un revólver?

En esta atmósfera de tensión extrema hace falta un cabeza de turco, una víctima propiciatoria.

Como es de rigor, los allegados de Maximiliano y de Carlota se odiaban entre sí. Bombelles, el amigo de infancia, se aliaba con Kuhacsevich, el tesorero —también austriaco—, contra el belga Éloin. El francés Loysel, cedido por Bazaine, también contaba con la atención de Maximiliano y permanecía prudentemente al margen, observando a unos y otros y tirando de los hilos. Pero todo el mundo se unía para odiar al más poderoso, el más odioso, el antiguo ayuda de cámara, Scherztenlechner, apodado Gran Mu (gran vaca). Se mostraba desagradable y grosero incluso con el emperador, a quien en ocasiones se le veía correr detrás de él para pedirle consejo. Y si habitualmente era insoportable, cuando estaba enfermo la cosa empeoraba. Como no dejaba hacer nada a nadie, su ausencia provocaba tal acumulación que llegaban a preferir que regresase. Hasta se oye a la señora Kuhacsevich lamentarse: «El

Gran Mu vuelve a estar enfermo, de mal humor e insoportable. Reina un gran desorden. ¡Qué caos!»

Realmente curiosa, esta relación del orgulloso Habsburgo con un antiguo sirviente. Quizá Maximiliano sólo se siente verdaderamente a gusto con seres que son socialmente sus inferiores. Sin embargo, ¿cómo explicar que haya dejado que ese patán ignorante ejerza tanta influencia sobre él? Porque ha sido Scherztenlechner el que lo ha empujado a enfrentarse al nuncio con una obstinación fuente de catástrofes, y eso Éloin no puede perdonarlo. De modo que decide que ha llegado el momento de eliminar al Gran Mu.

Investigando a fondo, descubre que éste sigue cobrando en secreto de la corte de Austria su paga de ayuda de cámara, hecho poco compatible con la posición de consejero poderosísimo de su majestad imperial mejicana. Éloin informa astutamente de la situación a Maximiliano, que evidentemente se enfada. Scherztenlechner, muy ufano de lo que él considera su éxito ante el nuncio, contraataca. Gana para su causa a algunos miembros mejicanos de la corte, y todos juntos asedian a Maximiliano, susurrándole al oído de la mañana a la noche horrores sobre Éloin. Pero Maximiliano no se deja engañar fácilmente: «¡No mintáis!», le espeta a su valido.

Al enterarse de lo que está sucediendo, Éloin se presenta de inmediato en el despacho de Maximiliano, donde coincide con Scherztenlechner. Los dos adversarios tienen un encontronazo. Al austriaco, arrogante y estúpido, le sienta como un tiro y trata a Éloin con grosería, la única forma que conoce de comportarse. Pero cuando al belga, alto, gordo y calvo, cuyo rostro adornan unos espléndidos bigotes, lo sacan de sus casillas, es imparable. Pese a la presencia de Maximiliano, los dos hombres intercambian acusaciones cada vez más violentas, llegan al insulto y casi a las manos. Scherztenlechner nunca ha sabido contenerse, y Éloin, por una vez, está fuera de sí. Se diría que los dos hombres quieren matarse uno a otro en el propio despacho del emperador de México. Loysel, que se encuentra presente, se mantiene al margen. Cuenta los golpes y se alegra, pues el vencedor, sea quien sea, saldrá debilitado, mientras que él, Loysel —es decir, Francia—, saldrá fortalecido.

La trifulca prosigue sin que Maximiliano consiga ponerle fin. Entonces es cuando el Gran Mu comete la tontería tan común entre los mediocres de su especie: le presenta su dimisión al emperador, convencido de que éste le suplicará que se quede. Furioso, se arranca la condecoración mejicana, la tira al suelo y sale tan violentamente que la puerta y las ventanas tiemblan.

Maximiliano acepta sin vacilar su dimisión y la alegría de cuantos le rodean es general. «Bombelles resucita», observa la señora Kuhacsevich, que está también rebosante de felicidad.

Para calmar al Gran Mu, Maximiliano le ofrece un título, una pensión, la posibilidad, una vez de vuelta en Europa, de vivir en sus castillos, y lo invita a Chapultepec. Scherztenlechner rechaza con altivez la invitación y anuncia que miles de indios, indignados por su caída en desgracia, se dirigen a México a fin de obligar al emperador a devolverle el puesto. Evidentemente, esta grotesca invención no tiene ningún fundamento, enseguida se dan cuenta, pero Maximiliano ha tenido la precaución de ordenar que registren los papeles del Gran Mu. Al mismo tiempo, persiste en querer reconciliarse con él. Scherztenlechner sabe demasiadas cosas sobre Maximiliano para que éste se permita el lujo de tenerlo por enemigo. Por lo demás, el Gran Mu proclama que dispone de información para obligar al emperador a inclinarse ante él. Así pues, Maximiliano sigue ofreciéndole títulos, pensiones, castillos, viajes e incluso la autorización de llevar a Miramar a una pelirroja de origen dudoso que va por ahí pavoneándose con él. Scherztenlechner lo rechaza todo: «¡Nada, nada!», grita. Maximiliano se rebajará hasta el extremo de escribirle la carta más conciliadora y amistosa posible. El Gran Mu no se digna responder y, para alivio general, embarca rumbo a Europa.

Este desconcertante episodio oscurece todavía más el misterio que rodea la verdadera naturaleza de Maximiliano y determinados aspectos de su existencia. Curiosamente, una vez liberado de su valido no manifiesta ningún pesar. En cuanto a Carlota, hace como si ese increíble altercado y esa estrepitosa desgracia no se hubieran producido. Acaba de recibir una carta de su padre que le sirve de consuelo, pues en ella expresa sus sentimientos como jamás lo ha hecho: «Mi querido tesoro, bienamada hija mía, tu querida imagen está permanentemente ante mis ojos y confío en que mis queridos y hermosos hijos sean recompensados por su valor con el éxito más glorioso.» Una vez más, elogia a Maximiliano y, sobre todo, a su bienamada Carlota, por haberlo abandonado todo —su familia, su casa, Europa— para emprender esa formidable tarea. Alcanzarán el éxito porque tienen valor y decisión. Allí, en Bruselas, el anciano rey experimenta día tras día el creciente pesar de permanecer separado de Carlota y estaría incluso dispuesto a hacer el largo viaje hasta México, pero se siente viejo, débil, se extiende hablando de los múltiples males que padece. ¡Si al menos su Carlota estuviera con él! El resto de la familia le resulta decepcionante. Su heredero, el duque de Brabante, está como siempre en el otro extremo del mundo viajando por capricho. Sólo Dios sabe de dónde ha sacado su extraño carácter. El segundo hijo, Felipe, al menos manifiesta bondad, esa bondad de la que carece por completo el mayor, pero según su padre no es muy brillante que digamos. En cuanto a su nuera, la mujer del joven Leopoldo, María, forzoso es constatar que no es de ninguna utilidad. El anciano rey se siente cada vez más solo y añora a su Carlota.

Olvidado el nuncio, olvidadas la rebelión y la inseguridad, y olvidado Scherztenlechner, Carlota reanuda serenamente el curso de sus actividades y sus obligaciones, ocupándose de los más mínimos detalles: nombra a un nuevo chambelán, concede sin parar la condecoración de su orden de San Carlos, hace traer de París su monograma endiamantado y lo reparte entre sus damas de honor. Los domingos, como una pareja burguesa más, ella y Maximiliano van a pasear entre la población a lo largo de un canal. Los indios que, con coronas de amapolas, bailan alegremente el jarabe, los reconocen y se deshacen en aclamaciones.

No obstante, las preocupaciones vuelven a asaltar a Carlota. Los belgas alistados voluntariamente esperaban, tal como se les había prometido, montar guardia ante la puerta de su antigua princesa, convertida en emperatriz de México. Pero no contaban con su comandante, Van der Smissen. A nadie, empezando por el emperador, le gusta ese hombre violento e indisciplinado que lo critica todo. Según él, el ejército mejicano se reduce a unos miles de bandidos, un puñado de guías de mulas y unos cuantos aprendices de panadero convertidos en coroneles. A los soldados los han reclutado a la fuerza, conduciéndolos al cuartel entre dos filas de bayonetas. Por eso, en cuanto les hacen cruzar un campo de caña de azúcar donde pueden esconderse, desertan. No será con su ayuda como Maximiliano permanecerá en el trono. Reinará mientras el país esté ocupado por los franceses y por los belgas. Van der Smissen y sus hombres no han ido para formar un regimiento que se exhiba ante las puertas de los palacios, sino para combatir.

Bazaine le toma la palabra. ¿Quieren los belgas combatir? Muy bien, pues combatirán. Los envía a la provincia de Michoacán, al este de México, bajo las órdenes de un francés. Van der Smissen, rabioso, debe inclinarse. El coronel francés lo manda a Morelia, y destina a doscientos belgas para organizar la defensa de la pequeña ciudad de Tacámbaro bajo las órdenes de un valiente gantés. Una vez allí, éstos empiezan por arrancar las cruces de madera de las tumbas, con las que encienden una gran fogata. Luego se preparan un café en medio del cementerio. Los rebeldes, que han bajado de las colinas que rodean la ciudad, se precipitan hacia ésta armas en mano y sorprenden a los belgas, contra quienes disparan a quemarropa. Los supervivientes se refugian en la iglesia, cuyo techo se incendia. Acorralados, se rinden. Balance: dos oficiales y veintisiete soldados muertos; el resto, más de doscientos hombres, prisioneros de los rebeldes. Van der Smissen, al corriente de la situación, ha acudido de inmediato, pero es demasiado tarde. Desahoga su cólera tan violentamente contra el pobre gantés que dirigía el destacamento, y que está gravemente herido, que lo remata.

«Esta atroz catástrofe» aterra a Carlota. Como mujer metódica y concienzuda, se ha iniciado en el arte militar y ha recibido clases de oficiales superiores, de modo que es perfectamente capaz de analizar la derrota de Tacámbaro. Sus compatriotas, los voluntarios, reúnen todas las cualidades, pero son jóvenes sin ninguna experiencia. La guerra no se aprende en los libros, se aprende sobre el terreno, y ellos nunca han luchado de verdad. ¿Cuántas veces les ha dicho ella a los franceses: no enviéis a los belgas a combatir solos, ponedlos bajo un mando, dadles órdenes, instruidlos? Los franceses no han querido escucharla y he ahí el resultado. Van der Smissen, por su parte, sigue furioso, y todo cuanto huele de cerca o de lejos a rebelde, si tiene la desgracia de caer en sus manos, sufre las consecuencias de ello. Incluso se habla de «atrocidades». Unos meses más tarde vence a uno de los generales más brillantes de Juárez en La Loma. De pronto, Carlota exulta y parece percatarse de la existencia de Van der Smissen.

Una derrota puede compensarse con una victoria. En cambio, las finanzas del Imperio mejicano, pese a los esfuerzos realizados por Carlota en la época de su «regencia», son un pozo sin fondo. El primer préstamo prácticamente se había evaporado antes de poder utilizarlo. Maximiliano había pretendido organizar las finanzas con lo que quedaba, pero la inercia mejicana lo había paralizado.

Había acudido a Corta, el funcionario francés cedido por Napoleón III que tan estrechamente había colaborado con Carlota. Tras pasar varias semanas estudiando los informes, Corta había levantado los brazos al cielo y se había apresurado a regresar a Francia. La única solución era embarcarse en otro préstamo.

El buen Corta acepta intervenir en el parlamento para persuadir al ahorrador francés de que lo conceda. Lo consigue. El ahorrador francés cree en México y saca de su calcetín de lana otros doscientos cincuenta millones. Una buena parte se va de inmediato en intereses no liquidados, retenciones y comisiones. Maximiliano se queja del presupuesto desmesurado de Bazaine. «Es el mayor derrochón del ejército», dice suspirando Corta, que levanta de nuevo los brazos al cielo. Maximiliano sólo dispone ya de setenta millones de los doscientos cincuenta concedidos... y le debe quinientos a Francia. Le expresa sus quejas a Napoleón, quien le expresa a su vez sus quejas a él. ¿Cómo es posible que el emperador de México no haya reorganizado todavía sus finanzas? ¿Por qué las aduanas, el mayor recurso de México, no reportan ningún beneficio? El pobre Maximiliano es incapaz de responder.

Maximiliano recurre esta vez al nuevo valido, el francés Loysel, y se pone a trabajar con él. Para sanear la economía, primero hace falta orden, y para poner orden, nombra a una cantidad impresionante de nuevos funcionarios que, de entrada, contribuyen a gravar un poco más el presupuesto. Se redacta una ordenanza tras otra, volúmenes enteros de instrucciones que nadie seguirá. Convencido de haber resuelto el problema, Maximiliano vuelve a salir de gira, seguro de la eficacia de su método, que consiste en dejarse ver y en fascinar para obtener la adhesión del pueblo.

Primero regresa a Orizaba, donde había hecho una parada a su llegada a México y cuya belleza no había olvidado. Se instala no lejos de la ciudad, en la hacienda de Jalapilla. Allí, nada de protocolo ni de uniformes, nada de cortesanos ni de obligaciones. Maximiliano viste de paisano. Se acuesta tarde y se levanta muy temprano. Da largos paseos por el bosque tropical, escala los picos arbolados de los antiguos volcanes y desciende a profundos valles donde las aguas claras de los riachuelos fluyen bajo la vegetación florida. De hecho, esta gira triunfal guarda un gran parecido con el puro y simple turismo.

Encantado de delegar en Carlota, le ha dejado la regencia. De pronto todas las responsabilidades recaen sobre ella, que hasta el día antes no tenía ni voz ni voto. Se aplica concienzudamente a su tarea y ante todo a cumplir con las obligaciones de su rango. Da cenas en el palacio de México que algunos encuentran poco gastronómicas pese a la abundancia sistemática de platos. Los invitados se repiten bastante por falta de gente nueva. No obstante, a Carlota le gusta organizar estos banquetes, que son una manifestación de la vida de corte. Cuanto más aprecia Maximiliano la sencillez, más se rodea Carlota de aparato, no tanto por gusto como porque está convencida de que es conveniente para la función monárquica... y necesario para imponerla a los mejicanos. Carlota no aparece en público si no es rodeada de un enjambre de damas de honor, ayudantes de campo y chambelanes.

Al mismo tiempo, lleva una vida regular y de estudio. Reside cada vez con mayor frecuencia en Chapultepec, cuyo parque le permite practicar su deporte favorito, la equitación. Desde allí se traslada todos los días al palacio de México en un coche tirado por seis mulas con cascabeles de plata, rodeada de un escuadrón de caballería. En el palacio preside el consejo de ministros y recibe a los funcionarios. Para preparar cada una de las citas, por la noche se sumerge hasta tarde en los informes, los desmenuza, y llega a las reuniones perfectamente informada, dejando estupefactos a sus interlocutores debido a sus conocimientos y su aplicación. Maximiliano se limita a dejar que los ministros expongan sus opiniones y, sobre todo, siguiendo el método local, dejen para mañana las decisiones que pueden tomar hoy. Carlota se aprovecha de que, como buenos mejicanos, los ministros no han leído ni una línea de los informes, para presionarlos y hacerles tomar las decisiones que ella desea. ¿Estamos de acuerdo, señores ministros? Éstos asienten con la cabeza y se envía el decreto al Boletín oficial. El tiempo y el cansancio no hacen mella en la emperatriz, que permanece horas sentada a la mesa del consejo, deteniéndose el tiempo necesario en cada asunto, en cada cuestión. En realidad, le gusta trabajar y le gusta el trabajo bien hecho. Y, en su caso, trabajar es gobernar, el empleo para el que ha nacido. De hecho, esta mujer posee el cerebro y las cualidades de un hombre, y de un hombre poderoso.

Con todo, sigue siendo mujer, pues ni por un instante olvida la compasión, si bien sus buenas obras no tienen nada que ver con las de las damas caritativas salidas de las novelas de la condesa de Ségur. Las suyas, mucho más meditadas, benefician a amplios sectores de la población. Carlota ha estudiado la situación y los problemas de las clases más desfavorecidas y propone soluciones que asombran a los mejicanos, acostumbrados al espectáculo de la miseria. Describe su tarea con modestia: «Al igual que en la anterior ocasión, mi misión es velar con discreción para que nada se tuerza ni se desvirtúe en ausencia del señor de la casa.» Sin embargo, la tarea es tan ardua que a veces se siente muy sola. Maximiliano se ha llevado con él al fiel Éloin y a otros validos y consejeros. Tan sólo le ha dejado a Carlota un ayudante: «Sólo cuento con el jefe del gabinete militar, un francés, el señor Loysel, jefe de escuadrón de estado mayor, en quien tenemos confianza...»

8

Carlota necesita a Loysel para afrontar la crisis que acaba de estallar. El 9 de abril de 1865, el general Lee, comandante en jefe de los ejércitos sudistas, se rinde al general Grant, comandante en jefe de los ejércitos nordistas. Es el fin de la guerra de Secesión. El Norte ha ganado, ese Norte que se opone ferozmente al Imperio mejicano, el cual ha tenido la audacia de llevarse bien con los sudistas. Carlota pregunta inmediatamente si Washington intentará vengarse de ellos. Aunque, piensa, no pueden levantar un muro de acero entre México y Estados Unidos, cortando los puentes, las carreteras, las líneas de ferrocarril y el telégrafo entre los dos países.

Convoca al consejo de ministros, al que expone su punto de vista: «Nos hallamos en este continente móvil donde se agita el coloso que rotura los bosques vírgenes, recoge a los desheredados de la civilización y alberga todas las expresiones del pensamiento humano bajo el amplio manto de sus libertades. El coloso está en nuestra puerta. Ha salido victorioso de una lucha de gigantes. No piensa en una anexión material, sino en una conquista moral...» Sí, quizá se trate de una conquista moral, pero que abarca no pocos aspectos, entre ellos probablemente la guerra. Por fortuna Lincoln, el vencedor, declara públicamente: «No sé qué quiere la nación, lo único que sé es que no habrá otra guerra durante mi presidencia.» Carlota se tranquiliza un poco, tanto más cuanto que la derrota de los sudistas no presenta sólo inconvenientes. Familias enteras, pueblos enteros cruzan la frontera mejicana con carros y bueyes, hostigados por los indios, defendidos por los vaqueros, entre una nube de polvo y un concierto de gritos y mugidos.

Carlota ve en ello un beneficio para el imperio. En lugar de expulsarlos, dejemos venir a esos americanos que son buenos trabajadores y buenos agricultores. Démosles las tierras confiscadas por Juárez a la Iglesia. Se instalarán, roturarán los suelos hostiles, desarrollarán provincias enteras, arrastrarán a los indígenas tras su estela y constituirán un elemento estabilizador.

Hay un problema: los negros. Aunque la esclavitud acaba de ser abolida, han acompañado a sus amos sudistas, de modo que es preciso otorgarles una condición especial. Carlota les pide a los ministros proyectos de decreto, según los cuales se consideraría a los negros igual que a los menores. Permanecerían a cargo de la persona que les diera trabajo, la cual se ocuparía de vestirlos y alimentarlos decentemente.

Esta idea de reciclar a los esclavos es tan brillante que se hace de ella una lectura más amplia. En México se necesitan trabajadores, en efecto, y soldados para las zonas donde hace más calor y el clima es más rudo. ¿Por qué no importar negros de Egipto o Abisinia? Imposible, eso sería reavivar la práctica de la trata de esclavos. Washington no lo soportaría, y no es el momento de herir la susceptibilidad norteamericana. Otro proyecto de decreto: los negros llegarán a México como trabajadores que han elegido libremente expatriarse a este país. Se plantea la cuestión de su traslado. ¡Corren tantos rumores siniestros y vergonzosos sobre los barcos de negreros! Se tratará a los negros como pasajeros libres, cuyo precio de transporte no deberá superar los cuatrocientos francos.

Tan jugosos proyectos se encuentran en este punto cuando estalla la bomba: el presidente Lincoln ha sido asesinado. El secretario de Estado Seward, adversario encarnizado del Imperio mejicano, también ha sido víctima de un atentado. «La muerte de Lincoln y de Seward ha debido de conmocionarte, al igual que a todos nosotros —le escribe Maximiliano a Carlota—. Este acontecimiento puede revelarse bueno para nosotros, aunque no por ello es menos trágico.» Tal como establece la Constitución norteamericana, el vicepresidente, Andrew Johnson, sucede automáticamente a Lincoln.

Carlota no sabe cómo se las gasta el nuevo presidente ni cuáles son sus intenciones respecto a México. De inmediato redacta personalmente un proyecto de carta de pésame, expresando los más calurosos sentimientos tanto hacia el asesinado como hacia su sustituto. Le manda la carta a Maximiliano para que la firme y luego nombra a un enviado especial, Mariano Degollado, para que la lleve a Washington.

Carlota no tiene que esperar mucho tiempo el resultado de su gestión. Degollado trae de Washington la carta sin abrir. El presidente Johnson se ha negado a concederle audiencia y a recibir la carta. Estados Unidos sólo reconoce la República mejicana.

La república se encuentra en esos momentos muy maltrecha. Bazaine ha acabado por imponerse en Oaxaca y Porfirio Díaz ha desaparecido provisionalmente. Las últimas provincias todavía fieles a la república se han adherido al imperio, por lo que los republicanos le ponen a ese año, 1865, el nombre de «el año terrible». Entonces Juárez, en su desesperación, decide enviar al fiel Romero a Washington.

En contra de lo que Maximiliano y Carlota esperaban, Seward, pese a sus graves heridas, no había muerto. Ya recuperado, se apresura a recibir al enviado de Juárez.

Romero le pide que envíe al ejército norteamericano para expulsar a Maximiliano y restablecer la república. El secretario de Estado pone el grito en el cielo: ayuda moral, sí, pero asistencia militar, jamás; ¡Estados Unidos no es imperialista, señor Romero! De hecho, Seward ambiciona transformar México en protectorado «con otro nombre». Una invasión provocaría la ira de Europa, de modo que lo que intenta Seward es colocar en el poder a unos mejicanos dóciles. Y no está nada seguro de que Juárez sea el candidato ideal.

Entretanto, a Carlota le ha sentado muy mal la actitud del presidente norteamericano. «Estados Unidos no nos declarará la guerra —les repite a sus ministros—, así que no vale la pena alarmarse.» Pero ¿y si pese a todo atacase? En tal caso, Francia e Inglaterra, garantes del Imperio de México, acudirían inmediatamente en su ayuda, o al menos eso cabe esperar. Para saber a qué atenerse, nada mejor que enviar a París y Londres a un hombre de confianza. Maximiliano, consultado a distancia por Carlota, escoge a Éloin. La finalidad de esta elección, sin embargo, es alejarlo. Desde la marcha de Scherztenlechner, Loysel se ha fijado el objetivo de apartar a la pareja imperial del belga a fin de ocupar él solo el puesto, y finalmente lo consigue.

Carlota no siente remordimientos de ningún tipo por haber sacrificado a Éloin en favor de Loysel. Es una buena maniobra política, se dice, pues colocar a un francés en un puesto de tanta confianza halagará a Napoleón III, quien no podrá sino mostrarse más generoso con México. Este bretón que ronda los cuarenta no es muy guapo que digamos. Alto, delgado, de facciones angulosas y con una pequeña barba sin gracia, tiene unos ojos de mirada melancólica en los que a veces aparece un destello. Bajo la apariencia tal vez un tanto aburrida de un oficial concienzudo y excesivamente aplicado, se adivina cierto romanticismo y probablemente un encanto más o menos oculto para que Carlota le hable tan extensamente de él a su padre: «Los bretones son una raza muy especial. Loysel no se parece a ningún otro francés. Es muy tranquilo, muy serio, muy trabajador y muy hábil en todos los terrenos, posee una gran capacidad de juicio y unos modales agradables; creo que siente un gran afecto por nosotros. Y lo demuestra, ya que ha renunciado a figurar en la escala para servirnos, cuando tenía por delante una carrera sin duda alguna rápida en el ejército francés, pues es uno de los mejores oficiales de estado mayor. Posee también buenos conocimientos de los asuntos civiles y estoy encantada de contar con su opinión para todo.» Para quien conoce la reserva de Carlota, semejante panegírico escrito por su pluma es excepcional. Durante las largas semanas de ausencia de Maximiliano, Carlota y Loysel se han visto casi todos los días y ella se ha apoyado en él quizá más de lo que quería. De hecho, es el único que cuenta con su confianza.

La hora del regreso de Maximiliano ha llegado. Sin embargo, se lo toma con calma, dejándole a Carlota el placer de seguir disfrutando de la compañía de Loysel. El emperador tardará treinta y seis días, del 19 de mayo al 24 de junio, en recorrer la distancia que separa Orizaba de México. Este lento viaje, al igual que los demás, está salpicado de los habituales aplausos de la multitud congregada para ver pasar al soberano, de excursiones por la jungla y a la cima de las montañas, a las que tan aficionado es este emperador con alma de turista, y de indisposiciones debidas a su débil constitución. Empieza a tiritar y tiene que taparse con varias mantas porque ha contraído la disentería. Le escribe a Carlota para convocarla en Puebla, pues causaría muy buena impresión, le explica, que ella saliera a su encuentro.

La víspera de su partida, Carlota celebra un último consejo con Loysel y Bonnefond, un funcionario francés —otro más— asignado a las finanzas mejicanas. Cuatro años más tarde, la propia Carlota le recordará a Loysel la escena: «Cuando nos separamos el

5 de junio de 1865 para ir yo a Puebla, después de habernos visto durante un mes de la forma más honesta del mundo, centrados como estábamos en la política, vos que ibais a cumplir cuarenta años, que habíais visto al enemigo, la pólvora y las batallas, vos llorabais y yo también. Y sentimos en el alma algo indefinible que era más grande que las lágrimas. Por suerte, el señor Bonnefond había preparado unas columnas de números que no se leían con demasiada facilidad y eso fue motivo de risa. El comandante Loysel allanó las dificultades financieras mediante su aplicación; la emperatriz de México le dio carta blanca. Él se marchó con los proyectos todavía un poco oscuros y yo partí para Puebla.» Todo está dicho en este simple párrafo.

En esta mujer tan orgullosa de su rango, trabajadora incansable y con carácter de hombre, quedaba poco espacio para el romanticismo y ninguno para una relación. Y a este oficial tímido y aplicado, seco y carente de imaginación, ni se le pasó por la cabeza arrojarse en brazos de la emperatriz de México. No obstante, a falta de amor, es innegable que existieron por ambas partes unos sentimientos muy fuertes, desarrollados en el transcurso de las largas sesiones de trabajo diarias. Unas cuantas miradas y uno o dos gestos rápidamente reprimidos bastaron para expresarlos.

Al día siguiente, pues, Carlota parte para Puebla escoltada por Bombelles. El viaje se desarrolla como de costumbre; en todas las localidades, arcos de triunfo construidos en su honor, largas arengas y una población entusiasmada que desengancha los coches para arrastrarlos por las calles abarrotadas. Ella sonríe, responde a las aclamaciones y piensa en Loysel, hasta el punto de que se atreve a hacerle a Bombelles la pregunta que le quema los labios. Elige el momento que le parece más apropiado, cuando el cortejo está cruzando un río rugiente. El sol brilla, la naturaleza despliega su suntuosidad, el caballo de Carlota chapotea, rodeado por los jinetes de la guardia armada. El estruendo del agua se mezcla con el tintineo de los sables. Bombelles, como es su deber, cabalga a su lado.

—Decidme, Bombelles, ¿creéis que el emperador convocará a Loysel en Puebla igual que me ha convocado a mí?

—De ninguna manera, señora.

Ella se espera esta respuesta, confesará, pero aun así la idea de no ver a su amigo en Puebla hace que se sienta desdichada durante todo el día.

El 6 de junio Maximiliano llega a Puebla al amanecer. Lo primero que hace es ir a inspeccionar los alojamientos que les han reservado a él y a la emperatriz. Un mejicano lo acompaña: Blasio, su recién nombrado ayuda de cámara. El emperador entra en la habitación conyugal, donde hay una gran cama doble de baldaquino, con cortinas de encaje, cuyo efecto resulta tan encantador como atrayente. Maximiliano expresa su satisfacción y Blasio se siente feliz por haber sabido adivinar los deseos de su nuevo señor. Sin embargo, nada más dar media vuelta el emperador, los lacayos de su séquito decepcionan a Blasio: por orden imperial hay que introducir algunas modificaciones. El emperador se instalará en otra habitación, la más alejada de ésta; allí se montará la sencilla cama de hierro que lleva de viaje, en la que Su Alteza pasará las noches. Blasio, estupefacto y aterrado, no entiende nada. Pero la verdad es ésa y no tiene más remedio que constatarla. El emperador y la emperatriz dormirán separados, tal vez incluso duermen separados desde hace tiempo, pues a Blasio le cuesta creer que Maximiliano haya escogido este encuentro para inaugurar un cambio de régimen de vida tan esencial. «¿Qué drama conyugal se escondía tras esta decisión? —se pregunta—. ¿Cómo es que unos esposos jóvenes, unidos por el amor, como la gente sabía, atractivos y vigorosos no hacían vida marital? ¿Cómo es que el marido casi llegaba a irritarse ante la idea de que tendría que dormir en la misma cama en la que dormiría su ilustre esposa?»

Poco antes de mediodía, Maximiliano sale de Puebla en un suntuoso coche de cuatro caballos. Los oficiales y los ayudantes de campo le siguen. A la hora anunciada, llega el coche de viaje en el que Carlota se ha instalado con su dama de honor y Bombelles. La guardia palatina que éste tiene a su mando lo escolta. Las camaristas y doncellas de la emperatriz los siguen en otros coches.

El emperador baja, se reúne con la emperatriz y, de pie en el coche descubierto de Carlota, marido y mujer se abrazan ante los mejicanos, contentos de que el amor una a sus soberanos. Llevados por el entusiasmo, bajo arcos de triunfo y una lluvia de flores, hacen su entrada en Puebla. Algunos ramos son tan grandes que a Carlota casi le hacen daño al darle en las rodillas.

Cuando entre sola en la habitación conyugal, no se extrañará: está acostumbrada.

Al día siguiente, 7 de junio de 1865, las salvas de artillería la despiertan al alba. Es su cumpleaños, y lo celebran solemnemente. A los cañonazos responden las campanas de las innumerables iglesias de la vieja ciudad, a las que se suma una especialidad puramente mejicana, los *cohetes*, unos petardos que salen disparados en todas direcciones. La ciudad entera está de fiesta. Sin embargo, Carlota, la *festejada*, se siente desilusionada, triste, aunque no se atreve a confesarse que echa de menos a Loysel. No recupera la sonrisa hasta que Maximiliano, sin saber nada, se pone a hablarle de Loysel con afecto, elogiando sus méritos.

No tardan en partir hacia México. Maximiliano y Carlota viajan en dos coches distintos. En la etapa de Zoquiapán, Blasio, que permanece atento, se percata de que duermen de nuevo separados. Blasio ve entrar sola a Carlota en la habitación conyugal. Lo que provoca su asombro es la falta de asombro por parte de Carlota.

Volver a su despacho con el tremendo calor del verano de 1865, tras esas deliciosas semanas de vacaciones, hace poner mala cara a Maximiliano, que de repente tiñe de pesimismo el análisis de la situación que hace a sus ministros: Guanajuato y Guadalajara amenazadas, Morelia sitiada por los rebeldes, Acapulco perdida y San Luis de Potosí en peligro. Resumiendo, la situación es diez veces peor que el año anterior. Se ha perdido un tiempo precioso, el Tesoro se ha arruinado, la confianza pública se ha tambaleado, ¿y por qué? Porque se ha hecho creer a París que la «pacificación» había terminado gloriosamente.

El «se» se refiere, por supuesto, a Bazaine. Basándose en las falsas informaciones de éste, el gobierno francés ha retirado parte de sus tropas, haciendo pagar al imperio su presencia completa. Los dos problemas mayores siguen siendo la insuficiencia de tropas y las sumas disparatadas que desaparecen en esa lenta y vergonzosa guerra. «Si se produce el menor escándalo, yo, Maximiliano, hago responsable a Bazaine.»

En el mismo momento Carlota le escribe a su hermano mayor Leopoldo, duque de Brabante: «Aquí todo sigue avanzando a paso de gigante.» Ella y Maximiliano han sido acogidos a su regreso a México con un fervor que le ha hecho llorar. Maximiliano gobierna con un talento insuperable, y ella misma no mete demasiado la pata cuando se le confían los asuntos del Estado. El imperio se consolida de día en día, gracias también a las tropas, que acabarán de resolver el problema militar. «Nada se opone ya a la existencia de México y al éxito de la obra emprendida aquí.»

La diferencia entre estas dos visiones de la misma situación resulta sorprendente. Por un lado, los reveses enumerados por Maximiliano son absolutamente reales. Por el otro, el optimismo de Carlota reposa sobre bases sólidas, pues cada vez se puede confiar más en el afianzamiento del imperio. ¿Cómo volverían a encontrar el camino los mejicanos, ellos que están atrapados entre dos polos opuestos a los que se suma el alarmismo del entorno de Juárez y los republicanos? Se trata de la eternamente inaprensible realidad mejicana, que hunde sus raíces en un pueblo inmenso e insondable, exuberante y silencioso, violento y apacible; sus dirigentes, incluso los de allí, no la comprenden. La realidad mejicana nunca es una sola pieza. Formada de elementos contradictorios, pegados Dios sabe cómo, escapa a toda unidad, a toda unanimidad, y permanece sometida a las opiniones más opuestas, cuya suma es lo único que permite circunscribirla.

Una joven comparte el optimismo de Carlota: Pepa de la Pena, la prometida de Bazaine, que ha visto con sus propios ojos el regreso de Maximiliano y Carlota a México. Y pensar que las malas lenguas murmuran que el imperio es impopular, cuando ella ha sido testigo del espectáculo: la nobleza y hasta los indios, todas las clases fundidas, se precipitaban hacia la pareja imperial para verlos de cerca. La bonita Pepa idolatra a Carlota, sobre todo desde que ésta ha fijado su boda para unas semanas después, en junio. Un lunes, añade la emperatriz, porque es el día en que ella se casó. Quiere que esos felices auspicios garanticen la dicha de los novios.

Bazaine y Pepa se casan en el palacio imperial de México. El protocolo de la corte ha publicado un programa de varias páginas. Los testigos son, por supuesto, el emperador y la emperatriz. El acto civil tiene lugar en la sala del consejo; luego, el arzobispo procede a la ceremonia religiosa en la capilla imperial. Toda la corte asiste, además de las autoridades de la ciudad y el estado mayor francés. Para el banquete se ha habilitado una sala especial. La comida se sirve en una nueva y suntuosa vajilla traída expresamente de Europa. Luego, el mariscal cincuentón y la joven mejicana de diecisiete años se van de viaje de novios... al cuartel de México, donde residirán y de donde el comandante en jefe de las tropas francesas no puede alejarse. Su agradecimiento a los soberanos por su bondad no tiene límites. Entre las dos parejas reina la unión más profunda, la intimidad más auténtica, el cariño más sincero.

Apenas diez días más tarde, el 6 de julio, celebran el cumpleaños de Maximiliano. Aunque el cortejo no tenga que recorrer un largo camino entre el palacio imperial y la catedral, los mejicanos, amantes de los grandes espectáculos, se sentirán satisfechos. Las pesadas puertas del palacio se abren y comienzan a desfilar las tropas francesas y mejicanas, luego los oficiales a caballo con su uniforme de gala cubierto de galones y bordados, luego los chambelanes con redingote cubierto de oro, luego los carruajes de la corte, en los que se exhiben las damas de honor enjoyadas, y finalmente, rodeada de guardias y pajes, avanza la carroza imperial, un enorme artefacto sobrecargado de esculturas y de dorados, sobre el que destaca una gran corona imperial traída especialmente de Viena. Sentada en su interior, Carlota, soberbia y majestuosa, sonríe con gravedad solemne.

Pero Carlota está sola. Maximiliano se ha quedado en Chapultepec. Estas escenificaciones le aburren. La carroza da la vuelta a la plaza antes de detenerse ante el pórtico de la catedral. Los lacayos bajan el estribo y la emperatriz desciende. Bazaine la espera allí y ambos recorren lentamente la explanada. Ella lleva un vestido blanco bordado en oro, una larguísima capa púrpura también bordada en oro, en el cuello, diamantes y perlas, y en la cabeza, una diadema con gruesos diamantes engastados. El Te Deum es muy largo, pero Carlota permanece todo el rato erguida, impasible, impenetrable; es la imagen misma de la realeza. Una vez finalizada la ceremonia, aparece en la puerta de la catedral, donde es saludada por una larga y alegre aclamación de la multitud, y regresa acompañada de interminables ovaciones al palacio. Allí la esperan arengas, recepciones y un banquete.

Los periodistas están contentos: al menos tendrán material sobre el que escribir. Llenarán varias columnas de sus periódicos, esos mismos periódicos que, unas semanas más tarde, llegan a la mesa de la reina María Amelia en Claremont, en la habitación que Carlota tan bien conoce. Abuela y nieta mantenían una correspondencia fluida, pero desde que Carlota tiene responsabilidades tan variadas y pesadas sus cartas se espacian. María Amelia busca en los periódicos toda la información sobre su nieta.

Esta vez, leyendo atentamente la descripción de la ceremonia del 6 de julio, no está contenta, de modo que le escribe una larga carta llena de reproches afectuosos a Carlota. Ante todo, ¡qué ocurrencia aparecer en un Te Deum sin su marido! Recuerda, Carlota, que tú no eres la soberana, tú no eres más que la esposa del soberano. Jamás se ha visto a la esposa de un soberano aparecer en público con tal despliegue de lujo. Y qué ocurrencia también, ponerse esa gran capa roja y oro, y todas esas joyas, ¿no es un poco ostentoso? ¿No hubiera sido preferible la discreción? Además, si Maximiliano se encontraba indispuesto, ¿no habría valido más no organizar nada? La vanidad es un defecto muy feo, y resulta más peligroso aún en los soberanos, Carlota debería tenerlo presente.

Cuando varias semanas después Carlota lee esta amable amonestación, se precipita hacia su escritorio, ofendida, y con su letra inclinada y regular redacta varias cuartillas respondiendo a su abuela. Antes ha ido a mostrarle la carta de María Amelia a Max, tras lo cual, respaldada por la autoridad marital, explica que si apareció sola en la ceremonia del 6 de julio fue por orden expresa de su marido y porque no hay nadie más para representarlo. En cuanto a la capa objeto de la discordia, es la misma de siempre, la que formaba parte de su ajuar. Los periodistas son unos estúpidos por describirla cada vez como una novedad mirífica, cuando Carlota la ha llevado siempre. Su abuela habla de vanidad: ¿qué vanidad? Cuando Carlota era joven, le gustaban las aclamaciones de la multitud, es cierto, pero desde entonces, quiérase o no, ha evolucionado un poco. Ha envejecido... ¡tiene veinticinco años! El aparato que la rodeaba, quien lo quiso fue Max, quien lo dispuso todo, hasta el más mínimo detalle, fue Max; ella se limitó a plegarse a sus deseos muy a su pesar.

De hecho poco a poco, Carlota entra en el terreno de las confidencias, tan inusuales en ella. Conoce perfectamente, por haberlos leído en los periódicos, los reproches injustos que se le hacen. Se afirma que ella lo decide todo e influye en Max. Pero ¿cómo es posible tal cosa cuando Max es tan superior a ella? ¿Cómo podría ella inspirarle algo cuando él sabe mucho más y es mucho más sabio? ¡Que su abuela salga de su error! Max no se lo cuenta todo a Carlota, ni mucho menos, y cuando se guarda algún secreto de Estado, ella tiene demasiados escrúpulos para interrogarlo. Si ella ocupa la regencia, es únicamente porque Max la ha autorizado a hacerlo. Ella se contenta con facilitarle el trabajo y evitarle perder tiempo cuando vuelve de sus giras. Si ella ayuda a Max, lo hace en la medida que se lo permiten sus medios y dentro de los límites que Max le marca. Por lo demás, ¿no es el papel de una esposa, sobre todo cuando no es madre de familia y por lo tanto dispone de todo su tiempo, consagrarse a su marido? Una virago, eso es lo que describen hablando de Carlota los periódicos italianos, por ejemplo. Que su abuela se tranquilice, su pequeña Carlota no ha cambiado. Está más despegada que nunca de la vanidad, del egoísmo, de la ambición. Ambición sólo tiene una: hacer el bien. En cuanto al resto, *vanitas vanitatis et omnia vanitas*, se repite todos los días.

¿Se da cuenta de que si se pinta como una mujer sometida por completo a su marido es precisamente porque es superior a él en inteligencia y carácter? Cuanto más consciente es de eso, más se arroja a sus pies, dispuesta a plegarse a sus menores caprichos.

Por el momento, Maximiliano está dominado por la amargura que experimenta en relación con Bazaine. Sus sentimientos hacia él han pasado en unas semanas del afecto más intenso a la desconfianza más profunda. Bazaine continúa engullendo montañas de dinero —es un pozo sin fondo—, mientras que los bandidos se multiplican como las setas después de llover. Carlota analiza con conocimiento de causa este fenómeno. Tomad a un mejicano medio: quiere hacer de todo menos trabajar. Como es valiente y audaz, un buen día coge su escopeta y se va al monte; le da igual que lo pillen o lo fusilen, pues es un fatalista que se aburría tanto con su vida anterior que sólo sueña con aventuras, emociones y ganancias. En el monte conoce a cinco o seis tipos de la misma ralea. Empiezan por atacar una hacienda y apoderarse del ganado. «Es el bautismo del oficio.» De pronto, la población local habla de guerrilleros. Los periódicos se adueñan de la información y publican que una banda peligrosa merodea por los alrededores. Ensoberbecidos por su nueva importancia, atacan las diligencias y secuestran a algunos ricachos. Con la policía pisándoles los talones, se adentran en las sierras y, por caminos apartados, llegan a una región vecina, virgen todavía de sus sevicias. Allí encuentran a otra banda y se asocian con ella, tal vez incluso con una tercera. Al principio eran seis y llegan fácilmente a juntarse dos o tres mil. Entonces están en situación de establecer un cuartel general.

El peligro es que son astutos y saben contar, en particular el número de soldados franceses que van tras ellos. ¿Qué puede hacer una miserable guarnición contra miles de pillos? Cuando los soldados franceses salen por la puerta de una ciudad, los bandoleros entran por la otra, a no ser que les tiendan una emboscada; en cambio, si los franceses son muchos, la banda huye para evitar el enfrentamiento. Se hace mal tratándolos con indiferencia. Tanto Carlota como Maximiliano creen que este «se» hay que traducirlo por Bazaine.

El emperador repite todos los días sus quejas contra el mariscal al oído de Loysel, cedido por el propio Bazaine a Maximiliano. Éste, lanzado, la toma con todo el mundo: nadie le ayuda.

Todos son iguales, perezosos e inútiles: Bonnefond, Éloin y hasta Scherztenlechner. Únicamente el querido Loysel destaca sobre los demás. Pero Loysel, pese a su buena voluntad, no puede actuar contra su superior jerárquico, el comandante en jefe de las tropas francesas. Entonces Maximiliano la emprende contra los franceses, no los buenos franceses que sirven tan bien, tan generosamente a México, sino los malos franceses que son una vergüenza para Napoleón III y para Francia, esos funcionarios que le chupan la sangre a México, esos militares que hablan de victorias cuando cosechan una derrota tras otra, que sacrifican inútilmente valientes ejércitos, que permiten que Juárez se ría del mundo y que, debido a su incapacidad, deterioran la situación en lugar de mejorarla. Esos militares no cumplen ninguna de sus promesas y engañan a los dos emperadores, el de México y el de Francia. Y su jefe, el mariscal Bazaine, más gravemente responsable que cualquiera de ellos, es el peor.

De hecho, la desconfianza venía cociéndose desde hacía tiempo, pero se dejaba a un lado bien por la necesidad de ponerle buena cara a Bazaine o bien por el encanto y la capacidad de persuasión de éste. Pero la situación ha llegado a un extremo tan preocupante que esa frágil fachada se cuartea. Urge actuar y el comandante en jefe de las tropas francesas no hace nada. ¿Qué decide Maximiliano? Partir de nuevo para hacer otra gira.

En México, en agosto hace calor, así que el emperador ha decidido ir a remar al lago de Texcoco, en las afueras de la ciudad. Continúa hasta Teotihuacán y, pese a la canícula, escala ágilmente las famosas pirámides del Sol y la Luna, los monumentos más imponentes de México. Luego se dirige al norte para visitar unas minas de plata. Renunciando a aparentar que está realizando una gira de propaganda, se toma diez días de auténticas vacaciones para entregarse a su ocupación preferida: hacer turismo.

Como en ocasiones anteriores, deja la regencia en manos de Carlota, pero introduce una novedad, y no pequeña. Redacta por escrito largas instrucciones que limitan los poderes de su esposa. Los informes de los gabinetes civil y militar serán presentados a Carlota, pero la firma la conserva él. Le enviarán los documentos diariamente al lugar donde esté, a fin de que los rubrique. Además, se reserva las cuestiones de legislación, los nombramientos y las promociones, las notas diplomáticas especialmente importantes, los gastos no presupuestados, los cambios en el ejército y los asuntos judiciales. La emperatriz puede presidir en su nombre el consejo de ministros, conceder audiencias públicas y abrir el correo procedente de Europa, pero las cartas dirigidas a Maximiliano en las que se especifique «reservado» o «personal» se le enviarán allí donde esté sin haber sido abiertas por Carlota. En resumen, ya no tiene sino una sombra de poder, se ve confinada a la representación.

Semejante humillación no provoca en ella reacción alguna. Su dominio de sí misma le permite, como de costumbre, ocultar sus sentimientos. Es más, incluso parece multiplicar sus iniciativas.

Por ejemplo, aprovecha su ínterin para poner sobre el tapete del consejo de ministros la cuestión india. Desde su llegada, Maximiliano y ella están horrorizados del tratamiento reservado a los indios. Han pedido informes que no ocultan nada de las abominables condiciones en que se mantiene a la mayoría de la población, de los terribles tratos, las sevicias y las torturas que sufre. Para sorpresa de los mejicanos, acostumbrados a estos excesos, Maximiliano y Carlota se indignan y, aquejados de una auténtica «indiomanía», están resueltos a ponerles fin. Carlota abre ante los ministros este debate explosivo, aunque no sin haber recibido la orden expresa de Maximiliano. Un comité ha preparado la documentación necesaria, que el emperador ha consultado y a continuación transmitido a Carlota, la cual la ha absorbido minuciosamente y digerido lentamente. Cuando, empapada del tema, toma la palabra, empieza hablando sobre la intolerable situación en que se hallan millones de indios y menciona la necesidad urgente de reconocerles la condición de seres humanos. «He aquí, señores ministros, la ley que he mandado preparar y que sin duda alguna aprobaréis.»

Para su estupor, una voz se eleva para protestar, la del ministro Silicio: «Si los indios permanecen tranquilos es porque están sometidos socialmente, pero, por carácter y espíritu de raza, en cuanto se les incite y se les den los medios para situarse en el mismo nivel que los blancos, se acercará el momento de la insurrección y las venganzas, y entonces pobres mejicanos.» Pese a esta intervención, Carlota consigue la adhesión de los demás ministros. La reforma es aprobada y, mediante diferentes medidas, como la abolición de los castigos corporales, transforma radicalmente la condición de los indios.

Al salir del consejo, Carlota le escribe en tono triunfal a Maximiliano diciéndole que ha obtenido un éxito total. Salvo uno, todos los demás han aprobado la necesidad de cerrar una herida para la que la independencia no había aportado ningún remedio eficaz: «Los indios, pese a ser ciudadanos de hecho, habían permanecido sometidos a una abyección desastrosa.»

A principios de septiembre, Maximiliano regresa a México y, en vez de felicitar a Carlota, le retira el poder que le quedaba. La emperatriz vuelve a verse limitada exclusivamente a los asuntos sociales y la educación nacional, ámbitos en los que, por lo demás, desarrolla una actividad considerable. Sólo asiste al consejo de ministros cuando ha sido invitada expresamente por Maximiliano, y si, en el transcurso de la sesión, éste le dirige una mirada, debe levantarse y, sin decir una palabra, abandonar la sala. No puede entrar en su despacho sin ser anunciada; muy pronto tendrá que pedirle audiencia, como cualquier subordinado. En suma, Maximiliano la considera públicamente una insignificancia y la mantiene en una posición inferior. Tal transformación no se ha operado en un día. Se observaba la evolución desde hacía meses, pero es ahora, al regreso de Maximiliano, en septiembre de 1865, cuando adquiere unas dimensiones evidentes. Es imposible seguir ocultando la verdad, incluso para Carlota.

Maximiliano la aparta de la política, no porque haya fracasado, sino precisamente porque lo ha hecho muy bien. Esta superdotada, pese a sus esfuerzos por mostrarse sumisa y obediente, despierta los celos de su marido. Como todos los débiles, mantiene con ella una actitud contradictoria, impresionado por sus cualidades, sus dotes, y al mismo tiempo consciente de su superioridad, que lo exaspera. No puede prescindir de su fuerza, pero la desdeña. Quiere su ayuda, pero la rechaza. Desde que habían empezado a dormir separados, ella esperaba que entre ambos se desarrollase una complicidad de trabajo y había actuado en ese sentido. Pero Maximiliano ha destruido esa esperanza.

Grande es la soledad de Carlota. Las damas austriacas que la acompañaron a México han vuelto a Europa, y no serán las damas mejicanas quienes las reemplacen. Pero ella, valientemente, mantiene su ritmo de vida, visita instituciones benéficas y escuelas. Todos los días monta a caballo, todos los días se encierra largas horas en su gabinete para leer obras de política, de economía, de historia, de derecho... aunque, ¿para qué, puesto que esos conocimientos no le servirán de nada? Entonces recorre arriba y abajo las galerías del palacio, mordiendo su pañuelo de batista hasta desgarrarlo, en particular la esquina que lleva su monograma coronado. No corre el peligro de encontrarse con Maximiliano, ya que éste vive abiertamente aparte, retirado cada vez más a menudo en Chapultepec cuando ella reside en México y a la inversa.

¿Y Loysel? Loysel ha recuperado su papel de consejero fiel y confidente de Maximiliano, y parece que ya no cuenta para Carlota. Aunque está completamente sola, sería no conocerla imaginar que va a quejarse. Al contrario, se encierra en su orgullo herido. Se vuelve altiva, casi dura, y particularmente exigente con el protocolo. Un día, baja del coche para ir a reprender rudamente a un grupo de *caballeros* que, no habiéndola reconocido, no se han quitado el sombrero. Prohíbe a los lacayos que sirvan a las damas de honor que llegan tarde a comer. El sufrimiento tiene como resultado volverla glacial. Se puede constatar en sus retratos de la época: ni una sonrisa, los ojos achicados por la miopía, la mirada sombría y fija, la parte inferior del rostro fláccida, la expresión dura, casi despreciativa. Ninguna gracia, ninguna voluntad de seducir. Las plumas, los diamantes, los encajes y las sedas con que se cubre, todos los perendengues de una soberana satisfecha no ocultan a la mujer herida.

Pero todavía tendrá que superar más dificultades, pues Maximiliano se dispone a asestarle un golpe más fuerte aún. La dinastía que él encarnaba necesitaba un heredero para garantizar la sucesión del trono, tanto más cuanto que dicho trono era nuevo y no muy sólido. Carlota había ido en peregrinación a Santa María de Guadalupe, famosa por atender los ruegos de las mujeres deseosas de tener hijos. Recientemente circulaba por México un panfleto, obra de los republicanos, acusando a Maximiliano de tener una enfermedad vergonzosa y haberla transmitido a su mujer, que como consecuencia se había quedado estéril. Así pues, se imponía con urgencia engendrar, alumbrar. Un hombre de treinta y tres años sano y una mujer de veinticinco que gozaba de una salud perfecta no tenían por qué perder las esperanzas. Pero, en el secreto de su palacio, ese hombre y esa mujer vivían separados.

De repente, Maximiliano anuncia su decisión de adoptar un heredero. Sin dar detalles ni acusar a nadie —hubiera sido impensable desvelar la intimidad de la pareja a la opinión pública—, proclama a bombo y platillo que Carlota y él se han resignado a no tener hijos.

Los allegados, es decir, la servidumbre, saben a qué atenerse. Las doncellas no duermen lejos de Carlota y los lacayos pasan la noche en la habitación contigua a la de Maximiliano. Todos se hacen miles de preguntas. ¿Le ha sido el emperador infiel a su mujer? ¿Tiene un «defecto orgánico»? ¿Es impotente, como suponen algunos? Maximiliano y Carlota, sin embargo, se habían casado por amor, habían pasado la más deliciosa luna de miel. Todo el mundo lo sabe, México entero lo repite. Maximiliano era guapo, atractivo, encantador. Antes de la boda, durante sus viajes por Grecia, por Asia Menor y alrededor del mundo, había tenido muchas aventuras galantes; los criados austriacos de Maximiliano se lo habían contado con detalle a Blasio, el nuevo ayuda de cámara, y a sus compatriotas. Y después de la boda, la conducta de Maximiliano había sido irreprochable. El misterio mejor guardado del imperio quedaba, pues, sin resolver.

Para el resto del mundo la situación era simple. En aquella época, si una pareja no podía tener hijos, la culpa era siempre de la mujer. Así pues, Maximiliano deja a Carlota expuesta a la curiosidad general provocada por el anuncio de la adopción. Suposiciones y sospechas se redujeron a un solo grito: ¡Carlota es estéril! Ante esta acusación, la más devastadora, la más cruel para una mujer, Carlota no hizo una excepción a su costumbre: la afrontó con la cabeza más alta aún y apretando todavía más los dientes.

¿Dónde encontrar al heredero? La elección de Maximiliano recayó en la familia de Iturbide, el efímero emperador de México de principios de ese siglo. Se trataba de un encantador niño de dos años y medio, llamado Agustín Iturbide. Pero, claro, tenía padres, una familia. Hubo que negociar con ellos, y no fue fácil. Para apoyar a Maximiliano, Carlota se implicó en este asunto que la afectaba en lo más profundo de su ser: «Hay dificultades con la familia Iturbide —le escribe—. Ninguna victoria se obtiene sin gloria, pero ganamos terreno poco a poco, paso a paso. Sigo haciendo que digan que, si no lo aceptan todo, no pasará nada ni para unos ni para otros...»

Finalmente se manda a Estados Unidos al padre y los tíos, no sin una compensación contante y sonante. Son mala gente, se complace en repetir Carlota. La madre, doña Alicia, se revela más tenaz. Carlota le envía un ramo tras otro, la invita a cenar, pero esa americana joven y guapa quiere a su hijo. Protesta, llora durante diez días, pero ciento cuarenta mil piastras la animan a marcharse también a Estados Unidos.

Para que el niño no esté solo le buscan un compañero, un primo suyo, Salvatore, y los ponen a los dos al cuidado de su tía, doña Josefina, una dueña de comedia perfecta.

Carlota tuvo la abnegación de ir a buscar personalmente al niño cuya elevación al rango de heredero constituía para ella el peor insulto. Finalizó su informe a Maximiliano con esta frase enigmática: «Te abrazo con todo mi corazón y me alegro generosamente de la belleza del paraíso, cerrado para mí...» El niño, su primo y su tía recibieron los títulos de príncipe y princesa, lo que planteó infinitas cuestiones de protocolo que Carlota se encargó de resolver. Le escribió a Hidalgo, embajador del imperio en París, para encargarle que pidiera información en la corte de Napoleón III. A estos jóvenes Iturbide se los podía asimilar con los príncipes Murat, emparentados con el emperador sin ser miembros de pleno derecho de la familia imperial.

A Hidalgo se le encomienda, pues, la misión de informarse con detalle del tratamiento reservado a los Murat, que es el que se aplicaría a los Iturbide. En sus instrucciones, Carlota no olvida ningún aspecto de la cuestión y utiliza su absoluto conocimiento de la etiqueta en beneficio de ese niño cuyo nuevo rango y cuya presencia le recordarán en lo sucesivo que está condenada a no tener jamás hijos... La escandalosa iniciativa de la adopción y sus dramáticas implicaciones se diluyeron en los matices del protocolo.

En Estados Unidos, sin embargo, la opinión se alzaba cada vez más contra el Imperio mejicano. Los medios de comunicación norteamericanos, en manos ya de la izquierda, se negaban a apoyar una monarquía. Maximiliano hizo un intento de desviar su atención. Envió a un emisario para despertar el interés de financieros e industriales por invertir en diferentes sectores de la economía mejicana. El capital norteamericano no mordió el anzuelo. Estados Unidos sabía muy bien que una monarquía en México, como en todas partes, garantizaba la independencia del país, y que podrían sacar mucha más leche de la vaca mejicana si ésta se hacía republicana. El capital norteamericano prefería, pues, esperar tranquilamente que México se convirtiera en una república para sacar de él el máximo beneficio.

Seward, el secretario de Estado, seguía buscando al candidato ideal para llevar a cabo esta indispensable transformación.

Pensó en González Ortega. Los republicanos mejicanos, pese a haber visto considerablemente reducido su número y a sufrir la persecución de los franceses, mantenían las apariencias de la legalidad republicana. Sus representantes se habían reunido y habían celebrado elecciones presidenciales. Juárez había perdido, y González Ortega había sido elegido para sustituirlo. En espera de que se llevara a cabo el traspaso de poderes, el nuevo «presidente de la República mejicana» se había apresurado a visitar Estados Unidos. Seward y la administración ya lo reconocían como el sucesor de Juárez, cuando un absurdo asunto de deudas y el exceso de celo de un insignificante juez norteamericano inmovilizaron a González Ortega, impidiéndole regresar a México. Juárez aprovechó la ocasión. Publicó un primer decreto mediante el cual protegía sus poderes presidenciales hasta que la situación se aclarase, y otro en el que se ordenaba abalanzarse sobre González Ortega en cuanto pusiera los pies en México. A falta de combatientes, el combate se interrumpió y Seward no tuvo más remedio que elegir a Juárez para abatir el imperio y hacer triunfar los colores norteamericanos en México. En prueba de su buena voluntad, envió inmediatamente veinte millones de pesos a su flamante candidato.

Sin embargo, éste nunca había estado en una situación tan comprometida. Los franceses, prosiguiendo su ofensiva, lo habían expulsado de Chihuahua. Juárez había tenido que refugiarse en Paso del Norte, en la frontera con Estados Unidos. El territorio de la República mejicana se reducía a una modesta casa de barro seco, donde las autoridades de la República cohabitaban con unos pastores y su ganado. Un paso más, el último, y Juárez cruzaría la frontera de Estados Unidos. Estuvo tan a punto de verse obligado a hacerlo que la noticia se extendió por México y fue dada por absolutamente cierta. Juárez había salido de México, se repetía.

Se ha llevado la República con él, concluyó Carlota. Ya no había república, pero no se podía decir que ya no hubiera republicanos; al contrario, éstos se multiplicaban. La situación era absurda, intolerable, una situación a la que había que poner fin cuanto antes y con la mayor energía.

Entonces entró en escena un personaje nuevo: Fischer. Alemán y pobre de nacimiento, Fischer, tras emigrar a Estados Unidos, había ido a parar a Texas, donde había vivido miserablemente como trabajador agrícola. Con la fiebre del oro, Fischer fue a California y rascó la tierra como tantos miles más en busca del metal precioso. Se codeó con la hez de la sociedad, con bandidos y chicas fáciles, los unos para saciar su gusto por la aventura, y las otras, su apetito sexual. Un buen día, los jesuitas le echaron el ojo. Si Dios no sabía por qué, tal vez lo supiera el diablo. No sólo convirtieron a ese protestante al catolicismo, sino que lo ordenaron sacerdote. Fischer llegó a ser secretario de un obispo mejicano; luego, el escándalo de su vida privada, con amantes e hijos ilegítimos, motivó su expulsión. Desapareció para reaparecer en el entorno próximo de Maximiliano. Había empezado redactando informes, muy brillantes por cierto. A continuación se le habían encomendado misiones cada vez más importantes y confidenciales. Había gustado desde el principio. Le atraía la pelea, pero no era un soldadote. Al contrario, era un hombre culto, civilizado, que sabía fascinar, envolver, persuadir. Maximiliano siempre había necesitado junto a él un hombre fuerte, y como los exprimía bastante deprisa, debía sustituirlos con frecuencia. Loysel, tras haber sido todopoderoso, parecía estar en el declive. Fischer llegaba en el momento oportuno.

Sin embargo, este súbito ascenso no podía explicarse únicamente por sus propias virtudes, suponiendo que las tuviera. Evidentemente, había sido colocado en el camino de Maximiliano por alguien poderoso. Los jesuitas, y con ellos los conservadores, parecían los más probables. Se murmuraba que el buen padre había comenzado su carrera junto a Maximiliano inspirando la desastrosa adopción del pequeño Iturbide. Una vez bien asentado, expuso su nuevo proyecto, y lo hizo en alemán, porque con el emperador hablaba su lengua materna, por supuesto. Estando Juárez fuera de México y la república muerta, los republicanos, de opositores políticos se convertían automáticamente en puros y simples rebeldes asimilables a criminales. De repente sólo merecían un tratamiento: el pelotón de ejecución. Bazaine le susurraba a Maximiliano la misma cantinela. Napoleón III, exasperado por el empantanamiento de la situación mejicana, no paraba de conminarlo a que se mostrara más firme. Alentado de este modo, Maximiliano, sin vacilar y bendecido por el padre Fischer, publicó el 3 de octubre de 1865 un decreto según el cual todo rebelde al que se pillara con las armas en la mano sería fusilado en el acto, sin juicio previo.

Como si hubieran estado esperando esta oportunidad, los monárquicos se abalanzaron de inmediato. Las detenciones arbitrarias y las ejecuciones sumarias llenaron el país de silbidos de bala y gemidos. Los rebeldes, lejos de rendirse, pagaron con la misma moneda. Mataron a todos los soldados y oficiales que caían en sus manos. Informes aplastantes, llamamientos a la indulgencia y súplicas llegaban sin parar a la mesa de Maximiliano. En lugar de dejarse conmover, éste le anunció a Loysel que era inútil pedirle el indulto de los prisioneros porque ahora ya no lo concedería.

Maximiliano distaba mucho de ser sanguinario, pero era débil, y los complejos de su debilidad provocaban en él reacciones bruscas en las que confundía firmeza y brutalidad. En cuanto a Carlota, igualmente desprovista de crueldad, apoyaba contra viento y marea a Maximiliano. Ella no había participado en la elaboración del sangriento decreto, pero, una vez publicado, se hacía responsable de él por fidelidad a su marido, por amor a él.

Todo esto impresiona mucho a su familia francesa. Su tío preferido, Joinville, le escribe consternado por la sangre derramada. Ha oído hablar de innumerables ejecuciones, de cifras terribles: cuatrocientos cincuenta fusilados sólo en la ciudad de Sacatecas, ahorcados por error en Tampico, y todas esas víctimas, etiquetadas con el nombre «genérico» de bandoleros. Joinville se lamenta de que su sobrina sea, aunque indirectamente, responsable de tales horrores. Carlota no le contesta. Ella no oye los disparos de los pelotones de ejecución, no ve los cadáveres de las víctimas. Quince días después de la publicación del decreto, cuando los verdugos ya han dejado de estar inactivos, le cuenta a su hermano mayor que todo va bien. Ya no hay tensiones ni con Estados Unidos ni con el Papa, la confianza reina en el país, los pequeños partidos de la oposición han desaparecido o se han apaciguado. Por supuesto, sigue habiendo dificultades, y todavía bastante graves, pero no queda ningún germen de disolución, ningún vestigio de obstáculos, ninguna inquietud por el futuro. «La máquina funciona... Esta nación lastrada a la vez por la apatía, la demagogia y el desorden, renace poco a poco a algo parecido a la esperanza y el entusiasmo, recobra la confianza en sus fuerzas, en su indiscutible inteligencia y al mismo tiempo en su destino.»

Una vez más por amor a Maximiliano, Carlota acepta separarse de nuevo de él. En esta ocasión, sin embargo, es ella quien se va.

Hace meses, el emperador decidió ir a visitar la lejana provincia de Yucatán. Esta vez, sus consejeros protestaron contra su alejamiento de la capital a causa de la creciente inseguridad. Maximiliano había guardado silencio hasta que, en el otoño de 1865, de repente anuncia que él y Carlota partirán. Pero en esa época en que las carreteras son prácticamente inexistentes, para llegar a esa provincia hay que ir a Veracruz y desde allí dirigirse por mar hasta Mérida. ¡Ah, si Maximiliano y Carlota van a Veracruz es para huir subrepticiamente de México delante de las narices de sus súbditos y de las tropas francesas!, claman por doquier los periódicos europeos. Esta acusación gratuita desagrada tanto a Maximiliano que renuncia de inmediato al viaje. Irá Carlota sola, provista de detalladas instrucciones suyas.

Carlota sale de México en noviembre, acompañada de dos ministros, un embajador, un capellán, un médico, dos damas de honor y el fiel Éloin, que mientras tanto ha regresado de su misión en Europa. Nada más alejarse, Maximiliano se siente perdido, como en todas sus separaciones: «Queridísimo ángel, después de la despedida, tan penosa para mí, el resto del día fue sombrío y lúgubre —le escribe—. Todo me parecía tan desierto y tan triste... Vagaba por el palacio como un hombre olvidado.»

En la segunda mitad del siglo XIX Yucatán era un mundo aparte. Esa inmensa provincia ocupaba la península del sudoeste del imperio. Estaba llena de junglas frondosas habitadas por los animales más feroces, las serpientes más venenosas y los insectos más voraces. En ese clima sofocante abundaban las fiebres y las enfermedades. Los españoles de la colonia apenas habían penetrado allí, tan sólo lo justo para fundar algunas ciudades. Los escasos viajeros que la habían explorado habían hecho descripciones de ciudades muertas enterradas bajo la vegetación. Carlota, que lo había leído todo sobre México, sabía que en Yucatán habían florecido civilizaciones muy antiguas antes de desaparecer misteriosamente. La inmensa mayoría de la población era puramente india. La aventura que representaba este viaje no detuvo ni por un segundo a la emperatriz de México, sino todo lo contrario.

Y la aventura empieza nada más salir de México. En la carretera que une la capital a Veracruz, carretera que conoce bien, Carlota debe afrontar lluvias, océanos de barro en medio de los cuales los coraceros franceses de la escolta encuentran mil y una dificultades para plantar las tiendas. A las carreteras llenas de baches, se suma la inseguridad causada por bandidos de verdad, rebeldes e incluso desertores franceses que impiden circular de noche. Las ciudades por las que pasan —Puebla y Orizaba— ofrecen un recibimiento desalentador. Unos meses antes, esas mismas ciudades acogían con entusiasmo a sus soberanos. Esta vez, Carlota nota la frialdad de la población. Se le encoge el corazón, pero no dice nada. Las cartas de Maximiliano la entristecen: «Cuanto más te alejas, más te añoro y más melancólico me siento. Vago como un alma en pena por las salas vacías, y para empeorar mi depresión, el tiempo es glacial.» Aquí volvemos a encontrar al Maximiliano que necesita a Carlota hasta el punto de no poder prescindir de ella. Cuando está junto a él, la rehúye. Cuando se aleja, descubre la importancia de su presencia y el inmenso apoyo que le da. Su estado depresivo sumado al mal tiempo debilitan su salud. Por más hierro y quinina que toma, se encuentra mal, se siente solo, y su estado de ánimo melancólico, que se trasluce en la carta, actúa como una losa sobre la moral de Carlota.

La emperatriz se acerca a Veracruz, la ciudadela republicana que tan mal recuerdo le había dejado cuando desembarcara en México, y se pregunta con ansiedad qué acogida le estará reservada. En contra de lo esperado, le dispensan el recibimiento más entusiasta, prueba de que México es siempre imprevisible. Los últimos kilómetros los han recorrido en tren. Desde la estación hasta su residencia, toda la población se ha congregado para aclamarla. Pese al espantoso y sofocante calor, las damas de la ciudad se han vestido a la última moda europea para hacerle los honores. La municipalidad incluso ha hecho construir una especie de carro triunfal en el que Carlota debe dejarse arrastrar. A ella misma le asombra su popularidad. El calor aumenta, sazonado de chaparrones tropicales y de un viento de tormenta que, durante dos días, impide a Carlota embarcar para dirigirse a Yucatán, a lo que se añade una invasión de mosquitos. Ella no hace caso; es popular, sus súbditos se lo demuestran, y eso le basta y le sobra. No puede evitar contarle a Maximiliano que el ministro de Bélgica no para de decir que la presencia de la emperatriz es más valiosa que la de todo un ejército. Pero tras este acceso de vanidad, se modera: «Las aclamaciones no son por mí, sino porque soy tu mujer.»

Por fin el tiempo mejora y le permite embarcar. Una lujosa corbeta austriaca la espera. Carlota protesta: la emperatriz de México sólo puede navegar a bordo de un barco mejicano, y escoge un horrible vapor que lleva el pabellón nacional.

Ella misma redacta el relato de su viaje con la claridad y la precisión que la caracterizan. Se queda más de una semana en Mérida, la capital de Yucatán. Le gusta esa ciudad bonita y blanca, de calles trazadas regularmente, sin monumentos destacables pero dotada de un poderoso encanto. Allí no permanece ociosa. Preside bailes, banquetes, fuegos artificiales y representaciones de danzas nacionales, pero también visita la prisión, los colegios, los hospitales y la exposición de industria y agricultura. Celebra audiencias públicas, asiste a una gran recepción en la que las damas, entusiasmadas, le cubren los pies de flores, mientras los maridos gritan: «¡Viva la salvadora de Yucatán! ¡Viva la protectora de los yucatecos! ¡Viva nuestra emperatriz!»

A fuerza de mantener este ritmo, el cansancio hace mella en Carlota y le provoca una fuerte irritación de la garganta durante la noche, lo que no le impide asistir al día siguiente a la inauguración de una fábrica textil, seguida de una gran comida. Este esfuerzo agrava su estado y tiene que meterse en la cama antes de cenar. El dolor de garganta la mantiene despierta toda la noche, aunque afortunadamente sin fiebre. Al segundo día puede reanudar sus actividades. En todos los pueblos, los indios, bajo el mando de sus caciques, salen a su encuentro, y cuando cae la noche encienden unas antorchas que ofrecen un espectáculo mágico.

Después de Mérida, da un rodeo para visitar Uxmal. Tan sólo algunos arqueólogos y los indios de la vecindad conocen ese gigantesco campo de ruinas que resiste pese a siglos de invasión vegetal. Carlota es sin duda alguna la primera europea en ir. Todavía en la actualidad, es una visita que presenta cierto peligro para los novatos, debido a los escalones altísimos y muy resbaladizos, a la vegetación omnipresente y pérfida, y a los reptiles e insectos, cuya única preocupación parece morder, cuando no envenenar, al turista. En aquella época aún no se había despejado el lugar y resultaba peligroso explorarlo. Carlota no tiene miedo y parece haber olvidado el cansancio. Con una falda larga, una ligera torera sobre la camisa y un ancho sombrero de paja en la cabeza, salta de piedra en piedra y escala como una gacela las altas pirámides. Descubre con entusiasmo los grandiosos monumentos de arquitectura sofisticada y elegante decoración. Lo visita todo: la pirámide del Adivino, la casa de las Monjas, el Palomar, la casa del Gobernador, la Piedra del Castigo, y su descripción es más precisa que la de las mejores guías turísticas. Incluso dibuja un plano, todavía vigente, de las ruinas. Hace que le hablen de las costumbres de los antiguos habitantes del lugar, los mayas, nombre que en esa época todavía es prácticamente desconocido. Le describen los ritos sangrientos de su religión, los sacrificios humanos. Entonces, pese a su entusiasmo, tal vez debido al calor o a estas evocaciones siniestras, la depresión la domina por unos instantes: «Me sentí súbitamente atormentada por ideas tristes.»

Este estado, tan raro en Carlota, es el habitual en Maximiliano desde que su mujer partió: «Queridísimo ángel: Gracias mil por tus numerosos y buenos mensajes telegráficos, que me han tranquilizado enormemente. Sí, pasé unos días sumido en una espantosa angustia y una oscura melancolía... Me retiré completamente con mi melancolía a Chapultepec, a ese alto peñasco que me es tan querido, y allí, en aquella serenidad, recuperé un poco el equilibrio...»

Al día siguiente de su visita a Uxmal, Carlota se levanta antes del alba, ya que la salida ha sido fijada a las cuatro de la madrugada. Una especie de alegría ha sustituido sus tristes pensamientos de la víspera. En la localidad de Bekal, el anciano cura ha adornado su casa con una gran banderola que lleva la inscripción: «Viva el rey Leopoldo y gloria al gran monarca.» En el pueblo siguiente, lo mismo. Los indios gritan al pasar Carlota: «¡Viva el gran Leopoldo!» Carlota está profundamente emocionada por la alusión a su padre, pero se pregunta qué incita a los indios a mencionarlo. Por la noche, en la etapa de Calkiní, se reúne con una gran amiga, la bella señora Arrigunaga, hija de Gutiérrez de Estrada, uno de los primeros y más entusiastas partidarios de Maximiliano. Durante toda la velada, se siente invadida por una curiosa serenidad que se esfuerza en describir: «Sentía en el alma un gozo plácido y grave que estaba más cerca de Dios, cuando se vuelve sensible, que del mundo. Desde ese momento, no cesé de sentirme más piadosa y de tomar buenas decisiones...» A ella misma le sorprende ese estado inesperado, pero no tiene tiempo de recrearse en él, pues es preciso continuar el viaje. Se acercan a Campeche, el gran puerto comercial que antaño atraía a los piratas y sufría continuos saqueos y pillajes. Unos grupos de habitantes han salido de la ciudad para ir al encuentro de Carlota. Cada vez hay más, pero sus manifestaciones son moderadas. Era como si quisieran sorprender a Carlota con el indescriptible entusiasmo que la espera nada más llegar a las puertas de la ciudad. Toda la población se precipita hacia su coche. En un segundo, la escolta es arrastrada y los caballos desaparecen como por encanto para ser reemplazados por los habitantes. Carlota intenta protestar, quiere bajar del coche, pero la gente se lo impide. Y hace su entrada en Campeche arrastrada por la masa. Allí ocupa una gran casa, cuya sobria fachada está adornada con motivos geométricos. Pese a la altura de los techos, hace tanto calor que pasa la noche empapada en sudor, pero es preciso seguir el inexorable programa, que se repite infatigablemente. Visita a los colegios, a las instituciones benéficas, a los hospitales, a la prisión, grandes bailes, solemne misa mayor en el claroscuro de la catedral, en presencia de todas las autoridades.

Finalmente, el 16 de diciembre, tras cuatro semanas de viaje y de ceremonias celebradas a un ritmo infernal, Carlota cruza la Puerta del Mar y embarca por la noche en el pequeño puerto de Lerma, junto a Campeche.

La emperatriz podía decirse a sí misma que había cumplido su misión, pues una misión tenía, aparte de aparecer en los confines del imperio para ser aclamada. Maximiliano le había encargado a Carlota, por ejemplo, legalizar la prohibición formal de exportar antigüedades de Yucatán. En una época en que nadie se interesaba por ese tráfico, él estaba empeñado en cortar la hemorragia de obras maestras que empobrecería México hasta nuestros días.

Y otra cosa mucho más importante: Maximiliano sabía que los mayas detestaban a los mejicanos y que ese sentimiento era recíproco, como hizo constar en sus instrucciones. Le ordenó a Carlota que estableciera las bases de una autonomía de Yucatán, cosa que ella hizo muy gustosamente, ya que estaba rebosante de entusiasmo por ese país. Nada de todo lo que había visto hasta entonces en México le había inspirado tanto afecto. Esa provincia era muy distinta del resto del país, pues, de hecho, la colonización y «sus tormentos» apenas habían llegado allí. En medio de la destrucción general que reinaba por doquier a su alrededor, el pueblo había sido lo bastante fuerte para sobrevivir, con su energía, su patriotismo y su sociedad intactos, a las mayores aberraciones y las más peligrosas doctrinas. Yucatán, señalaba Carlota, no conocía ni el robo ni la guerra civil; allí todo desprendía un aire patriarcal y casi celeste en el que, bajo un cielo sin nubes, entre flores suntuosas, una vegetación exuberante y una primavera perpetua, la población se dedicaba a sus apacibles ocupaciones. Y la emperatriz también observó que en esa región eminentemente romántica abundaban los poetas. Ese paraíso que ella había descubierto en los confines del imperio encajaba en los proyectos secretos de su marido, que soñaba con hacer de México el gigante de la América central. El Yucatán autónomo se convertiría en un polo de atracción que agruparía a su alrededor a todos los países y las comarcas de la región.

Llevando más allá su visión, Maximiliano dividía el continente americano en tres grandes imperios: Estados Unidos, México y, más al sur, Brasil.

Así pues, a Carlota le ha encantado Yucatán, pero vuelve de allí exhausta. El clima tropical, que aniquila la voluntad y la energía, los platos incomibles, el programa agotador de todos esos días, las largas horas a caballo por la jungla, la incertidumbre no confesada de los recibimientos que le dispensarían en los centros urbanos y tal vez también las sombras misteriosas y amenazadoras que habitaban Uxmal la han dejado literalmente vacía. Algunos comentarios que se le escapan permiten sospechar que se halla al borde de una crisis nerviosa.

9

Maximiliano está citado con Carlota en San Martín Texmelucán, a cien kilómetros de México, y la dicha de ella por volver a verlo no tiene límites: «Max y yo estamos tan unidos en las cuestiones políticas y en todo lo demás que no hay que temer que intenten separarnos en nada, y si yo obtengo éxitos aislados, siempre se los atribuyo a él, y él se siente absolutamente orgulloso y satisfecho de ello, al igual que de lo que acaba de suceder en Yucatán», le cuenta a su querida abuela María Amelia.

El emperador y la emperatriz no regresarán enseguida a la capital. Como una pareja de enamorados, hacen novillos: «Si no estás demasiado cansada del viaje, se me ha ocurrido ir contigo a Cuernavaca, una ciudad llena de ternura para nosotros y a la que he prometido hacer una visita. Podríamos pasar allí unos días...», le había telegrafiado Maximiliano. Así pues, han dado un rodeo para adentrarse en los desfiladeros que serpentean entre las colinas boscosas.

El 3 de enero unas salvas de cañón anuncian a los habitantes de la pequeña ciudad la llegada de sus soberanos, que hacen su entrada a la una y media de la tarde. Descubren un lugar encantador, un valle «bendecido por el cielo» que les parece una copa de oro engastada en una cadena de montañas que se escalonan bajo tonalidades rosa, púrpura, violeta y azul, unas dentadas y accidentadas como torres apiladas unas encima de otras, otras elevadas y alfombradas de bosques, como las montañas de Suiza; y al fondo, las cimas nevadas de volcanes gigantescos cuyas formas se perfilan contra el azul del cielo. A lo largo del año —de hecho no hay estaciones—, en esa copa de oro crece una abundantísima vegetación tropical, se ofrecen perfumes embriagadores y frutos deliciosos. El clima es perpetuamente suave y los habitantes parecen cordiales, amables y francos.

Antes que ellos, Cortés se había enamorado de Cuernavaca, hasta el punto de construir allí un palacio. Aunque se cae un poco a trozos, Maximiliano y Carlota se instalan en él, ya que, para retenerlos, la municipalidad acaba de ponerlo a su disposición. De pronto Carlota cae enferma. Tiene migrañas, angustia, vértigo, no puede conciliar el sueño. ¿Cuál es la causa de esos males extraños que su robusta salud no conoce? «Me han envenenado», concluye. ¡Envenenado! Pero ¿quién?, ¿dónde?, ¿con qué veneno?, ¿por qué? «No lo sé; sólo sé que me han envenenado», insiste ante Maximiliano, que no puede estar más atónito.

Al cabo de unos días se manifiesta una leve mejoría. Maximiliano aprovecha la circunstancia para llevar a Carlota a pasear por los alrededores. Atraviesan los poblados indios, caminan por alamedas arenosas, entre naranjos, laureles en flor, bananos y árboles inmensos «que no tienen nombre en la lengua francesa». Rodeados de la paz de la tarde y la belleza de la naturaleza, olvidan sus preocupaciones y, alegres, con las manos entrelazadas, regresan al palacio Cortés.

El día siguiente es el día de Reyes, la Epifanía, festejada con un esplendor particular por la Iglesia mejicana. Maximiliano entra en la habitación de Carlota llorando. Incapaz de hablar, le tiende temblando un telegrama. El rey Leopoldo I ha muerto hace casi un mes en Bruselas. Carlota se arroja en brazos de su marido y, estrechándose, ambos lloran.

La noticia se extiende como un reguero de pólvora por la ciudad e inmediatamente, sin haber recibido ninguna orden, los indios desmontan los arcos de triunfo y los decorados construidos para recibir a sus soberanos. Consiguen encontrar crespón y recubren con él todo lo que pueden. Al día siguiente, Maximiliano y Carlota atraviesan la ciudad de luto, acompañados de una multitud inmensa y silenciosa, antes de dejar ese paraíso transformado en lugar de tristeza. Sumida en sus sombríos pensamientos, Carlota recuerda dos hechos extraños acaecidos durante el viaje a Yucatán: la inesperada depresión que la había invadido en las ruinas de Uxmal y, más tarde, aquella banderola fuera de lugar —«Viva el gran

Leopoldo»— que la había recibido en un pueblo indio, y aquellos indios que aclamaban a su padre el mismo día en que, a miles de kilómetros de allí, éste moría.

La pareja se dirige a Chapultepec. Espontáneamente, la capital viste de negro sus balcones. El hecho de que Carlota no haya visto a su padre desde que se trasladó a México y de saber que ya no volverá a verlo nunca hace más cruel su tristeza. En el fondo de su dolor, busca el consuelo en los testimonios universales de pesar. Lee los miles de cartas y telegramas de pésame. Uno de esos mensajes, procedente del Gran Oriente de México, atrae su atención: «El augusto padre de Vuestra Majestad quiso un día quitarse la corona real para llevar el humilde manto masón. Seis millones de masones dispersos por toda la superficie del planeta se unen en un último homenaje al ilustre hermano perdido. Los masones mejicanos ruegan al gran arquitecto del universo que vierta un bálsamo sobre el corazón dolorido de Vuestra Majestad.»

Por las cartas que recibe de Europa, Carlota se entera con detalle de cómo ha acabado la vida de su padre, de lo que puede saber y de lo que probablemente no debería saber. En los últimos tiempos, la neurastenia y la voluntad de aislamiento de Leopoldo habían empeorado hasta el punto de que ya no quería ver a ninguno de los suyos. En cambio no se negaba a recibir a la bella Arcadia, a la que seguía vinculado. Arcadia iba todos los días a Laeken desde el pequeño castillo vecino de Stuyvenberg, que Leopoldo le había comprado. Su presencia irritaba terriblemente a la corte y al personal de palacio, si bien con el tiempo se había vuelto más discreta y todas las noches dos guardias la acompañaban de vuelta a su casa.

En vista de que su estado de salud empeoraba, el rey no había tenido más remedio que abrir las puertas a su familia. De sus hijos no quería ni oír hablar, pero aceptaba ver a su nuera, María Enriqueta, la mujer del mayor. En los últimos meses había cambiado de opinión sobre ella; ya no la encontraba en absoluto inútil, al contrario, y hasta le había tomado cariño a esa mujer discreta, fuerte, que ocultaba sus cualidades y resultaba interesante cuando se la conocía. Como se había ganado la confianza de Leopoldo, la familia había aprovechado esta circunstancia para que le hiciese una sugerencia. Leopoldo, rey de un país católico, padre de príncipes católicos y viudo de la muy católica Luisa de Orleáns, iba a morir siendo protestante. Era intolerable. Por eso, invocando precisamente el nombre de Luisa de Orleáns, María Enriqueta le había sugerido con cautela a su suegro que se convirtiera *in articulo mortis*. Un atronador *nein* había puesto punto final a su tentativa.

Luego, el anciano rey había entrado en un estado de semicoma. «México, Carlota. Carlota, México», repetía. Al comenzar la agonía, las puertas de su habitación se habían abierto de par en par. Sus hijos, sus sirvientes e incluso los representantes del Estado y los ministros que habían acudido a Laeken habían entrado en la vasta estancia.

Murió pronunciando el nombre de Carlota.

Arcadia se apresuró a desaparecer y el nuevo rey, Leopoldo II, le compró el castillo de Stuyvenberg, que en lo sucesivo serviría de residencia para las reinas viudas de Bélgica. Pero Arcadia tenía más de una carta guardada en la manga. Había tenido la previsión de guardar una suma en el extranjero. Así pues, reapareció cerca de Düsseldorf, en una ciudad muy coqueta, con el título de baronesa Von Eppinghoven. En cuanto a los dos hijos que había tenido de Leopoldo, a buen seguro harían carrera en la corte de Coburgo, de donde había venido tiempo atrás el primer rey de los belgas.

Mientras Carlota llora a su padre, Maximiliano sólo recibe buenas noticias. Bazaine le jura solemnemente que está decidido a emprender una acción de envergadura a fin de acabar para siempre con la rebelión. El padre Fischer, al que había enviado a Roma para solucionar la cuestión de los bienes del clero, le asegura que el Papa mantiene hacia él una actitud muy favorable y que comprenderá. Por último, un representante enviado oficiosamente a Washington da por seguro que los nubarrones entre Estados Unidos y México se disiparán rápidamente y muy pronto no serán más que «fantasmas».

Así pues, Maximiliano considera que ya es hora de tomarse unas vacaciones, que además le sentarán muy bien a Carlota. Y ¿no es ese lugar bendito de Cuernavaca el mejor al que pueden ir? No ocuparán el palacio Cortés, que es realmente demasiado incómodo y vetusto. Han descubierto un lugar paradisiaco, el jardín Borda, llamado así por el nombre de su creador, un francés que se enriqueció con las minas. Sin darle más vueltas al asunto, Maximiliano lo compra. Carlota y él pueden explorar hasta cansarse ese lugar que aún en nuestros días conserva su poder mágico. El jardín, obra maestra de un botánico, alberga plantas procedentes de todos los continentes. Es una profusión de árboles raros e inmensos, de matorrales espinosos y de flores desconocidas en México, así como de un jardín acuático. Las escaleras y los cenadores cubiertos de flores trepadoras llevan de una fuente a otra. El agua fluye por estrechos canales y cae en grandes estanques, en cuyo extremo se alzan pabellones que ofrecen una sombra propicia. A pesar de que el jardín Borda no es excesivamente grande, Maximiliano y Carlota van de sorpresa en sorpresa por ese laberinto multicolor y fresco y les da la impresión de tener una propiedad inmensa. Tras un muro de viejas piedras, ven los campanarios de una iglesia que les servirá de capilla.

La casa es modesta, dispone de lo justo para alojarse ellos. Su séquito se amontonará en un edificio vecino con un patio encantador. En los miradores, delante de las habitaciones, hay hamacas blancas sobre las que revolotean pájaros de todos los tamaños y plumajes, cantando en los registros más diversos.

Maximiliano ha llevado de vacaciones al que ha escogido para ser su heredero, el pequeño Iturbide, y a su tía-dueña, dona Josefina. Mientras el niño corre gritando de alegría y la mujer se abanica en un gran sillón de mimbre, Maximiliano se abandona a dulces ensoñaciones inspiradas por la naturaleza hechicera. Imágenes antiguas acuden a su mente. Ve su pasado y constata que nada le haría renunciar a su situación actual. Hay dificultades, obstáculos, por supuesto, pero a él le gusta luchar. Se complace en llevar esa vida libre y sin trabas, «sin todo ese fárrago de la vieja Europa debilitada». Carlota y él se han convertido en verdaderos mejicanos. Allí, en Europa, no los comprenden, sobre todo la prensa, pero ellos, «los hijos del Nuevo Continente», no hacen caso de los rumores europeos. «¡Adelante!», exclaman, y por encima del hombro miran con compasión a la pobre Europa acartonada.

No deben creer que se abandona a la pereza, escribe el emperador a sus amigos del Viejo Continente. Al contrario, trabaja de diez a doce horas al día. Se siente más fuerte y más robusto que nunca. La barba le llega al pecho y lleva un bigote tan largo que causaría la envidia de un húngaro; en cambio, presenta una ligera calvicie. Vive felizmente con «mi querida media naranja, alegre y fresca», que comparte sus peligros y fatigas y recorre sin descanso su vasto Imperio.

Sus colaboradores también se han adaptado, de forma inesperada, a México. Maximiliano sonríe al mirar de lejos a su tesorero, el viejo Kuhacsevich, «redondo como un tonel», galopando sobre un corcel fogoso y provocando la admiración de los indígenas por su habilidad ecuestre. En cuanto a la señora Kuhacsevich, se ha convertido en una auténtica criolla, tal vez un tanto rolliza, pero «rebosante de bienestar» balanceándose en su hamaca a la sombra de los naranjos y dando con el abanico órdenes mudas a sus numerosos sirvientes.

A Cuernavaca los ha acompañado un amigo muy querido, el profesor Billimek, un entomólogo austriaco. Se pasa el día recorriendo el campo en busca de insectos y reptiles raros, que por la noche clasifica y comenta ante los soberanos, apasionados por el tema. En su compañía, no sólo Carlota, sino también Maximiliano, persiguen con alegre energía las mariposas más espléndidas que, en una extraordinaria variedad de tamaños, colores y formas, pueblan México. Carlota pasa también mucho tiempo en la rosaleda, copiada de las que ha visto en Europa.

Maximiliano y ella dan largos paseos a caballo por los alrededores de Cuernavaca. No se cansan de descubrir pueblos perdidos, pequeños valles invisibles desde lejos, haciendas opulentas o abandonadas a cuyo alrededor crecen pequeñas junglas. A veces van por separado, pues Carlota prefiere cabalgar por la mañana y Maximiliano por la noche. En una ocasión en que éste sale al anochecer, deja al caballo descender perezosamente la pendiente sobre la que se alza Cuernavaca. Atraviesa campos salpicados de cactus, que alternan con exuberantes vergeles encerrados entre muros de tierra seca. Así llega a Acapazingo, donde encuentra por casualidad una casita rodeada por un patio de juguete donde crecen, amontonadas, plantas de follaje oscuro y flores brillantes. Alrededor se alinean ordenadamente árboles frutales. Desde lo alto del tramo de escalera que conduce al patio, descubre una vista espléndida de la llanura.

Inmediatamente se enamora del lugar hasta el punto de comprar la modesta granja. Hace ejecutar rápidamente algunas obras en secreto, ya que quiere darle una sorpresa a Carlota, para quien ha comprado este refugio. Y ya le ha encontrado un nombre significativo: *La Quinta del Olvido*.

Cuernavaca no es sólo un lugar de vacaciones para la pareja, pues el trabajo los sigue a todas partes. Carlota lee muchísimo y se ocupa de las instituciones que ha creado. En cuanto a Maximiliano, gobierna con los secretarios, instalados como él en el jardín Borda, y los ministros, que van y vienen desde México. Le gusta mucho trabajar en el sitio más fresco de la casa, un mirador por donde circula el aire y donde ha instalado una pequeña mesa. Los informes y las carpetas se amontonan incluso por el suelo. Cuando levanta la vista del papel, su mirada se posa en el largo paseo que desciende entre altos árboles que forman inmensas sombrillas de flores de todos los colores. En esos momentos de descanso, cuando su atención se relaja, el murmullo del agua que fluye o el canto de los pájaros exóticos le proporcionan las más exquisitas distracciones. Allí es donde concede audiencia a sus visitantes.

Allí es también donde, una mañana de invierno, recibe a un enviado especial de Napoleón III. El barón Saillard es un hombrecillo seco, abiertamente desagradable. Parece sorprendido por esa mezcla de sencillez y exotismo que constituye el entorno de Maximiliano. Mientras avanza hacia la mesita tras la que está sentado el emperador, éste se levanta. Saillard se fija en que parece más alto de lo que es en realidad, debido a la nobleza y la majestuosidad natural de su porte. Inclina la cabeza en señal de respeto y a continuación, con un gesto tenso, le tiende al emperador de México una carta del emperador de Francia:

«Mi querido hermano: Le escribo a Vuestra Majestad no sin un sentimiento de pesar, pues me veo obligado a comunicarle la decisión que he tenido que tomar ante todas las dificultades que me produce la cuestión mejicana.

»La imposibilidad de pedir más subsidios al cuerpo legislativo para mantener el cuerpo de ejército de México, así como la de Vuestra Majestad de no poder seguir contribuyendo a ello, me obligan a fijar definitivamente un plazo para el fin de la ocupación francesa. En mi opinión, ese plazo debería ser lo más corto posible...»

El trueno rugió, el rayo cayó y la tierra tembló. Tan sólo una décima parte del país realmente pacificada, las arcas vacías y ni sombra de un ejército nacional; en tales condiciones, retirar las tropas francesas es condenar a muerte al Imperio mejicano.

Napoleón III sabía perfectamente cuáles eran las consecuencias de su decisión, pero debía pensar en la opinión de su país, cada vez más opuesta a la expedición de México y sobre todo a su coste. Pese a que su régimen siguiera siendo bastante autoritario, no era cuestión de enemistarse con el parlamento. Por otra parte, el cielo de Europa estaba ensombreciéndose. La nueva estrella de la política, Bismarck, hacía sonar acordes guerreros cada vez más estrepitosos. A modo de ensayo, ya había puesto de rodillas a la pequeña y desdichada Dinamarca y se había zampado un tercio de su territorio, y ahora dirigía la mirada hacia el Imperio austriaco. Rugía, amenazaba, sembraba la inquietud en las cancillerías y ponía frenético a Napoleón III.

Maximiliano, refugiado en su retiro florido de Cuernavaca, ignoraba que su país estuviera en peligro. Ignoraba, sobre todo, el papel de Estados Unidos en la decisión de Napoleón III. Él, que todavía creía poder entenderse con Washington, no sospechaba que en el mismo momento Seward, el inamovible secretario de Estado, ordenaba a Napoleón III retirar inmediatamente todas sus tropas de México si no quería sufrir las peores consecuencias. Sus amenazas habían bastado para que el emperador francés doblara la cerviz.

A la puñalada le sucedieron algunos paños calientes. Las tropas francesas, precisaba Napoleón III, se retirarían progresivamente, de acuerdo con un calendario que sería del agrado del emperador de México, al que le quedarían las legiones extranjeras, la austriaca y la belga. Maximiliano, sin detenerse en esas minucias, respondió en el acto, sin rebajarse a discutir o a suplicar. Nada de plazos con Napoleón III. «Os propongo, pues, con la misma cordialidad que vos, retirar inmediatamente vuestras tropas del continente americano.» Tan sólo en un punto Maximiliano se mostró intransigente: él no abandonaría México.

Para saber a qué atenerse y averiguar si realmente ya no había que esperar nada de Francia, tal vez incluso de Europa, decidió enviar de nuevo a Éloin, y para tener todos los triunfos en su mano, mandó a Loysel detrás de él.

Carlota ni siquiera tiene tiempo de digerir la escandalosa noticia de la retirada de las tropas francesas, cuando una delegación oficial belga se presenta en México. En su angustia, para ella supone un alivio ver a antiguas amistades. Maximiliano elude el compromiso con la excusa de que está enfermo y deja que su esposa reciba sola a sus compatriotas, encabezados por el barón de Huart, amigo íntimo del hermano preferido de Carlota, Felipe.

Este encuentro no aporta solamente alegrías a la emperatriz. El nuevo rey de Bélgica, Leopoldo II, nunca ha tenido afinidades con su hermana y se muestra mucho menos entusiasta que su padre en lo relativo al Imperio de México. Ante todo, considera que los voluntarios belgas no reciben buen trato. Además, hay que hablar de las cuestiones de herencia derivadas de la muerte de Leopoldo I, que el barón de Huart trata con Carlota. Y quien dice herencia dice fricciones, aunque sean amortiguadas, como corresponde a una familia real.

Los belgas sólo se quedan una semana. Cuando parten, pese a la inseguridad que reina en las carreteras, los franceses les conceden una escolta mínima. El cortejo se aleja entre el polvo, atraviesa la llanura que rodea México y no tarda en llegar a las estribaciones de la sierra en un paraje llamado Río Frío, un desfiladero rocoso que conduce a la montaña. La escolta de soldados franceses esperaba encontrar allí un destacamento de relevo, pero éste no acude a la cita y aquélla, sin esperar más, da media vuelta. La diligencia de los belgas no tiene más remedio que adentrarse sin protección en el desfiladero. Aunque la carretera es muy mala, el paisaje es tan hermoso que el barón de Huart, resignado al traqueteo, prefiere subir a la imperial y proseguir el camino sentado junto al cochero. Está admirando el salvaje decorado rocalloso cuando más arriba suenan unos disparos. Una veintena de individuos —bandidos, rebeldes, desertores, quién sabe— empiezan a disparar a quemarropa contra los belgas. Huart, alcanzado en plena frente, se desploma.

A través del telégrafo se avisa a Maximiliano, que está en Cuernavaca. Éste reúne a todos los hombres que puede encontrar, su médico personal y Bombelles entre ellos, y se dirige de inmediato al lugar de la tragedia. Sin embargo, el estado de las carreteras es tal que no llega hasta el día siguiente a las cinco, tras haber viajado toda la tarde y la noche. Al llegar, lo único que puede hacer es constatar la muerte del barón de Huart. En cuanto a perseguir a los asesinos, hay que quitárselo de la cabeza. Ya están demasiado lejos, y una persecución por esas montañas abruptas se revelaría imposible. Carlota, hundida por esta tragedia, por la muerte de un amigo, necesita unos días antes de tener valor para escribirle a su hermano Felipe: «Tengo que comunicarte una noticia muy triste, y el corazón me sangra al coger la pluma. Tu pobre Huart ya no está entre nosotros, Dios se lo ha llevado.» Carlota sabe que este asesinato va a causar una gran impresión en Europa y particularmente en Bélgica, justo en el momento en que Napoleón III se complace en repetir que es imposible establecer un imperio duradero en México, y justo en el momento en que Leopoldo II refunfuña contra el mantenimiento allí de los voluntarios belgas. Este último parece —sincera o políticamente— conmocionado por la muerte de su enviado: «La tragedia de Río Frío me ha llenado de horror. Es preciso ir a las tierras de los negros devoradores de hombres del centro de África para encontrar escenas semejantes.» Carlota siente vergüenza por México, por el imperio, por Maximiliano y por sí misma.

Con todo, hace frente a la situación, como de costumbre. Envía una carta tras otra a su hermano preferido, Felipe, a su antigua institutriz, la condesa de Hulst, a viejos amigos. A todos les repite el mismo mensaje. Tanto el gobierno francés como la prensa francesa proclaman que no existe ninguna posibilidad de que el imperio se enraíce en México para excusar lo inexcusable y justificar la retirada de sus tropas. «No escuchéis esos cuentos, esas mentiras, esas calumnias —declara Carlota—. No escuchéis a la prensa francesa, no escuchéis los rumores que se extienden por toda Europa. México va bien.»

Dirigiéndose a su hermano Felipe, Carlota se permite lanzar una diatriba contra los verdaderos responsables de la retirada de las tropas francesas y de los males del Imperio mejicano: «Los norteamericanos son enemigos de la tranquilidad de todos los países españoles desde su independencia. Merodean alrededor como el lobo que codicia su presa. Fomentan las disensiones con el pretexto de defender la libertad. La mitad de las guerras civiles no tiene otro origen, y el hecho de ver ahora que México está recuperándose y volviendo a la vida, cuando habían especulado con sus restos, provoca un fuego graneado de calumnias, de quejas, de recriminaciones...»

¿Ignora todavía que, precisamente en la misma época, en Washington, el presidente Johnson recibe espléndidamente a la señora Juárez, promocionándola durante más de una semana de banquetes y actos y colmándola de discursos republicanos? Ese mismo presidente Johnson acaba de nombrar a un antimonárquico feroz su representante oficial ante el presidente Juárez.

Pese a todo, Maximiliano está cada vez más enamorado de Cuernavaca. Los días que estaba previsto que pasara allí se amplían a una semana y luego a diez días. A veces llega a quedarse medio mes, mientras que el otro medio lo pasa en Chapultepec, pues ya se niega a residir en el excesivamente vasto e impresionante palacio de México.

En el jardín Borda, el protocolo se deja en la puerta. Hace tanto calor que, pese al duelo impuesto en la corte por la muerte del rey Leopoldo, todo el mundo, empezando por el emperador, viste de blanco. Tan sólo Carlota se obstina en vestirse de negro de la cabeza a los pies. Sin embargo, la temperatura no tarda en obligarla a ir también de blanco, si bien sigue llevando cinturones y pasamanería negra, recuerdo constante de su pena y constante reproche. Porque a su alrededor se divierten mucho. Las comidas y las cenas se prolongan. Maximiliano ha invitado a los miembros de la corte que lo han acompañado a Cuernavaca, así como a algunos austriacos, antiguos conocidos o pertenecientes a la Legión enviada por Francisco José. Hablan de mujeres, incluso delante de Carlota. Cada uno expone su opinión acerca de tal o cual belleza. Maximiliano hace comentarios de experto, pincha a los hombres refiriéndose a sus amores verdaderos o falsos. Su blanco es, en particular, el ministro don Martín Castillo, que según los rumores se ha enamorado de una belleza local.

Durante estas conversaciones un tanto ligeras, cargadas de alusiones poco delicadas, Carlota no abre la boca. Se contenta con sonreír tristemente y sólo levanta los ojos para dirigirle miradas melancólicas a su marido, detalle que no escapa a nadie y todavía menos a Blasio, el ayuda de cámara.

En ocasiones, por la noche, el alcalde da un pequeño baile al que asisten todos los habitantes del jardín Borda. Las mujeres jóvenes y las muchachas de la sociedad local se ponen vestidos claros sobre los que llevan chales de seda bordados, y en el cabello, flores preciosas de las que crecen en abundancia en sus jardines. Todas bailan a la perfección esas danzas lánguidas que se aprenden en la costa del Pacífico. Los hombres del séquito imperial se unen a ellas alegremente. Si bien Maximiliano no baila, sus ojos van de una a otra. Carlota también es testigo de esto y su tristeza se acentúa visiblemente, sobre todo porque Maximiliano aprovecha con frecuencia el baile para invitar a las mujeres más bonitas a alguna velada en el jardín Borda.

Poco a poco surgen los rumores. Blasio sorprende comentarios, frases murmuradas: parece ser que el emperador engaña a la emperatriz, se dice que el emperador tiene amantes; tal vez sólo una amante, la hija de un funcionario de Cuernavaca de origen indio; tiene diecisiete años, es encantadora; es la misma que se sospecha que ha vuelto loco al ministro don Martín Castillo, objeto de las bromas de Maximiliano.

Blasio quiere verificar estos chismes. ¿Cómo habría podido el emperador, aunque hubiese querido, engañar a la emperatriz, si Blasio se pasa el día con él? Antes del alba llama a la puerta de Maximiliano, y entre los paseos a caballo, las largas sesiones de trabajo y las comidas con la corte, no se separa de él hasta la noche. Es cierto que a partir de las ocho su servicio acaba y queda toda la velada por delante, pero la emperatriz está siempre en Cuernavaca. Por lo demás, los rumores afirman que su presencia constante en este lugar no se debe a que le guste, sino a que quiere vigilar a su marido porque se muere de celos. Pero Carlota se acuesta pronto. Después de cenar, generalmente pasa el rato leyendo y bordando con sus damas de honor, y a las diez de la noche, hora en que se retira a su habitación, su vigilancia se interrumpe. ¿Qué hace Maximiliano? Eso es lo que Blasio intenta averiguar.

El emperador ha cambiado. El clima, la comida, la atmósfera de este país magnífico y atrayente, pero desorientador e incluso desestabilizador, han actuado sobre él. Los platos demasiado especiados, que él acompaña con vino y champán en cantidades excesivas, le han destrozado el hígado. Padece casi constantemente una forma de paludismo que le hace tiritar y una disentería crónica. Él, tan cuidadoso de su persona, ya no se arregla. Pasa de la melancolía más profunda, que lo deja apático durante horas, a un optimismo exacerbado que le inspira proyectos irrealizables. Su espíritu siempre sarcástico se tiñe de amargura. El orgulloso hijo de los césares austriacos se ha convertido en la imagen de tantos europeos que este país seductor y venenoso perturba antes de transformarlos en tristes héroes de novelas grises. Imaginamos al antiguo archiduque sin afeitar, repantigado en la hamaca, con un pie arrastrando por el suelo para acompañar el balanceo, pasar el rato escuchando los gritos extraños de los pájaros exóticos y hacer que una *niña* india de largas trenzas atadas con cintas rosa le lleve un tequila.

Sin duda Maximiliano no ha llegado a ese extremo, y sin embargo... ¿No habían transformado siglos de opresión católico-española a mejicanos y sobre todo mejicanas en personas mojigatas? En Cuernavaca, alrededor de los soberanos flotaba un ambiente de libertad, incluso de permisividad, que no podía expresarse en la capital. Mientras que en el palacio imperial o en Chapultepec los representantes blancos de origen europeo formaban una barrera en torno a los soberanos, en Cuernavaca la sociedad india tenía acceso directo a ellos. Y desde hace milenios, los indios de México figuran entre los más expertos en drogas elaboradas a partir de plantas extrañas, desconocidas en Europa. Estas famosas drogas, cuyo origen se remonta a la más remota antigüedad precolombina y que tanto ponderó la literatura occidental de los años treinta, transportan a quien las consume a un paraíso llamado artificial y devuelven la potencia sexual. Los españoles de la colonia ya habían adoptado con entusiasmo estas recetas que desconocían hasta entonces y las consumían en abundancia. La alta sociedad mejicana, así como el pueblo, continuaba utilizándolas como la cosa más natural del mundo.

¿Por qué iba a ser Maximiliano una excepción? No cabe duda de que su entorno las probó. ¿Por qué no él, que tenía curiosidad por todo y se sentía tentado por todo? Resulta fácil imaginar aquellas veladas en el jardín Borda. Carlota se retira para bordar o leer con sus damas. Se quedan los hombres solos y la conversación adquiere un tono más libre y más ligero. Cada cual cuenta sus experiencias, sus aventuras, sazonadas con las fanfarronadas habituales. En la noche cálida y estrellada, Maximiliano escucha sin disimular su envidia. «¿Cómo, sire, no lo habéis probado nunca? ¡Se siente uno tan bien!» El vaso o la taza se materializan. Maximiliano, tras vacilar apenas un instante, se bebe el contenido. Inmediatamente le parece que el mundo se ha transformado: las preocupaciones se esfuman, los problemas, por graves que sean, se resuelven. Las indias de Cuernavaca ya no le intimidan. Menudas, de tez cobriza, ojos enormes y oscuros y sonrisa radiante, entran y salen con una familiaridad habitual en los Trópicos, provocan, encuentran natural hacer el amor con quien les gusta. Una u otra se cuela en la habitación de Maximiliano o lo espera en un pabellón del jardín, junto al estanque donde se refleja la luna. Gracias a ellas quedan olvidadas las inhibiciones del hombre, al que las exquisitas y enloquecedoras drogas ya han puesto en condiciones. Si éstas no le devuelven toda su potencia, al menos le dan la impresión de que sí, y eso es lo principal. Se siente macho, experimenta su potencia, su poder... hasta el día siguiente, en que habrá que emerger de los vapores de la droga. Mientras tanto, Carlota, a quien en su alucinación ve muy erguida, completamente rígida y con sus ropajes negros, ya no le impresiona. Le recuerda muchísimo a su madre, la archiduquesa Sofía. Estas dos mujeres de carácter, a las que por lo demás él adoraba, pretendían dirigirlo, gobernarlo. ¿Cuántas veces se ha dejado llevar, sobre todo por su esposa? Y los dos han pagado un precio muy alto por ello: el del deseo. Porque hace mucho tiempo que ya no siente ninguna atracción por esa mujer bellísima, seductora, pero cuya superioridad le deja helado.

La archiduquesa Sofía ha asfixiado de amor a su hijo preferido, que —se lo confesó a su futuro cuñado Leopoldo— se casa virgen. Indudablemente, él amaba y sigue amando a Carlota, no puede prescindir de ella, pero lo deja frío. Blasio ha constatado fehacientemente que duermen separados, y en una corte al acecho que detectaría en un segundo la menor desviación, no se le conoce ninguna amante. Después de años de este régimen, todo cambia a partir del momento en que empieza a pasar temporadas en Cuernavaca. Nadie habla de otra cosa que no sean las aventuras que presuntamente tiene con una o varias bellezas locales, todas ellas indias o mestizas.

Carlota lo sabe todo o, peor aún, lo siente. Maximiliano empezó por rechazarla físicamente y luego le retiró todos los poderes para relegarla a un papel secundario. Ahora ha llegado al extremo de engañarla con indígenas. Y eso cuando el rey Leopoldo, su padre, su apoyo, su consejero, la fuente de su fuerza, acaba de morir. Carlota jamás se ha sentido tan sola. Ni una palabra, ni una queja sale de sus labios apretados; al contrario, se envuelve en sus velos de luto, se encierra en una frialdad aparente y un desdén simulado. A sus parientes y allegados les escribe que le encanta la vida que lleva en Cuernavaca.

En un momento dado se le escapa esta curiosa confesión: «Sigo la política interior en los periódicos», lo que demuestra que Maximiliano ya no le comenta nada y que ha dejado de tener acceso a las informaciones confidenciales del Estado. Sabe muy bien que en el Viejo Continente afirman que se aferra por vanidad y ambición a lo que, a los ojos de los europeos, se ha convertido en el sueño imposible de un imperio. Eso es falso, protesta en una carta dirigida a la condesa de Hulst. Ella no se deja engañar por grandezas vanas.

En cuanto a la ambición, ¿acaso el hecho de que asomen unas nubes por el horizonte es motivo para apresurarse a embarcar rumbo a Europa? Sea como sea, no se echará atrás: «Poneos en mi lugar y preguntaos si la vida en Miramar es preferible a la de México. No, cien veces no. Desde luego, yo prefiero una posición que ofrece actividad y deberes, incluso dificultades, lo admito, a contemplar el mar hasta la edad de setenta años.» Ya está dicho: no renunciará.

En aquella época vivía en México un curioso sacerdote francés, el abad Domenach. Este hombre, que tenía cierta vocación literaria, también sabía observar admirablemente. Quizá incluso había confesado a la emperatriz Carlota. De cualquier modo, al pasar de capellán militar a jefe de la oficina de prensa de Maximiliano, se hallaba en un puesto que le permitía verlo y entenderlo todo. En términos alambicados, definió a Carlota: «Tal vez se sintiera atraída por una corona imperial, pero no era una necia ambición lo que la incitaba a alentar a su augusto esposo en esta aventura. La historia tiene sus reservas y sólo debe hablar de los asuntos públicos. Guardaré silencio, pues, sobre las causas reales de esa ambición legítima y de la actividad febril de una inteligencia noble y una naturaleza ardiente que necesitaba consumirse en el movimiento de una gran empresa.» Hablando claro, Carlota es desgraciada, Carlota está frustrada, y encuentra una válvula de escape única e irremplazable en su corona y las cargas que ésta lleva aparejadas. De modo que no renunciará a ella jamás. Si la perdiera, naufragaría.

Por si no tuviera bastante, otra desgracia se abate sobre ella cuando se encuentra en México. Su adorada abuela, la reina María Amelia, ha muerto, dejándole en su testamento una cantidad impresionante de joyas, cuadros y objetos de arte que a Carlota no le interesan mucho. Tiene la impresión de que su madre ha muerto por segunda vez, y en uno de los peores momentos de su vida. Reaparecen los dolores de cabeza, las postraciones, los silencios. Su estado llega a ser tan alarmante que la mandan a Cuernavaca para que esté tranquila, descanse y se recupere. De repente, Maximiliano vuelve a Chapultepec, pues los dos esposos siguen cruzándose. Encerrada en el pequeño paraíso de los jardines Borda, Carlota se concentra en futilidades: un pájaro que revolotea sobre su cabeza, un ejemplar raro de mariposa que pasa por delante de ella, una habanera, el baile nacional, cuya música aprende a tocar con una mandolina. Y al mismo tiempo, ¿qué terribles pensamientos agitan el cerebro de esta mujer tranquilamente sentada en su jardín, qué tormenta interna la sacude cuando se inclina para aspirar el perfume de una rosa de té?

A decir verdad, Cuernavaca le resulta insoportable desde que sospecha que Maximiliano le es infiel. De modo que en cuanto se encuentra mejor regresa rápidamente a la ciudad. Su coche es tirado por doce mulas blancas como la nieve con arneses azules. El cochero y los escuderos llevan uniforme bordado con incrustaciones de plata y van tocados con un gran sombrero gris. En el interior del coche se encuentra todo lo necesario para escribir y comer. A lo largo de todo el recorrido, como de costumbre, los indios de los pueblos y los campos que atraviesa el cortejo salen a su encuentro a fin de contemplar lo que para ellos es un espectáculo mágico. Carlota no los ve. Renuncia a ir a Chapultepec, su morada predilecta, para instalarse en el inmenso y viejo palacio imperial, en pleno centro de la capital.

Naturalmente, nada más haber regresado Carlota a México, Maximiliano ha partido de nuevo para Cuernavaca. «Mi más profundo agradecimiento por tu encantadora carta, que ayer me trajo alegría y consuelo —le escribe—. Lamento mucho que estés melancólica. Para remediar ese estado, generalmente causado por el estómago o el hígado, hay que pasear y trabajar mucho. Yo también echo de menos tu presencia. Esto es mucho menos alegre y agradable que las otras veces. Además, precisamente ahora tengo muchísimo trabajo...» ¿Dónde están los ardientes sentimientos que expresaba en todas y cada una de sus separaciones, la pasión que derramaba en sus cartas en cuanto se alejaba de ella? Ahora se perciben una frialdad y una indiferencia inéditas, que podrían constituir la prueba de la acción conjunta de los paraísos artificiales y las pequeñas indias. El egoísmo masculino impide a Maximiliano ver que él es el responsable de la melancolía de Carlota. No se da cuenta de que por su culpa ella ya no tiene nada que hacer. Ni consejos de ministros, ni audiencias, ni leyes, ni constituciones.

Carlota vaga, ociosa, de sala en sala, mordisqueando con furia su pañuelo y rasgando el monograma, silenciosa y atormentada. Cuando su moral está en el nivel más bajo, ni siquiera tiene el recurso de los paseos en coche descubierto por las avenidas de la ciudad, ya que se cruzaría con curiosos, la observarían. Entonces, al anochecer, baja los escalones que todavía hoy se conocen como «la escalera de la emperatriz», va al muelle que bordea uno de los canales —vestigios aztecas—, sube en una larga barca y se dirige al lago Chalco, uno de los que rodean la capital. Se aleja de la orilla, siguiendo con la mirada la leve estela dejada por la barca en las aguas serenas, y va hasta donde nadie puede seguirla, dominada por la angustia pero al menos lejos de los demás y de sus miradas. Quiere ir cada vez más lejos, hasta el punto en que la tierra se funde con la luz crepuscular.

No es ella quien rema. ¿Quién, entonces? ¿Un sirviente de palacio, un conocido, un amigo al que ha acudido para que la acompañe? Nadie lo sabe. Esos paseos son tan discretos que se hallan envueltos en un halo de misterio y siempre lo estarán.

Refugiado entre las flores y los pájaros de Cuernavaca, en los paseos por los alrededores y otros entretenimientos más secretos y pecaminosos, Maximiliano está preparado para recibir las malas noticias. Primero las que trae su amigo de la infancia, Bombelles. Maximiliano lo había enviado a Europa, a Viena, donde Bombelles, educado en la corte de Austria, conocía a todo el mundo. Maximiliano le había encargado en primer lugar tranquilizar a su familia, en particular a su madre. Los informes alarmantes sobre México y los artículos periodísticos que predecían el final del imperio asustaban, efectivamente, a la familia imperial. «Todo va bien, no os preocupéis», ése era el mensaje, que sólo creyeron a medias. En segundo lugar, Bombelles debía tantear al emperador a fin de obtener de él más ayuda militar. Puesto que los franceses se retiraban, ¿por qué no sustituirlos por austriacos? Imposible, había respondido Francisco José. La tercera misión consistía en averiguar si sería posible suavizar, si no revisar por completo, la renuncia que Maximiliano se había visto forzado a firmar. Él proclamaba con convicción que jamás dejaría México, pero de todas formas, si se diera el caso de tener que hacerlo, era plenamente consciente de que en Austria ya no sería nada. Francisco José, fiel a sí mismo, se negó incluso a estudiar la cuestión. Y Bombelles tuvo que regresar ante Maximiliano para comunicarle su triple fracaso.

A esta primera serie de contrariedades se suma el informe igualmente pesimista de Éloin. Este último se hallaba en misión oficial en Bruselas, donde esperaba que lo acogieran con los brazos abiertos. Pero el rey Leopoldo II ni siquiera aceptó recibirlo, insultando al mismo tiempo a su hermana y a Maximiliano.

El tercer mensajero, Loysel, regresa de París, donde ha visto a Napoleón III y a la emperatriz Eugenia. Ambos compadecen de todo corazón a Maximiliano y Carlota. Desean con todas sus fuerzas ayudar a sus amigos, pero el gobierno, el parlamento y la opinión pública se lo impiden. Sean cuales sean sus sentimientos, Loysel es ante todo un oficial francés. No puede, ante Maximiliano, tomar partido contra Francia.

En el estado en que lo han sumido las malas noticias, Maximiliano, decepcionado por la reserva de Loysel, sospecha que éste ha traicionado su confianza. Ante el anuncio de la retirada de las tropas francesas, la primera reacción de Maximiliano había sido tomarle la palabra a Napoleón III y hacerse el ofendido. Después, la prudencia, o quizá sus consejeros, lo convencieron de que intentara por todos los medios retrasar la marcha de las tropas. Para llevar a cabo esta misión, escogió al fiel Almonte y lo envió a París.

Con todo, Maximiliano sigue reinando, es decir, tomando decisiones. Funda un teatro nacional, reúne las colecciones arqueológicas en un museo, agrupa los retratos de los virreyes y los presidentes, sus predecesores. Amplía la Alameda, el punto de encuentro de la ciudad, planta árboles en el Zócalo y termina la gran avenida que une Chapultepec con la capital, el Paseo de la Emperatriz, abierto ya al público. En sus escasos ratos de ocio, se inclina sobre los planos de Miramar para perfeccionarlos; todos los correos con destino Europa llevan instrucciones suyas dirigidas a los arquitectos para que amueblen tal sala o a los jardineros para que cambien las flores de tal arriate. Ocuparse de su querida residencia, que en principio está destinado a no volver a ver, le proporciona una evasión saludable.

Carlota, dentro de los estrechos límites en que la encierra su esposo, se esfuerza en desarrollar alguna actividad. Se le ha encargado reunir objetos destinados a representar a México en la Exposición Universal que se celebrará al año siguiente en París. Ella elige a barullo cuadros religiosos, una colección de las leyes impresa por el Imperio, álbumes de fotografías en las que aparecen las diferentes provincias, trajes folklóricos, frutas, una maqueta de las ruinas de Uxmal que ella visitó, botellas de mezcal, café de Córdoba, tabaco de Orizaba, cigarrillos de Yucatán, las obras completas de los poetas mejicanos, muebles y estanterías de ébano *made in* México, una colección completa de las monedas con la efigie de Maximiliano, almanaques de la corte y, por último, bustos de ella y de Maximiliano tallados en mármol.

Sus respectivas actividades no unen a la pareja imperial; Maximiliano, retirado en Cuernavaca, y Carlota, enclaustrada en el palacio de México, ya no se dejan ver en público. Además, han hecho recortes draconianos en la corte para luchar contra la crisis económica. Se han acabado los grandes espectáculos en los que la monarquía desfilaba en cortejos suntuosos, las nubes de damas de honor y ayudantes de campo, los uniformes bordados. Queda la vida animada de la capital. En el teatro se representan las obras con el cartel de «localidades agotadas», todos los días hay carreras de caballos, conciertos, actuaciones de las bandas militares en la Alameda, la sociedad elegante se da cita y pasea en coche por la nueva «calzada de la emperatriz».

A los soldados no se les paga por falta de dinero y pasan hambre. Se les prohíbe salir de sus atrincheramientos y algunos desertan. En el sur, Oaxaca sigue resistiendo, pero la guarnición sufre el asedio de Porfirio Díaz, el ardoroso jefe rebelde que había perdido la ciudad contra Bazaine. En el norte, Juárez, con el apoyo de los fondos norteamericanos apenas secretos, las armas de Estados Unidos que le llegan de contrabando y los «voluntarios» enviados por Washington para dirigir sus tropas, ha reanudado brillantemente la ofensiva. Hace una entrada triunfal en la gran ciudad de Chihuahua, de donde las tropas monárquicas lo habían expulsado unos meses antes. Entre Chihuahua y México, la importante ciudad de Matamoros cae sin dificultad en manos de las tropas «disidentes». Maximiliano recibe el mismo día las dos lúgubres noticias.

Tiene tanto trabajo que se queda todo el día en México y sólo vuelve a Chapultepec para cenar. Apenas dedica tiempo a escribir a Carlota, instalada en Cuernavaca puesto que él está en México: «Queridísimo ángel: Te agradezco de todo corazón tus dos adorables cartas. Me alegro de que Cuernavaca te siente tan bien y de que te encuentres a gusto allí...» En un día ha concedido audiencia al ministro español, celebrado un consejo de ministros y elaborado una ley sobre el impuesto de las tierras no cultivadas.

Hay más noticias malas. Los «disidentes» han tomado la ciudad de Hermosillo, donde han muerto treinta y siete franceses.

Para la solemne fiesta de Corpus Christi que se acerca, se renunciará al cortejo de calle. La ceremonia se desarrollará «exclusivamente dentro del palacio, en el primer piso, en las galerías del gran patio —le escribe el emperador a Carlota—. Es la única solución y la mejor. Así no habrá que soportar el sol y el fango, y los clérigos verán que se celebra dignamente la fiesta. Tendrás, pues, la bondad de regresar a México dentro de unos días para asistir también a la procesión. Para tal ocasión, te pondrás tantas joyas como sea posible, a fin de que no se crea que las has mandado a Inglaterra...».

Después de la fiesta, Carlota se queda en México y Maximiliano se apresura a regresar a su paraíso de Cuernavaca. Allí es donde, una mañana, un ayudante de campo le tiende un gran sobre que acaba de llegar. Viene de París, y se trata del informe de Almonte sobre sus negociaciones con el gobierno francés. Maximiliano no acaba de entenderlo porque ignora que, desde Washington, Seward levanta la barrera de sus exigencias. Ha conseguido de Napoleón la evacuación de las tropas francesas de México; ahora reclama su retirada inmediata.

Una vez más, Napoleón III cede a la presión y a la amenaza subyacente. Es el momento en que Almonte llega a París. Así pues, cuando este último le suplica al emperador de Francia que retrase la evacuación de las tropas francesas, recibe por respuesta que lo que va a hacer es acelerarla. Y para acabar de arreglarlo, Napoleón III le recuerda a Almonte que el Imperio mejicano todavía le debe buena parte de los préstamos y le pide como garantía la mitad del producto de las aduanas mejicanas.

Tras leer este informe, Maximiliano se deja llevar por primera vez por el desaliento. La lasitud lo domina. Mira tristemente los árboles, las flores y las fuentes que lo rodean y a continuación dice: «No se puede hacer nada más, abdico.»

Esta declaración llega hasta México, donde se encuentra Carlota. La palabra terrible, «abdicación», en lugar de abrumarla, la galvaniza al instante. Ante la perspectiva de verse con él en Miramar, «contemplando el mar hasta los setenta años», olvida su semipostración y recupera en un instante toda su energía. Al principio, lo que aguijonea su espíritu son recuerdos de infancia.

De pequeña se había enterado por boca de sus padres de la abdicación de su abuelo Luis Felipe. Antes se había producido la de Carlos X, y antes aún varias más. Al abdicar, todos habían firmado su perdición. De modo que, instruida por su ejemplo, evitará seguirlo. Carlota encuentra argumentos, desarrolla su retórica y dirige su alegato a Maximiliano. Abdicar es pronunciar su condena, otorgarse un certificado de incapacidad. Tal cosa sólo es admisible en ancianos o débiles de espíritu, no es un acto propio de un príncipe de treinta y cuatro años rebosante de vida, con todo el porvenir por delante. Los emperadores no se rinden; un trono no se abandona, de la misma forma que uno no se va de una asamblea rodeada por un cuerpo de policía. No se abandona el puesto delante del enemigo. En la Edad Media, los reyes esperaban al menos que fueran a arrebatarles sus estados antes de ceder. La abdicación fue inventada el día en que los soberanos olvidaron saltar sobre su caballo al aparecer el peligro. De lo patético a lo ridículo no hay más que un paso. Partir como campeón de la civilización, como libertador, como regenerador, y retirarse con el pretexto de que no hay nada que civilizar, nada que liberar, nada que regenerar, sería, es preciso admitirlo, el acto más absurdo cometido bajo el sol. Si se han quedado sin crédito y sin dinero, encontrarán la manera de conseguirlos; lo esencial es vivir sin perder la fe en uno mismo. Conclusión: el mantenimiento del imperio es el único medio de salvar a México. Hay que hacer lo que sea para conservarlo porque se han comprometido a ello mediante juramento y ninguna excusa libera de la palabra jurada. El imperio no puede desaparecer.

Estas palabras actúan como latigazos en Maximiliano. Sin embargo, éste, lejos de rebelarse, pide más. Quizá en el fondo le gusten los latigazos, y Carlota no se hace de rogar. Continúa fustigándolo, de suerte que Maximiliano, como si despertara de una pesadilla, exclama: «¡No abdico! ¡Me quedo, continúo!»

Lo sorprendente es que Carlota jamás pronunció estas palabras. No vio a Maximiliano para decírselas directamente. Las escribió, y la simple lectura de ese alegato bastó para hacer cambiar de opinión a Maximiliano.

Tras pasar semanas y semanas huyendo de Carlota, Maximiliano sale de Cuernavaca en dirección a Chapultepec, donde se encuentra cara a cara con ella, que ha ido allí desde México.

Es posible que Maximiliano haya tomado una decisión valerosa, pero ¿cómo ponerla en práctica sin los franceses? Carlota se rebela, insiste: es preciso que los franceses se queden, a costa de lo que sea. Sin ellos, el imperio no se sostendrá. Entonces se lanza, toma la iniciativa; le anuncia a Maximiliano que irá a Francia a exigir que se prolongue la presencia francesa en México. Allí donde subalternos como Éloin, Loysel y Almonte han fracasado, la emperatriz triunfará. Una vez más, se convence de la omnipotencia de la razón y de la suya propia —femenina— para convencer. Tan sólo ella puede hacer comprender a Napoleón III la verdadera situación de México y la importancia de la presencia francesa.

Maximiliano acepta. Carlota irá a Francia a defender su causa. Él, que unas semanas antes le negaba todo poder a su mujer, ahora se inclina ante su iniciativa porque, decididamente, sigue subyugándolo.

La decisión de Carlota no puede permanecer en secreto y los rumores empiezan a correr: la emperatriz va a marcharse, la emperatriz no volverá jamás, el emperador se irá también, el imperio está acabado, abandonan.

Para el aniversario de Maximiliano, que es el 6 de julio, Carlota decide que el Te Deum se celebre con un brillo especial a fin de acallar los rumores. Está vistiéndose cuando le llega la noticia de que Prusia ha atacado a Austria. La guerra ha empezado.

Maximiliano, impresionado, decide no asistir al Te Deum en su honor. Carlota se ha puesto su traje de emperatriz: la larga capa roja y oro que desaprobaba su abuela María Amelia y el vestido blanco bordado. Lleva las joyas más preciosas que posee. Han pulido las corazas de plata de los guardias de palacio. Los pajes se han puesto sus rutilantes libreas y los chambelanes sus uniformes bordados. Las damas de honor, vestidas a la última moda, han sacado sus aderezos de familia. El cortejo se pone en marcha, con Carlota sola en el enorme carruaje rococó traído de Viena. El sol brilla, las banderas ondean, las bandas militares tocan el himno nacional, la multitud aclama, todo va de maravilla.

El arzobispo y sus clérigos, con ornamentos de gala, esperan ante el pórtico de la catedral. Se ha instalado un trono en el lugar habitual, detrás de un reclinatorio dorado en el que Carlota se arrodilla y comienza a rezar. Permanece largo rato con el rostro entre las manos, como si la gente y los oficiantes no estuvieran. Luego, saliendo de su meditación, recobra la compostura.

Después de la ceremonia hay prevista una recepción en el palacio imperial, como de costumbre. Carlota recibe las felicitaciones de las autoridades y pronuncia un breve discurso bien construido. A continuación, tras dirigir una profunda reverencia al público, se retira, seguida de sus damas, a un salón contiguo. Finalizado el deber, es el momento de la diversión. Las mejicanas de buena familia, vestidas de seda y cubiertas de pedrería, parlotean, van de acá para allá, revolotean alrededor de la emperatriz, resplandeciente de diamantes. De pronto, una de ellas, la señora Pacheco, se acerca al ídolo.

—¿Puedo besar a vuestra majestad? —pregunta.

Carlota, sorprendida, ofrece la mejilla. La mujer le da un beso y luego rompe a llorar.

—¿Qué le ocurre, señora Pacheco?

—Ah, señora, me pregunto si será la última vez que acompañamos a vuestra majestad.

Las demás mujeres se quedan paralizadas. Carlota las mira de una en una y detecta en su mirada la misma angustia que siente la señora Pacheco. Entonces se acerca a ellas y, en silencio, las besa a todas, una tras otra. Algunas se contienen, otras dejan correr las lágrimas. Después, Carlota, con los ojos rojos, conteniendo a duras penas el llanto, se dirige a sus aposentos privados y, tras un último saludo a la concurrencia, se retira. Una vez en su habitación, se quita la diadema, los collares, los pendientes y la capa roja y oro, y después parte en coche para Chapultepec. Allí, ni aclamaciones, ni arcos de triunfo, ni decorados, ni fuegos artificiales. Allí se encuentra en el silencio del vasto castillo, sola con Maximiliano, que está débil, abatido y febril.

Durante dos días enteros permanecen a solas con todas las puertas cerradas, sin ver prácticamente a nadie. El 8 de julio de 1866 al anochecer, mientras la señora Bazaine descansa flotando entre vigilia y sueño en su elegante residencia de México —acaba de dar a luz y no se encuentra bien—, la puerta de su dormitorio se abre de par en par y deja paso a la emperatriz Carlota: «Mañana salgo para Europa y he venido a despedirme. Ruegue a Dios por el éxito de mi misión y para que regrese pronto.» Pese a su estupor, Pepa se siente profundamente conmovida. Ve las lágrimas en los ojos de Carlota. La emperatriz se inclina y la abraza. «Yo conseguiré que el emperador conserve la corona.»

Después, Carlota regresa de inmediato a Chapultepec. Cae la noche, encienden las velas, llevan las lámparas de petróleo. Carlota y Maximiliano se encierran. Nada de sentimentalismos; la política ante todo. Hablan de las gestiones que tendrá que hacer Carlota, y ésta, esposa sumisa, escucha las instrucciones de su marido como si fueran la palabra del Evangelio. Se separan temprano.

La partida se ha fijado para las cuatro de la mañana del día siguiente, 9 de julio de 1866. En el patio del palacio se hallan congregados los que se quedan y los que van a acompañarla, entre estos últimos Bombelles, el fiel amigo de la infancia de Maximiliano, a quien éste ha encargado que vele por su esposa, dos ministros, varios miembros de la Casa de Carlota, el gran chambelán, el conde del Valle y el matrimonio Del Barrio. Carlota conoce desde hace tiempo a la señora Del Barrio, hija de Gutiérrez de Estrada, uno de los primeros adictos, y a la nieta de la condesa Lutzoff, la que inspiró la candidatura de Maximiliano. También la acompañarán los Kuhacsevich, el tesorero y su mujer. Maximiliano los describía como perfectamente adaptados a la vida mejicana. En realidad están deseando volver a Europa porque México les pesa. Están asimismo los sirvientes, el equipaje, que es cargado en los furgones, los coches, donde suben los viajeros, las mulas, que son enganchadas, y los oficiales de caballería que dirigen el destacamento encargado de escoltar a la emperatriz.

Pese a estar enfermo, Maximiliano se ha levantado y sube en el coche con Carlota para acompañarla hasta las afueras de la capital. La emperatriz contempla una vez más la magnífica vista que se extiende sobre la llanura, donde la luz del amanecer se intensifica por momentos. El cortejo llega hasta la pequeña población de Ajotlán, a la salida de México, y allí se detiene. La pareja se apea y Maximiliano abraza a Carlota. Ella mantiene el control de sí misma, pero él, debilitado por la enfermedad, rompe a llorar delante de todo el mundo. Los ayudantes de campo se precipitan hacia él, lo sujetan y lo conducen a su coche, que emprende el camino de vuelta a Chapultepec. Carlota nota que las lágrimas afloran a sus ojos, pero logra contenerlas. Se siente desvanecer, pero se domina. Haciendo acopio de valor, consigue apartar la mirada del coche donde va su marido y monta en el suyo.

La primera etapa es Río Frío, donde el desdichado barón de Huart fue asesinado. Se alojan en condiciones precarias, pero Carlota no protesta; al contrario, demuestra una calma y una serenidad que dejan asombrados a los que la acompañan. No para de pensar en Maximiliano, y le escribe no sólo para aliviar la pena causada por la separación, sino también para insuflarle su propia fuerza: «Jura que no renunciarás... Se me partiría el corazón si me enterase de que has renunciado... Afortunadamente, te conozco bastante bien para no creerlo de ti, y eso me será de gran consuelo al otro lado del océano.» Carlota intuye que su marido está desesperado. «Me resulta imposible decir cuánto me ha costado separarme de ti —le escribe él—. Saber que la compañera, la estrella de mi vida se halla tan lejos, y en un momento en que quizá toda Europa esté en llamas, es muy duro. Estos meses durante los cuales el océano nos separará serán la prueba más dura de mi vida, pero por un gran fin hay que hacer grandes sacrificios...» Para distraer a Maximiliano, Carlota le cuenta el viaje.

En Puebla, las autoridades la reciben como exige el protocolo, pero oye gritos hostiles a su paso. Esteva, el comisario imperial de la ciudad, se halla ausente. Tal vez no tiene ganas de saludar públicamente a la representante de un imperio al que le concede pocas posibilidades de sobrevivir. Lo sustituye la señora Esteva, rodeada de las damas del palacio, y tras la cena oficial Carlota expresa su deseo de visitar su casa, de la que ha oído hablar. Un modesto capricho que, exagerado y deformado, se convertirá en un acontecimiento enorme.

En Orizaba la acogida es claramente más calurosa. Centenares de jinetes salen a su encuentro. Un anciano médico al que ella había otorgado el año anterior la condecoración al mérito civil, se pone a gritar a voz en cuello: «¡Viva nuestra augusta soberana Carlotita!»

En Córdoba, el recibimiento es glacial. Según ella, el tiempo infame —lluvias torrenciales, truenos y relámpagos— y el *vómito negro* son sin duda la causa. La tormenta es tan brutal y las carreteras tan malas que el carro que transporta los baúles vuelca. Al poco se rompe un eje del coche de los gentileshombres de la emperatriz y el vehículo vuelca también. Carlota se toma la molestia de detallarle a Maximiliano las reparaciones que habría que hacer en las carreteras y, transformada en ingeniero de puentes y caminos, canta las alabanzas del macadán.

La tormenta va a más, provocando un auténtico diluvio. La noche ha caído y el carro del equipaje vuelca de nuevo. Carlota no tiene ánimos para esperar a que lo reparen, de modo que deja el equipaje en el fango y prosigue hasta Paso del Macho, donde pasa la noche.

Al día siguiente llega a Veracruz, donde es recibida por el consejo municipal y... la marina francesa. Nadie más; ni curiosos, ni aclamaciones. Carlota confiesa que la escena resulta bastante triste. Tal vez la población, mal informada, creía que se marchaba para siempre, y en tal caso Carlota comprende que haya reaccionado con frialdad. Por otra parte, el calor pegajoso no invita a salir.

Las autoridades la acompañan hasta el muelle ante el que está anclado el vapor francés *Impératrice-Eugenie* que va a llevarla a Europa. Al ver únicamente la bandera francesa izada en el palo mayor, declara que la emperatriz de México no subirá a bordo mientras la bandera mejicana no ondee en el barco destinado a trasladarla. Cuando el capitán cede a sus exigencias, entonces embarca en la chalupa, después de haberse despedido de las autoridades. «Dentro de tres meses estaré de vuelta», les promete con voz firme.

Tras ser recibida a bordo por el capitán, baja de inmediato a su camarote y se encierra. No presenciará la partida del barco ni verá desaparecer lentamente las costas de México en el horizonte. En su mente resuena la canción compuesta contra ella por sus adversarios, cuya letra irónica, cantada con la música de *La paloma*, ha pillado al vuelo en el transcurso de este penoso viaje:

Adiós mamá Carlota,
adiós mi tierno amor,
se fueron los franceses,
se va el emperador.

10

Ya hace mucho que las costas de México han desaparecido; el barco navega por alta mar. Carlota, como la mayoría de los viajeros, anota las incidencias del viaje. Camarote espacioso, cómodo, de primera calidad. La cocina, tal vez no muy imaginativa pero excelente, no da motivos de queja. Sin embargo, en el golfo de México el verano es una época de vientos violentos, incluso huracanes. El barco cabecea mucho. Carlota, que nunca ha sido muy marinera, se marea. Su camarote está situado en la popa, encima de las máquinas, cuyo olor le molesta y cuyo ruido le impide conciliar el sueño. Por otra parte, esa extensión azul e infinita alrededor del barco, sin ninguna isla en el horizonte, le causa, confiesa ella misma, cierta angustia.

Al cabo de tres días de viaje, el barco llega a Cuba, entonces colonia española, y echa el ancla delante de La Habana. Gracias a su buena vista, Carlota distingue unas encantadoras casas amarillas con persianas verdes. Observa que entre la población no parece haber individuos de sangre negra, pues sólo ve el tipo de español de los Trópicos, de tez blanca, delgado y muy alto. Inquieta al principio por el recibimiento que le espera, enseguida se tranquiliza. La fragata capitana de la flota española dispara una salva de veintiún cañonazos en su honor y las autoridades, encabezadas por el *corregidor* y el arzobispo, suben a bordo del *Impératrice-Eugenie* para rendirle honores. Carlota no bajará a tierra; se limitará a dar un largo paseo en chalupa por la bahía. El movimiento incesante de barcos grandes y pequeños sobre un fondo de vegetación exuberante la distrae, la poesía pintoresca de la vieja España se mezcla con la opulencia de riquezas seculares, bajo el hechizo de un cielo que reproduce, de un modo mucho más atrayente y en colores mucho más ricos, la belleza del Mediterráneo. En el periódico local, ve el anuncio de una subasta de esclavos. Quinientos pesos por un cocinero, doscientos por un cochero, cien por una nodriza y la mitad por un esclavo enfermo.

El barco emprende la larga travesía del Atlántico; tres semanas y media de mar ininterrumpido. Todos los días, el capitán llama a la puerta de Carlota a mediodía y le indica la posición de la nave. La emperatriz está inclinada sobre sus mapas y, antes incluso de que él abra la boca, le señala el lugar donde, según sus cálculos, debe encontrarse el barco. Para asombro del capitán, siempre acierta.

La mayor parte del tiempo permanece encerrada en su camarote reflexionando, analizando y preparando su misión, pero no vive ni mucho menos recluida. Al enterarse de que a bordo se encuentra un escultor llamado Garbeille, decide iniciarse en la escultura. Garbeille es convocado para darle clases, el camarote es transformado en taller, y Carlota aprende tan deprisa que unos días más tarde es capaz de modelar el perfil en bajorrelieve de su dama de honor, la señora Del Barrio. También sube a cubierta, pese a la angustia que le produce ver la extensión de agua infinita, y los pasajeros, que se mantienen a una distancia respetuosa, la ven bromear con Bombelles, Kuhacsevich y otros miembros de su séquito. Luego se instala en la popa y, acodada en la borda, permanece horas inmóvil, en silencio, con la mirada fija en dirección a México. Le faltan tres meses para volver y ya espera con impaciencia ese momento.

Su aniversario de boda cae durante la travesía. El 27 de julio de 1866, Maximiliano le envía desde Chapultepec su más bella declaración de amor: «En este día, aniversario de mi felicidad, no quiero dejar de escribirte, ángel mío y estrella de mi vida. A ti te debo el consuelo y las horas felices de los últimos nueve años. Todo lo bueno y lo hermoso que he experimentado me ha venido siempre de ti. Qué penoso es estar separados por la extensión del mar en este día sublime. Para mí, estos días son los más amargos de mi vida. Jamás me he sentido tan desdichado y afligido, y tan sólo mi deber y mi amor por ti, mi vida, me sostienen.»

El 8 de agosto de 1866, el *Impératrice-Eugenie* echa el ancla ante el muelle de Saint-Nazaire. Carlota observa esa ciudad totalmente nueva, florón de los astilleros del imperio. Ella, que aprecia lo pintoresco de las ciudades antiguas, no ve sino extensiones desiertas, alineamientos tristes y sin gracia de mansiones y edificios. Espera salvas de honor, la visita de las autoridades, pero, contrariamente al recibimiento que le dispensaron en La Habana, no aparece nadie. Una chalupa parte del desierto muelle. A bordo van el representante del Imperio mejicano en París, el general Almonte, y su esposa, quienes, con aire incómodo, le tienden a Carlota un ramo de rosas ya marchitas. Después de ellos, en otra chalupa, llega el alcalde, que farfulla torpemente unas palabras de bienvenida. Entrenada por su educación, Carlota le da las gracias amablemente, pero expresa su extrañeza: «¿No está el prefecto? ¿No hay tropas para rendir honores? ¿No hay recepción oficial? Pero ¿dónde se ha metido todo el mundo?» El alcalde, sin saber qué contestar, se lía cada vez más y acaba por proponer una visita a la ciudad, unos refrescos, un alto en uno de los excelentes hoteles que acaban de montar. «Quiero partir inmediatamente para París», le replica Carlota en tono seco. No hay ningún tren disponible, así que es preciso pasar la noche en Saint-Nazaire. «¿Dónde están los coches para ir al hotel?» No hay coches. Paran un simón, en el que montan Carlota y su dama de honor; el resto de la compañía las sigue a pie.

Carlota tiene la honradez de reconocer que el hotel es bastante cómodo. Aprovecha ese día perdido para telegrafiar a Napoleón III: «He llegado a Saint-Nazaire con el encargo del emperador de entrevistarme con vuestra majestad sobre diferentes asuntos relativos a México. Os ruego que ofrezcáis mis saludos a la emperatriz y creáis que me causará un gran placer ver de nuevo a Vuestras Majestades.» La respuesta del emperador de los franceses no tarda en llegar y cae como un mazazo: «Acabo de recibir el telegrama de vuestra majestad. Dado que he vuelto enfermo de Vichy y me veo obligado a guardar cama, no puedo presentarme ante Vos. Si, como supongo, vuestra majestad va primero a Bélgica, me dará tiempo de recuperarme.» En una palabra: no quiero recibiros, sobre todo ahora, así que id primero a ver a vuestra familia y ya se os avisará más adelante. La afrenta hace palidecer a Carlota. La recepción, o más bien la ausencia total de recepción, ya ha sido un insulto. Y ahora, el hombre por el que ha dejado a su marido y cruzado el Atlántico, el hombre que representa su última esperanza, la mantiene a distancia. Ya ha perdido un día en una ciudad desprovista de interés, en un hotel mediocre, sin hacer otra cosa que quemarse la sangre.

Finalmente, a guisa de bienvenida, Almonte la ha informado de que unos días antes Austria, atacada por Prusia, ha sufrido la aplastante derrota de Sadowa y, vencida y humillada, ha tenido que pedir la paz. El pensamiento de Carlota vuela hacia Maximiliano; imagina su pesadumbre cuando se entere de la noticia. Y lo que es más grave, ese relámpago en el cielo europeo no contribuirá a solucionar sus asuntos. Se da cuenta de que llega en el peor momento posible.

Toda la mañana del día siguiente transcurre en una ociosidad forzada. El sol brilla, hace calor, pero Carlota no tiene ningunas ganas de salir. Hierve por dentro. A media tarde puede por fin montar en un tren.

En unas horas llega a la estación de Montparnasse. Un puñado de mejicanos, entre ellos Gutiérrez, el yerno de la anciana Lutzoff, la espera allí, pero ni rastro de un enviado de Napoleón III, ni un solo coche de la corte. Al bajar del tren, Carlota tiene la sensación de que el suelo se abre a sus pies y se agarra a uno de los miembros del reducido comité de bienvenida: «Lléveme a su coche.» Como no ha recibido ninguna invitación, no se alojará en el palacio, como ella esperaba, como el protocolo imponía, como la amistad exigía. Los mejicanos le han reservado unas habitaciones en el Gran Hotel. Carlota, tan sensible a los detalles protocolarios, se siente herida en lo más profundo por el trato que se le dispensa, a ella, una soberana en ejercicio, un trato indigno que duplica la humillación de su posición de pedigüeña y la inquieta profundamente acerca del éxito de su gestión.

El coche aminora la marcha en el boulevard des Capucines, cruza el gran porche con tres arcadas y entra en el patio principal del Gran Hotel, cubierto por una vasta cristalera. Carlota desciende en medio del barullo cotidiano de coches, viajeros, equipajes y porteadores. Pálida, con los labios apretados, silenciosa, apenas responde al solícito saludo del director, que la conduce a la suite que le han reservado.

La emperatriz entra en su habitación. Unas camas gemelas bajo un baldaquino, cortinas rojas, una chimenea de mármol, el inevitable espejo... aquello está muy lejos del lujo de las Tullerías. Desde la ventana puede ver los nuevos barrios en construcción alrededor del boulevard des Capucines, en particular el inmenso edificio que será la nueva Ópera de París.

No tarda en presentarse, enrojecido y confuso, el general Genlis, ayudante de campo de Napoleón III. Se le había encargado recibir a Carlota en la estación con los coches de la corte. Pero se había equivocado y esperaba a la emperatriz en la estación de Orleáns. Carlota se tranquiliza un poco. Genlis le transmite un mensaje de Eugenia: «¿A qué hora tendrá a bien vuestra majestad recibir mañana a su majestad?» «A la hora que desee.» Y, deshaciéndose de nuevo en excusas, Genlis se retira. La prueba ha afectado a Carlota, que pide un té y luego se va a la cama.

A la mañana siguiente permanece en sus aposentos. ¿Adónde va a ir en esa ciudad que tan mala acogida le dispensa, en ese París que conoce desde la infancia y que tiene la sensación de que se ha convertido en un lugar hostil?

Aún no han dado las dos cuando desciende a la planta baja. Desde el último peldaño de la escalera oye el ruido de los coches, percibe el barullo que se organiza en la calle al acercarse el cortejo imperial. Al ver entrar a Eugenia, se dirige a su encuentro. Las dos «hermanas» se abrazan. Carlota saluda al séquito de Eugenia y ésta saluda al séquito de Carlota. Reverencia de las mejicanas a la emperatriz de Francia; reverencia de las francesas a la emperatriz de México.

Suben al piso superior y entran en un saloncito, una estancia decorada en blanco y oro, con chimenea de mármol color sangre de toro y, sobre ella, un recargado reloj entre dos jarrones de porcelana. Hay unos grandes y cómodos sillones tapizados en cachemira de imitación. Las dos emperatrices intercambian cumplidos bajo la araña de cristal. Mientras comentan las novedades, se observan.

Carlota advierte que la emperatriz ha perdido algo de su juventud y, aparentemente, de su energía. Ya no posee aquella animación y aquella gracia aérea que la caracterizaban. Tan elegante como siempre con su vestido de Worth, está... ¿cómo decirlo?... está mayor, y Carlota no puede evitar pensar que «en Francia el trono envejece deprisa a quienes lo ocupan». Eugenia se fija en la ropa descolorida y polvorienta de Carlota y en su palidez, su aire crispado, la mirada brillante de sus ojos oscuros, su mandíbula cuadrada que expresa determinación, sus gestos bruscos.

Abruma a Carlota haciéndole todo tipo de preguntas sobre México, como una amiga interrogaría a otra que ha regresado de un viaje turístico. Carlota responde con educación, pero cada vez más concisamente. Por fin abordan la cuestión política. Carlota hace una exposición brillante de la situación del imperio y de la necesidad de la ayuda francesa. En respuesta, Eugenia no puede sino formular con vacilación comentarios banales, deshilvanados, que demuestran su ignorancia total del tema. «Palabra de honor que sabe más de China que de nuestro país —se dice Carlota—, siendo como es éste la mayor empresa del reinado de Napoleón III.» Pero eso no la desanima. Recupera el hilo de su argumentación, que ha plasmado por escrito, y acaba entregándole un voluminoso memorándum con el encargo de que se lo dé a su marido.

Eugenia charla por los codos de todo lo que se le ocurre, con el deseo de evitar a toda costa la pregunta que a Carlota le quema los labios hasta el punto de que acaba por soltarla:

—¿Cuándo podré devolver la visita que vuestra majestad me ha hecho hoy?

—Pasado mañana, si le parece bien a vuestra majestad.

—Y al emperador, ¿no podría verlo también?

—El emperador se encuentra muy mal.

—Pasado mañana es domingo, deseo verlo mañana mismo... si no, irrumpiré en Saint-Cloud.

Por miedo a Carlota y tal vez también porque siente remordimientos del trato que se le está dispensando, Eugenia se inclina. Hasta mañana, pues.

Toda la velada y toda la mañana del día siguiente, 11 de agosto de 1866, Carlota las pasa releyendo las instrucciones de Maximiliano, memorizando los datos, las cifras, las estadísticas, ordenando su alegato. Sabe que de la inminente entrevista depende la suerte del imperio, la de Maximiliano y la suya propia. ¿Cederá Napoleón III? Ni siquiera se hace la pregunta. Inclinada sobre su tarea, hará lo que debe hacer; el resto está en manos de Dios.

Se viste; elige un vestido negro que, pese a haber sido planchado, todavía lleva las marcas de un mes de viaje por mar. Ha enviado a la señora Del Barrio a comprarle un sombrero blanco en una de las tiendas de la calle Saint-Honoré. Mucho antes de la hora ya está a punto, y no para de andar arriba y abajo, impaciente, y de acercarse a la ventana para ver si llegan los coches a buscarla.

A las doce en punto del mediodía, las berlinas de la corte se detienen ante el hotel. Carlota sube, acompañada de las damas de su séquito. Enterados por la prensa de la llegada de la emperatriz, los curiosos la reconocen al pasar el cortejo y le aplauden. Pese a estar sumida en sus pensamientos, la fuerza de la costumbre le hace responder cortésmente a este homenaje. Atraviesan el Bois de Boulogne, cruzan el puente y entran en el magnífico parque de Saint-Cloud. En lo alto de la cuesta, las berlinas entran en el patio del vasto palacio construido por los antepasados de Carlota, los Orleáns, un palacio tan espléndido que hasta había provocado los celos de Luis XIV. Los soldados se ponen firmes, los tambores redoblan, las trompetas resuenan, los oficiales inclinan el sable, toda la corte está reunida para recibir a la emperatriz de México. Entonces, por primera vez desde su llegada a París, Carlota se encuentra de verdad en su elemento, la pompa monárquica. El sol de agosto realza los dorados de los uniformes, los colores de los vestidos, las plumas, los diamantes. Entre los cortesanos, una lengua viperina redomada, Prosper Mérimée, señala que las damas de honor de Carlota, de las que se creía que eran lánguidas bellezas, tenían de hecho la piel atezada y parecían orangutanes. En cambio, refiriéndose a Carlota hace este comentario que, en su boca, es un cumplido: «Es toda una mujer y se parece a Luis Felipe como una gota de agua a otra.»

El joven príncipe imperial, al que Carlota vio dos años antes, cuando fue a saludar a sus padres, la ayuda a bajar del coche. Lleva la condecoración mejicana que le envió Maximiliano. Eugenia, que esperaba en la escalera, se precipita hacia Carlota y la abraza. Luego la conduce al gabinete de trabajo de Napoleón III. Éste recibe a la emperatriz con su legendaria corrección, así como con una especie de ternura y con la admiración que este hombre mujeriego siente por una representante tan bella del sexo femenino. Mientras intercambian algunas fórmulas de cortesía, Carlota mira alrededor, impresionada por la austeridad de la estancia; sólo hay mapas, archivadores y carpetas, muchas carpetas apiladas sobre diferentes mesas, además de un gran retrato de Eugenia y otro más pequeño del príncipe imperial. Pero Carlota se fija más en Napoleón III. Ha cambiado tanto en dos años que apenas lo reconoce. Las piedras que tiene en la vesícula le producen constantes dolores y lo debilitan, y las curas —acaba de volver de un balneario— no sirven de nada. Ya no consigue engañar a nadie.

Además, las preocupaciones lo abruman. La victoria de Prusia sobre Austria le ha demostrado que cometió un error dejándole las manos libres a Bismarck. ¿Quién será su próxima víctima? Tal vez Francia. Y por último, la presiones norteamericanas en el asunto de México se acentúan. Para el representante de Washington en París, Carlota ya no es emperatriz de México.

Ésta ya ha comenzado su alegato, siguiendo, argumento tras argumento, las instrucciones de Maximiliano. «Vosotros, los franceses, decís que hemos fracasado en México y que no vale la pena continuar. Ante todo, no hemos fracasado. Hay dificultades, por supuesto, pero las superaremos con vuestra ayuda. Sin embargo, si se está tardando en alcanzar el éxito no es por culpa nuestra, sino vuestra, de los franceses.» Y a continuación encadena con una acusación despiadada contra el comandante en jefe francés. En tres años de guerra, y tras haber gastado sumas astronómicas, Bazaine no ha conseguido ni someter a la mayoría del país ni ayudar al imperio a crear su propio ejército, destinado a reemplazar un día al francés. El Imperio mejicano es un proyecto y un deseo de Napoleón III. Abandonarlo significa poner en peligro su propia dinastía...

Napoleón III no responde. Carlota se asusta al verlo descomponerse en su presencia. Le tiemblan las manos, inclina la cabeza, parece infinitamente cansado, enfermo. Unas lágrimas resbalan por sus mejillas. Incapaz de hablar, se siente totalmente perdido y no hace más que levantar los ojos hacia Eugenia como si buscara ayuda, como si esperase que ella le susurrara una respuesta. Finalmente se rehace y murmura que si sólo dependiera de él haría algo, pero que la decisión no le corresponde. Carlota estalla: «¿Cómo? ¿Un soberano que reina sobre treinta millones de almas, que posee la hegemonía en Europa, que dispone de capitales ilimitados, que goza de un gran crédito en todo el mundo, con ejércitos victoriosos y siempre a punto, ese soberano no puede hacer nada por el Imperio de México, donde Francia y él mismo tienen tantos intereses que proteger?»

Todavía tiene muchas cosas que decir, pero es súbitamente interrumpida. Un lacayo con librea imperial verde y oro entra en la habitación con un vaso que contiene un refresco sobre una bandeja de plata. Eugenia, sorprendida también por esta interrupción, no sabe qué hacer con el vaso y finalmente se lo tiende a Carlota. Ésta, concentrada en su argumentación, hace un gesto de rechazo, pero inmediatamente los reflejos de la cortesía se imponen en ella y coge el vaso de las manos de Eugenia. Tras beberse el contenido, lo deja sobre la bandeja de plata y el lacayo desaparece. Este minúsculo incidente se convertirá en un elemento clave de la novela que se tejerá en torno a Carlota. Ésta, distraída por la interrupción, se queda unos instantes en silencio. Intenta recordar dónde se había quedado y prosigue con la misma firmeza. Sus argumentos están tan bien estructurados, su demostración tan bien documentada y su mente tan bien engrasada que Napoleón, reducido a la impotencia, se sale por la tangente. Le promete a Carlota que hablará de nuevo con sus ministros antes de darle una respuesta definitiva. Está verdusco, apenas se sostiene en pie, parece a punto de desmayarse. Eugenia lleva a Carlota al salón contiguo, donde esperan damas de honor y chambelanes. «Por supuesto, vuestra majestad se quedará a comer.» No, Carlota no se quedará a comer. Aun exponiéndose a contrariar a Eugenia, dice que desea regresar inmediatamente al hotel. El problema es que ya habían preparado la comida y dado las órdenes oportunas. Cocheros y postillones han ido a dar un bocado, de modo que es preciso esperar a que los localicen y enganchen de nuevo los coches.

Los minutos pasan, se acumulan, parecen siglos. Damas de honor y chambelanes se pegan a las paredes esperando desaparecer tras ellas. Carlota, con una expresión terrible en el rostro, camina arriba y abajo por el salón en silencio, rasgando su pañuelo bordado. Sufre como jamás ha sufrido. Después de semejante decepción sólo desea una cosa: volver a sus aposentos, encerrarse, estar sola, dejar de ver esas caras vueltas hacia ella, no cruzarse con esas miradas. Pero hay que esperar, hay que seguir esperando.

Finalmente anuncian que los coches están dispuestos y, para alivio general, se despiden. Carlota no llega a sus habitaciones hasta última hora de la tarde. Se quita las horquillas del pelo y el sombrero, cierra la puerta con llave y se deja caer en un sillón. Apenas se fija en la luz dorada del atardecer que entra a raudales. Medita, rememora y analiza las palabras, las miradas y las expresiones de Napoleón III para adivinar qué va a hacer. Está cansada, infinitamente cansada.

Para desembarazarse de Carlota, Napoleón III ha acabado por aconsejarle que se reúna con sus ministros a fin de convencerlos personalmente. Ella, encantada, le ha tomado la palabra. Al día siguiente recibe a los responsables en cuestión: Drouyn de Lhuys, el mariscal Randon y, sobre todo, Achille Fould, uno de los grandes promotores (y beneficiarios) de la aventura mejicana; ve incluso al embajador de Austria, el amigo íntimo de Napoleón y Eugenia, el príncipe Metternich, hijo del ilustrísimo canciller. Los ministros se revelan mucho más duros que su señor. No hay en ellos la menor piedad. Sin embargo, esta mujer es tan inteligente y persuasiva que por un instante se dejan arrastrar por su alegato. Éloin está deslumbrado, el buen Éloin, el fiel Éloin, que ha llegado a París siguiendo los pasos de su emperatriz. En un informe entusiasta que le envía a Maximiliano, describe el talento, la «virilidad» con que Carlota realiza una tarea tan ingrata, hasta el punto de que los menos dispuestos a ayudar al Imperio mejicano prestan oídos a su pesar a sus palabras. Éloin, que ha ido para ofrecerle su ayuda y sus consejos, constata que no los necesita y que es mucho mejor dejar que actúen su fe, su apasionamiento y esa lucidez mental que le dan tanta fuerza.

El 13 de agosto, dos días después de la primera entrevista con Napoleón III, Carlota vuelve a Saint-Cloud. Esta vez, el ceremonial de acogida es reducido. Carlota no tiene intención de enarbolar estadísticas, análisis o planes; posee un arma mucho más terrible: el recuerdo, es decir, la cartas de Napoleón III al archiduque Maximiliano cuando se proyectaba fundar el Imperio mejicano. «Podéis estar seguro de que no os faltará mi apoyo para cumplir vuestra tarea.» Hay páginas y páginas escritas en ese tono. Por no hablar de esta amonestación cuando Maximiliano contemplaba la posibilidad de renunciar: «¿Qué pensaríais de mí si, estando vuestra alteza imperial ya en México, os dijera de repente que no puedo mantener las condiciones que he firmado?» Para acabar, cita de memoria los artículos del Tratado de Miramar que garantizan el mantenimiento de la Legión Extranjera en México durante al menos seis años. Por toda respuesta, Napoleón III y Eugenia lloran todavía más que la primera vez. «Se han hecho viejos», piensa Carlota mirando a la pareja encogida, llorosa, y encontrándola ridícula y pueril.

Napoleón III, acorralado, se decide a confesar la verdad, que tal vez por orgullo le había ocultado hasta entonces: Estados Unidos le presiona, Estados Unidos le amenaza. No puede hacer nada más por México porque Washington se lo impide. Carlota se encoge de hombros. Con o sin Estados Unidos, Napoleón III adquirió un compromiso con el Imperio mejicano, y abandonarlo ahora no haría sino comprometerle más. Napoleón III agacha la cabeza y masculla que Carlota no debe esperar nada más de él. Antes de que ella pueda contestar, Eugenia la saca a toda prisa del gabinete de su marido.

Precisamente el ministro Achille Fould espera en el despacho de Eugenia; estará encantado de hablar con la emperatriz de México. Carlota, consciente de que ha asestado todos los golpes posibles, acepta el debate.

Con Achille Fould no salen a relucir los recuerdos, se habla de dinero. Él exige la devolución del préstamo. Carlota replica que sería instructivo determinar la diferencia entre la suma prestada y la percibida realmente por México. Tal vez descubrirían que gran parte de los tan cacareados millones desapareció misteriosamente por el camino, probablemente antes incluso de salir de Francia. Y se separan sin haber avanzado, pero sin haber retrocedido tampoco ni un paso.

Analizando los hechos, Carlota llega a la conclusión de que se enfrenta a mucha mala voluntad. Pero, aunque lo que ella llama las «altas esferas» han abandonado al Imperio mejicano, está convencida de que podrían producirse sorpresas y cambios. Presiente en la opinión pública una especie de interés por la causa mejicana, pues cada vez que sale a la calle la aplaude más gente, y lo mismo ocurre entre las personalidades a las que ha tratado de interesar en la economía de México, y también con Napoleón III y Eugenia, pese a su estado de debilidad.

Así pues, durante los días siguientes Carlota insiste en recibir, informarse e informar. Nada de actividades mundanas, nada de teatro y exposiciones, nada de tiendas. París no es un pretexto para la frivolidad, sino un terreno de trabajo y de lucha. Entre sus interlocutores hay una visitante a la que habría renunciado gustosa a recibir, pero a quien su entorno le ha aconsejado que ponga buena cara. Se trata de doña Alicia Iturbide, la madre del pequeño Agustín, el niño adoptado por Maximiliano. Carlota se pone su máscara más altiva para recibirla. De pie, muy erguida, majestuosa, en el centro de su pequeña sala de recepción, mira a la encantadora americana y no hace ni un solo gesto de bienvenida. Alicia, de todas formas, no parece intimidada. Esboza una reverencia y a continuación va directa al grano: «Devolvedme a mi hijo.» Carlota contesta con una mueca de desdén: se le devolverá a su hijo, de acuerdo, pero que ella devuelva el dinero que se le pagó por él. Doña Alicia se estremece. No es lo que ella esperaba oír. Cuando evoca la crueldad de su separación forzada de su hijo, Carlota se encoge de hombros. Su hijo no es tan desgraciado, lo han convertido en un príncipe, su madre debería alegrarse de esa promoción. ¡Qué ocurrencia! «Mi hijo es nieto de emperador, nació príncipe aun cuando no ostentara el título.» Desconcertada por el descaro de la americana, Carlota sube el tono: «¿Qué beneficio me reporta su hijo? El emperador y yo somos jóvenes, podemos tener hijos propios.» Una frase capital. ¿Es sincera Carlota —lo que supondría que sus relaciones con Maximiliano permiten albergar alguna esperanza— o ha querido, en el calor de la discusión, tirarse un farol ante la exasperante doña Alicia? Ésta, con todo, no cede, así que para desembarazarse de ella le aconseja que escriba directamente a Maximiliano. «Ya lo he hecho veinte veces —replica la americana— y nunca me ha contestado.» «Pues insista», dice Carlota e, inclinando con un gesto seco la cabeza, da a entender que la audiencia ha terminado. Doña Alicia hace una reverencia apresurada y, furiosa, se retira.

Tras este intermedio, el flujo de visitantes políticos se reanuda. Carlota recibe a Rouher, el todopoderoso ministro apodado el Vicemperador. Éste repite el argumento de Fould: primero, devolved el dinero. Carlota le da a entender que está cansada de perder el tiempo en París. Napoleón III no está demostrando ser muy cortés; ella lo ha visitado dos veces sin que él se digne aparecer siquiera en el Gran Hotel. De una u otra forma, es preciso poner fin a esta situación.

Es exactamente lo mismo que opinan Napoleón III y Eugenia. No es posible seguir teniendo en Francia a esa emperatriz que se niega a ceder y que es al mismo tiempo un reproche vivo. Por consiguiente, Napoleón III devolverá la visita protocolaria que Carlota espera en el Gran Hotel.

El 19 de agosto de 1866 los gendarmes se han situado en el boulevard des Capucines. Carlota, en el límite del nerviosismo y la ansiedad, espera en el patio principal del Gran Hotel. El estruendo producido por un gran número de cascos de caballo y de ruedas de coche le anuncia la llegada del cortejo. Los lacayos abren las puertas, los ayudantes de campo se precipitan, Napoleón III entra en el hotel. Va vestido de civil, con redingote negro y pantalón gris. Es más bien bajo y rechoncho, y ya tiene el cabello, el bigote y la corta barba canosos. No camina con el paso vivo de antaño, sino que se acerca lentamente a la mujer alta que lo espera, erguida e inmóvil. Al saludarla, el emperador la envuelve en una mirada a la vez provocadora y admirativa, pero Carlota no hace ni caso de los intentos de seducción de ese donjuán achacoso. Lo conduce inmediatamente al saloncito de su suite reservado a las audiencias muy privadas y enseguida comienza la discusión. Una vez más, Napoleón III declara la imposibilidad de actuar en contra de la opinión pública y del parlamento. Eso no es problema, replica Carlota, se disuelven las cámaras y se celebran elecciones, unas elecciones que quizá podrían orientarse «en la dirección correcta». Después de todo, Napoleón III es un experto en golpes de Estado, ¿no? Porque, ¿cómo si no llegó él al poder? A no ser que el aventurero de diciembre de 1852 no tenga ya nada que ver con el emperador actual, viejo, enfermo y agotado. Este recordatorio de sus buenos días pasados lo irrita lo suficiente para que se atreva a formular lo que ha ido a decir, que Francia no seguirá ayudando a México. Carlota cae bruscamente en la desesperación. «No nos queda otra salida que abdicar», murmura. Frente a ella, el hombre responsable hasta hace poco de su existencia la abandona a su suerte. Ese hombre está tan cansado de todo, empezando por México y por Carlota, que asiente: «Abdicad, entonces.» Y, negándose a prolongar más la escena, se apresura a marcharse.

El abatimiento crónico no forma parte del carácter de Carlota, que se rehace con una gran rapidez. Odia a Napoleón III y desahoga su cólera en su informe a Maximiliano: «Tengo la satisfacción de haber refutado todos los argumentos, de haber echado por tierra todas las falsas excusas y de haberte proporcionado con ello un triunfo moral, pero, pura y simplemente, Napoleón III no quiere, y la violencia no es de ninguna ayuda porque él tiene al infierno consigo y yo no... Desea cometer una mala acción preparada de antemano, pero no por cobardía, falta de ánimo o cualquier otra razón, sino porque representa el principio del mal en el mundo... Puedes estar seguro, yo lo tengo por el mismísimo diablo. Durante nuestra última entrevista, ayer, tenía una expresión tan horrible, y el pelo de punta, que resultaba repugnante... De principio a fin, nunca te ha tenido afecto. Te ha hipnotizado como una serpiente, sus lágrimas eran tan falsas como sus palabras. Todos sus actos son imposturas... Quizá te parezca que exagero, pero esto me recuerda al Apocalipsis... Ver al diablo tan de cerca podría inducir a más de un ateo a creer en Dios. Bazaine está loco... Son satélites y tienen a su vez otros satélites... No debes creer que he mendigado ante esta gente; me he limitado a zarandearlos con rudeza. Les he arrancado la máscara, y lo he hecho sin faltar a la cortesía. Claro que no les había ocurrido nada tan desagradable en toda su vida... Es preciso que expulses o domines a los agentes financieros de Napoleón y que retires los asuntos militares de manos de los franceses, si no, estás perdido...» La mujer escarnecida se consuela diciéndose que, a pesar de todo, «les» ha hecho temblar. La princesa orgullosa se convence de que había que ser el diablo para haber podido resistírsele.

Pero, una vez ha desahogado su ira ciega, Carlota vuelve a ser la mujer realista de siempre para telegrafiar a Maximiliano la conclusión de sus largas y penosas jornadas de negociación, una sola frase en español: «Todo es inútil.»

¿Qué hacer ahora?, se pregunta la emperatriz. En primer lugar, irse de París lo antes posible. Ya no lo soporta. Pero ¿adónde puede ir? ¿A Austria, como algunos la empujan a hacer? Tal vez la familia de Maximiliano podría prestarles la ayuda que les ha negado su antiguo amigo Napoleón III. Ni hablar, responde Carlota a sus consejeros. Austria acaba de salir de una guerra desastrosa que la ha arruinado, allí está todo patas arriba. La familia imperial nunca le ha tenido mucho cariño, y a Maximiliano tampoco, sobre todo Francisco José, que ha demostrado ampliamente su indiferencia y su dureza de corazón hacia su hermano. No será él quien acuda en su ayuda.

¿Bélgica, entonces? Después de todo, es su propia familia, es su país. Además, Felipe, su hermano, está sorprendido de que haya ido primero allí y dice que se siente ofendido por esa indiferencia. Es muy difícil, le replica Carlota, elaborar un calendario que sea del gusto de todos, y no va a ir a Bruselas para encontrar el nido vacío. Por otra parte, Felipe la insta a ir, pero Leopoldo no le ha enviado ninguna invitación.

De todas formas, debe respetar una prioridad que se llama Roma. Desde su llegada a Saint-Nazaire, Carlota se había hecho el propósito de ir a ver al Papa cuando se marchara de París. La segunda parte de su misión consistía en negociar con el Vaticano el concordato que traería la paz con el clero y los conservadores mejicanos, imperativo mucho más importante después del fracaso de sus negociaciones con Napoleón III. Necesita obtener a toda costa la bendición del Santo Padre y, a través de él, la adhesión de una gran parte del pueblo mejicano. Además, el Papa, con su autoridad moral, tal vez consiga convencer a Napoleón III de que preste su ayuda militar y financiera. Claro que una visita a la Santa Sede no se concierta en veinticuatro horas, de modo que, mientras tanto, escoge ir al único lugar tranquilo que se le ocurre: Miramar.

Carlota sale de París el 23 de agosto de 1866. Napoleón III, tras haberle negado todo, ha puesto a su disposición un tren especial. A bordo de él, Carlota recorre la Borgoña y el Lyonesado, cruza los Alpes, atraviesa Turín y Milán y se detiene en el lago Como, donde se toma unos días de descanso, instalándose en la hermosa villa que tiene en éste un tío de Maximiliano, el archiduque Rainiero. Allí todo propicia la relajación: un tiempo radiante, la vista de los Alpes incendiados por el sol, las lujosas residencias cuyos jardines descienden en cascada hasta las aguas claras del lago, la población amable, los hermosos cantos que se escuchan en el pueblo vecino. Este sitio le encanta a Maximiliano, en quien Carlota piensa constantemente. Han tenido la delicadeza de colgar en su habitación un retrato de su marido, de la época en que era virrey de Lombardía-Venecia. Allí, todo le habla a Carlota de paz y de amor. ¿Por qué tantas dificultades y amenazas fuera? ¿Por qué la soledad tan lejos de su bienamado?

Tras este alto, el tren parte de nuevo bordeando el lago de Garda, que forma la frontera con el Imperio austriaco. Disparan salvas de honor y unos oficiales austriacos enviados por el emperador van a saludar a su cuñada. Coinciden en el tren con unos oficiales italianos que ha enviado el rey de Italia; los dos grupos confraternizan, a pesar de que dos de ellos, antiguos garibaldinos, fueron heridos en la guerra contra Austria. Carlota es recibida en todas partes con todos los honores. Si bien Napoleón III, su «hermano», la ha recibido como si fuera una intrusa, Víctor Manuel y los garibaldinos, sus antiguos enemigos, la tratan como una soberana y una amiga. El rey de Italia se ha desplazado personalmente para ir a saludarla a la estación de Padua. Los miembros de la realeza europea se burlan de ese soldadote barbudo y un tanto ridículo, cuyas aventuras amorosas siempre han sido la comidilla de la prensa y cuyos gestos y lenguaje licenciosos arrancan gritos de horror. Sin embargo, a Carlota le causa una impresión favorable. Aunque pone los ojos en blanco, como de costumbre —lo que hace reír a Carlota y a Europa entera—, le manifiesta una cordialidad y una bondad que la conmueven profundamente. Sobre todo, le expresa su profundo afecto por Maximiliano y por sus ideales.

Tras esta entrevista revitalizadora, el tren deja atrás Mestre y Venecia y no tarda en detenerse en la pequeña estación privada de Miramar.

Carlota llega con alivio a su casa, su refugio. Por fin se acaban los intrusos, las humillaciones. El sol brilla, el mar parece de oro, el intenso calor se ve atenuado por un ligero viento del norte. El jardín es un estallido de flores. Los árboles han crecido mucho en dos años. La casa también es más grande. El primer piso ya está terminado, y sus salas, profusamente decoradas con alusiones a la gloria del Imperio de México.

Carlota, replegada en sí misma, no quiere ver a nadie. Come a solas con la señora Del Barrio en el comedor de la planta baja, cuyas ventanas dan al Adriático. Sólo acepta que le sirva su doncella, Mathilde Doblinger. Probablemente ya formaba parte del servicio en México, pero en cualquier caso Carlota nunca le había prestado atención. Ahora, la única presencia que soporta la emperatriz es la de esta alemana precisa, silenciosa y eficaz, que le inspira confianza.

La joven piensa en Europa, ese «viejo mundo repugnante y deprimente», y en particular en el Imperio austriaco, del que Max se sentía tan orgulloso. ¿En qué se ha convertido después de Sadowa? En una potencia de segundo orden. Afortunadamente, Max y ella supieron apartarse de él a tiempo.

Aunque encerrada en sus sombríos pensamientos, Carlota no deja de advertir en su campo visual la presencia de uno, luego dos y finalmente toda una serie de barcos de guerra en los que ondea la bandera austriaca. La flota imperial entra en la bahía de Trieste para hacer maniobras. Al principio de su carrera, Max, encargado de su formación, la había convertido en un magnífico instrumento de guerra, el único que había permanecido imbatido en esa vergonzosa y reciente derrota. Esta visión centra el pensamiento de Carlota en Max, a quien dirige una misiva un tanto exaltada. «*Morituri te salutant*, es el último saludo de la marina, después saldrá de Trieste y tal vez de la historia. Ella lanzó los primeros rayos sobre tu futuro poder, sobre tu independencia, adquirida a un elevado precio. Ella salvó la costa que tú tanto amabas, y ahora va a abandonar a su suerte a Austria y a tu hermano. Su misión ha terminado, la tuya también. El honor de la Casa de Austria cruzó el Atlántico con el nombre de una de sus últimas victorias, *Novara*. Desaparece aquí con el sol para resucitar allí, plus ultra (la divisa de Carlos V). Ésa es la llamada de tus antepasados. Carlos V señalaba el camino; tú lo has seguido, no lo lamentes. Dios estaba detrás de él.»

Finalmente recibe a su vez un telegrama de Max. «La situación moral es buena», pero «la situación militar es desastrosa». Se ha perdido Tampico, al igual que Monterrey y muchas otras ciudades. Los «disidentes» —es el término que él emplea— asedian Veracruz y el importante centro de Jalapa. ¿La causa? La pusilanimidad de Bazaine. En vez de actuar, sólo piensa en replegarse. El círculo se estrecha, es imprescindible conseguir ayuda, pero ¿dónde? Francia ya ha respondido. En cuanto a Austria, el aliado natural, Carlota se entera de que Francisco José acaba de anular la visita oficial que debía efectuar a Trieste únicamente porque no quiere encontrarse con su cuñada, «Su Majestad mejicana», como él la llama desdeñosamente. Un desaire más, venido directamente de la familia más cercana. ¿Y por qué? Porque se ha hecho responsable a Francisco José de la derrota vergonzosa de Austria. Al regresar a Viena después de la capitulación, oyó en las calles gritos de «¡Viva Maximiliano!» y le repitieron las quejas de todo un pueblo, que preguntaba dónde se hallaba, en esos momentos cruciales, su hermano menor, el único capaz de salvar el imperio.

En México, Maximiliano se lamenta de la derrota de su país y repite por doquier: «Yo lo había dicho. Yo había previsto esta catástrofe; había avisado a todo el mundo, no estoy sorprendido. Simplemente, esperaba un poco más de dignidad y un poco menos de ineficacia.» Éloin, que viaja por Europa, le confía en un informe ultrasecreto que el emperador Francisco José está desanimado y que sus súbditos se impacientan y le piden que abdique. En cambio, añade Éloin, la reputación de Maximiliano nunca ha sido mejor, todo el imperio lo adora... Pero el secreto no es tal. El informe de Éloin, unido a las críticas de Maximiliano, no tarda en llegar a oídos de Francisco José, deformado y exagerado por unos cortesanos que se alegran de ensanchar el abismo entre los dos hermanos. La desconfianza jamás extinguida del mayor resurge instantáneamente: «Maximiliano es un traidor, apunta a vuestra corona, sobre todo desde que en México las cosas van tan mal.» Por eso no es conveniente que vea a su mujer.

En ese mismo momento Carlota pierde un preciado apoyo moral. Recientemente había tenido el placer de enviar la condecoración de la orden de San Carlos a su antigua institutriz, la condesa de Hulst, con quien había seguido manteniendo relaciones epistolares. A guisa de respuesta, la condesa no sólo rechaza la orden de una forma casi insultante, sino que le suelta a su antigua pupila una diatriba despiadada: «Os lo había dicho, os había predicho que no debíais aceptar la corona de México. Vos la aceptasteis y ahora pagáis por ello. No sigáis tentando a la Providencia, salid lo antes posible de esta fatal empresa con honor y sin exponeros demasiado. Coceos en la salsa de vuestra amargura y reflexionad en esta verdad tan vieja como el mundo: "¡Ay de los vencidos!", sobre todo cuando esos vencidos se han expuesto voluntariamente a la derrota, y ello sin la sanción de un auténtico deber cumplido.» Siguen innumerables párrafos en el mismo tono, cada uno de los cuales hiere a Carlota en el corazón.

Ésta se ha encerrado para meditar. Ya no sale de su tocador. Situado en la planta baja de la torre esquinada, es una estancia pentagonal con cortinas de damasco azul claro. Unos arabescos de madera oscura se incrustan en los artesonados de madera clara, formando una decoración particularmente ornamentada. En las paredes, paisajes, acuarelas. Cuatro grandes ventanales dan al mar. Carlota camina arriba y abajo. De vez en cuando mira hacia el exterior y sólo ve el agua, el cielo, la luz. Todo es azul y dorado, salvo cuando el calor demasiado intenso hace palidecer los colores.

La condesa de Hulst, la querida institutriz que tanto ha herido a Carlota, está equivocada. La Providencia es México, siempre ha sido México y siempre lo será. Carlota ha ido a Francia a pedir que no retiren las tropas francesas y ha fracasado. Pues bien, no sólo prescindirán de las tropas francesas sino que se alegrarán de su marcha, pues ésta saneará la situación.

Carlota se sienta ante su secreter de madera noble y comienza a escribirle a Max con su letra inclinada: «Considero el abandono de la tutela directa de Francia una gran dicha, tan grande que puede suplir la falta de ayuda material y de dinero.» En cuanto México se haya liberado de toda injerencia extranjera, Estados Unidos reconocerá con toda naturalidad el Imperio mejicano. En cuanto a los partidos políticos, Maximiliano ya se ha ganado a los liberales, y los conservadores no dejarán de adherirse al emperador, que encarnará mejor que nunca a la nación. Quedan los «disidentes», también llamados rebeldes. La marcha de los franceses los dejará sin ningún motivo para luchar y también se adherirán. Por eso ella exhorta enérgicamente a Maximiliano a la firmeza: «Tuya es la bandera, tú eres la nación, tú eres el *soberano*», como decía Juárez. Con la diferencia de que para Juárez el *soberano* es el pueblo, del que él ha salido. «Hay que decir a todos: "Yo soy emperador, no presidente." Ante ti, hay que inclinar la cabeza, pues la república es una madrastra, igual que el protestantismo, y la monarquía es la salvación de la humanidad.»

Para demostrar que el imperio vive incluso en Miramar, Carlota decide celebrar la fiesta nacional mejicana, el 16 de septiembre, con todo el esplendor que exige el acontecimiento. Al amanecer, los triestinos son despertados por las salvas de honor que dispara la flota austriaca. Al igual que todos los parques reales, en esta época en que los jefes de Estado no temían por su seguridad, el de Miramar está abierto al público. Los triestinos acuden en masa a admirar los jardines perfectamente cuidados, rebosantes de flores, a escuchar a la banda austriaca, que toca los himnos nacionales y valses, y si es posible a ver, a través de los grandes ventanales, a la emperatriz de México.

Ésta va vestida con la suntuosidad reservada a estas ceremonias —vestido bordado, diadema de diamantes y aderezo de perlas y diamantes—, como si estuviera en México. La misa solemne es oficiada por el arzobispo de Trieste en la capilla del castillo. La larga cola y la capa que luce Carlota no permiten que quepa prácticamente nadie más en el minúsculo santuario de bóvedas neogóticas y ricos retablos, donde se alinean santos y santas. El grupo de mejicanos presentes, las autoridades austriacas y los mandos militares se apiñan en la sala contigua, llamada la Rosa de los Vientos por la que adorna el centro del techo. Unas puertas correderas permiten formar una prolongación de la capilla, tal como había previsto Carlota para que el servicio pudiera seguir los santos oficios.

Por la noche, la emperatriz preside un banquete con su gracia y su cortesía habituales. Nadie sospecha lo cansada que está. Pero cuando entra en su cuarto de baño y se quita la diadema, se viene abajo y las marcas de la fatiga y del esfuerzo se leen en su rostro.

A la mañana siguiente parte para Roma. Se ha podido concertar una entrevista con el Papa y Carlota está impaciente por verlo. Sin embargo, surge un imprevisto: el cólera asola Trieste y, aunque la epidemia no es muy grave, todos los viajeros procedentes de allí deben permanecer en cuarentena en Venecia. Carlota no puede esperar tanto tiempo, y la única solución es rodear Venecia. Pero es más fácil decirlo que hacerlo. En lugar de ir hacia el sudoeste, primero debe ir en dirección contraria, hacia el norte. Acompañada de su séquito, monta en el expreso que va a Marburgo, en Austria, donde cambia de tren para ir en dirección este hasta Villach, en Carintia. Como el tren no continúa, toma la diligencia para cruzar los Alpes por una sucesión de valles estrechos. Entra de nuevo en Italia y baja en la posta de Brigsen, actualmente Bressanone. Alrededor, las laderas de las montañas de picos nevados están cubiertas de espesos bosques de coníferas. Un río serpentea entre prados salpicados de flores silvestres.

Ya se ha enviado una avanzada a Mantua para preparar la suite de Carlota cuando, de repente, ésta decide volver sobre sus pasos. Telegrafían a Mantua: «Dad media vuelta. Regresad de inmediato.» Entonces vuelve a cambiar de opinión y anuncia que continuarán tal como estaba previsto. Un segundo telegrama a Mantua anula el anterior. Suben de nuevo al coche.

Por la noche llegan a Bozen, actualmente Bolzano. Carlota mira ávidamente por la ventanilla de la diligencia, que circula por las calles de la ciudad. La música de un organillo atrae su atención, así como el modesto ejecutante que hace girar la manivela. «¡Pero si es el comandante de la guardia de México!», exclama. El séquito se queda estupefacto. «Vuestra majestad se equivoca.» Carlota insiste: «No me equivoco, es él, es el comandante de la guardia de México.» Llegan al albergue donde pasarán la noche. En la entrada, Carlota arremete contra un miembro de su séquito, el oficial de marina Radonetz, hombre de confianza de Maximiliano que ha permanecido en Trieste para ocuparse de sus asuntos: «Es usted un ladrón, me roba. Y no sólo me roba, sino que me traiciona.» Radonetz la mira, asustado, preguntándose qué le habrá hecho merecedor de tales acusaciones. «Ladrón, traidor», repite Carlota. Luego se pasa la mano por la frente y parece despertar de un sueño. El séquito, petrificado, la mira subir a su habitación. Nadie la verá esa noche salvo su dama de confianza, Mathilde Doblinger, que, por supuesto, forma parte de la comitiva.

A la mañana siguiente, a la hora de partir, todos la esperan con ansiedad en la entrada. Ella baja cuidadosamente vestida y peinada, absolutamente tranquila y natural. Los saluda uno por uno y se detiene un instante delante del conde del Valle, su gran chambelán: «He estado enferma. Si vuelve a pasarme, decidme "Bozen" para hacer que vuelva en mí.» Coche, tren... En Mantua es recibida con honores militares. Por la noche, iluminan la ciudad para ella y las tropas desfilan por debajo del balcón de su albergue. De Mantua va en coche a Bolonia. Luego monta en otro tren especial que pasa por Ancona, entra en los Estados Pontificios y se dirige hacia Roma. En Foligno, al norte de la capital, se ha preparado una comida en un parque. Carlota no se presenta. Se ha quedado en el tren, no se encuentra bien, el corazón le late aceleradamente.

El 25 de septiembre de 1866, Carlota llega por fin a la estación de Roma. Una vez más, los italianos, encabezados por las autoridades papales, han hecho bien las cosas. En el andén espera una delegación de cardenales, rodeados de representantes de la aristocracia romana y de guardias nobles con relucientes corazas. La policía pontificia forma un cordón de seguridad para contener a la multitud, pues el asunto de México llena los periódicos y se ha anunciado en todas partes la visita de Carlota, atrayendo la curiosidad. Llueve a cántaros, cuando hasta la víspera había hecho buen tiempo. Innumerables lámparas iluminan la escena, hacen brillar los sables desenvainados, realzan la púrpura cardenalicia o los dorados de las libreas. Carlota es conducida con gran pompa al Albergo di Roma, donde se ha reservado toda una planta para ella. Se encuentra en el Corso, la arteria más animada de la ciudad, que va de la piazza del Popolo a la piazza Venezia. Desde su ventana ve la fachada barroca de la iglesia dedicada a Carlos Borromeo. Muy cerca está el mausoleo de Augusto y la piazza di Spagna, de donde parten las escaleras de la Trinità Santa. Carlota conoce muy bien Roma porque la ha visitado a fondo.

A la mañana siguiente no se resiste a la tentación de callejear un poco. El Papa ha enviado al hotel una guardia de honor compuesta de soldados suyos y soldados franceses, que continúan ocupando Roma para guardarle el trono. Suenan las fanfarrias, los himnos nacionales son interpretados varias veces al día. Le ofrecen a Carlota una escolta, guías, pero ella no quiere a nadie. Se lleva solamente a la señora Del Barrio y parte como cualquier turista, contenta de esta libertad. Recorre el Corso, entra en varios santuarios, admira los Caravaggio de San Luis de los Franceses, llega hasta la piazza del Popolo, visita las iglesias gemelas, luego sube los altos escalones y entra en el jardín del Pincio, sombreado por magníficos pinos llamados con justicia «romanos». Allí, se acoda en la balaustrada de la terraza, decorada con jardineras de mármol de las que brotan flores, y contempla el espectáculo de la ciudad que se extiende a sus pies. A lo lejos, reconoce el tejado del castillo de Sant'Angelo, detrás la enorme cúpula de San Pedro y, más allá, los tejados del Vaticano, donde la espera Pío IX.

A primera hora de la tarde, un suntuoso coche se detiene delante del Albergo di Roma. Los centinelas se ponen en posición de firmes, los lacayos bajan el estribo y aparece el cardenal Antonelli, secretario de Estado, es decir, primer ministro del Vaticano. Es el más magnífico, tradicional y representativo de los prelados pontificios, heredero de un pasado glorioso. Metros de seda roja le siguen, pues se ha puesto la *capa magna*. En uno de sus dedos brilla una enorme piedra. Se murmura que posee una colección de anillos única en el mundo y que cada día lleva uno distinto. Los curiosos se arrodillan para recibir su bendición.

Tal como establece el protocolo, Carlota lo espera al pie de la escalera, escoltada por dos lacayos con librea que sostienen unos candelabros encendidos, y precedida por ellos sube con el cardenal hasta su saloncito.

Comienza la conversación, no directa, clara y cruda, como con los franceses, sino plagada de matices, alusiones y sutilezas. ¿Un concordato con el Imperio de México? Por supuesto, hay que firmar un concordato, pero ¿por qué el emperador Maximiliano no ha devuelto los bienes del clero? ¿Por qué se ha proclamado esa tolerancia religiosa que abre el camino a todo tipo de herejías? Carlota, para cambiar de tema, le cuenta su visita a París y la decepción que le ha causado Napoleón III, quien ha faltado a su palabra. El cardenal se guarda de contestar. No tiene ningunas ganas de formular la menor crítica sobre el comportamiento del emperador francés, que protege a Roma. La entrevista prosigue. Antonelli envuelve sus negativas en tantas flores que Carlota aún puede negarse a creer que las perspectivas son muy negras.

La audiencia con el Papa se ha fijado para el 27 de septiembre a las once. Tal como impone el uso, Carlota se ha vestido de negro y cubierto la cabeza con una mantilla del mismo color, y las únicas joyas que lleva son perlas. Rodeada de la pompa que le corresponde, recorre en coche el trayecto hasta la piazza Bernini. Una lluvia ininterrumpida enturbia el admirable decorado. El coche se detiene a la derecha de la basílica de San Pedro, en la entrada de los palacios vaticanos. En el vestíbulo de columnas esperan el gran chambelán de Carlota, el conde del Valle, y a continuación los grandes cargos vaticanos, ostentados, hereditariamente, por las principales familias romanas: el príncipe Chigi, el marqués Sachetti, y los príncipes Orsini y Colonna, vestidos al estilo de la época de Felipe II, con pantalones bombachos y gorguera blanca. Los guardias suizos, con el uniforme azul, rojo y amarillo diseñado por Miguel Ángel, se alinean a lo largo de la Escalera noble.

Carlota, soberbia con su atuendo oscuro, está nerviosa, tensa. Responde con una sonrisa crispada al besamano de los grandes señores que la reciben. Lentamente, sube los peldaños hasta el primer piso, precedida por el mayordomo mayor del Santo Hospicio, el escudero mayor, los asistentes del trono y el mariscal de la Santa Iglesia, y entra en la sala del Trono. Bajo un dosel decorado con sus armas, Pío IX espera, sentado en un trono rojo y oro. Lo rodean los cardenales, otros miembros de su corte y los guardias nobles alineados contra las paredes, recubiertas de tapices con motivos históricos. El Papa se levanta. Es un hombre alto y corpulento, de sonrisa bondadosa, que va vestido con una sotana y una capa de lana blanca, muy fina. Carlota se arrodilla para besarle la mula, pero él se lo impide y le tiende el anillo pontificio. Al inclinarse hacia él, le murmura: «Santo Padre, salvadme, me han envenenado.» El Papa hace como si no lo hubiera oído. Carlota se incorpora y le presenta a los mejicanos de su séquito, que se precipitan para besar la pantufla de terciopelo rojo con las armas pontificias bordadas con hilo de oro. A continuación, Pío IX conduce a la emperatriz a una sala contigua, más pequeña. Los lacayos con librea de damasco rojo cierran las altas puertas blancas y doradas. El Santo Padre y la emperatriz de México se quedan solos, sentados cada uno en un sillón.

Carlota saca de su bolso el proyecto de concordato que Maximiliano y ella han elaborado. El Papa, sin leerlo, declara que primero hay que consultar a los obispos mejicanos. Carlota expone los argumentos que tiene en reserva. El Papa no muerde el anzuelo. Consciente de que está jugando su última carta, se vuelve más persuasiva que nunca, se rebaja a suplicar, cosa que no había hecho jamás con nadie y menos aún con Napoleón III. El Papa se esconde tras evasivas y no suelta prenda. De momento, nada de concordato. La entrevista dura una hora y cuarto y deja a Carlota exhausta. El Papa se levanta, lo que significa que la audiencia ha terminado.

Carlota se marcha, rodeada de la misma pompa. Los guardias nobles la escoltan, caminando a su paso cadencioso. Su coche se pone en marcha ante los jinetes, que presentan el sable desenvainado.

En el Albergo di Roma, los mejicanos que la han acompañado la siguen hasta el salón de sus aposentos, devorados por la curiosidad y ansiosos por conocer el resultado de la entrevista. Carlota tiene una expresión sombría. Desde que ha salido del Vaticano no ha abierto la boca.

—¿Qué ha ocurrido, majestad? ¿Cómo ha recibido el Papa el concordato? ¿Está vuestra majestad satisfecha?

Carlota levanta una mirada lúgubre.

—Podéis retiraros —dice—. Ah, haced que me sirvan la comida en mi habitación. Doblinger me la traerá.

Acto seguido les vuelve la espalda, cierra la puerta tras de sí y se encierra con llave.

Al día siguiente es el Papa quien visita a Carlota. El uso le invitaba a hacerlo, pero no le obligaba. Hay que interpretarlo, pues, como un homenaje muy particular a la emperatriz de México. Ésta, de negro, con mantilla y perlas, como la víspera, lo espera en el vestíbulo y lo conduce a su saloncito privado. La entrevista sólo dura unos minutos, pues es únicamente protocolaria. Luego, las puertas se abren de par en par y Carlota hace pasar a los mejicanos de su séquito a fin de que reciban la bendición papal. Pío IX, sonriente, amable, los bendice de uno en uno mientras Carlota clava sus ojos negros en sus compatriotas y se acentúa su mueca de desdén. La emperatriz acompaña al Papa hasta su coche y después, altiva, impenetrable, regresa a sus aposentos.

No obstante, por la noche preside la cena de su séquito. El Albergo di Roma ha preparado un menú que consta como mínimo de veinte platos. Carlota no lo prueba; pide nueces y naranjas, comprueba que no las han pelado y lo hace ella misma antes de degustarlas. «¿Desea vuestra majestad un poco de vino, un poco de agua?» Carlota dice que no. No prueba el líquido, ni siquiera el agua, y en su habitación, la botella de cristal sigue llena.

Al día siguiente no sale de sus aposentos. Mismo menú: nueces, naranjas, y ni una gota de agua.

11

Al día siguiente, 30 de septiembre, Carlota sale repentinamente de sus aposentos. Son apenas las ocho de la mañana. Reclama la presencia de la señora Del Barrio, que por fortuna ya está levantada y vestida. Baja con ella, le hace pedir un coche de punto y ambas montan en él. «A la fuente de Trevi.» El coche se detiene delante de uno de los monumentos más bellos de Roma, pero Carlota no dedica ni una sola mirada a Neptuno, los tritones y otras figuras antiguas, sino que se arrodilla ante el estanque, coge agua con las manos y bebe ávidamente. Luego se levanta y sube de nuevo al coche, seguida de la señora Del Barrio, que está cada vez más desconcertada. «¡Al Vaticano!», ordena Carlota. El coche circula por las calles, todavía poco animadas, hasta la entrada donde Carlota fue recibida con gran pompa tres días antes. Los guardias suizos la reconocen y la dejan pasar. Arriba se encuentra con algunos cortesanos. Los lacayos vestidos de damasco rojo han tomado posiciones delante de las puertas, uno o dos cardenales se dirigen a sus respectivos despachos. Todos miran a Carlota con estupor. Nadie se atreve a preguntarle qué desea. Ella aborda a un dignatario:

—Quiero ver a su santidad inmediatamente.

—No es posible, vuestra majestad. Su santidad está desayunando.

—Da igual, avisadle.

El dignatario no se atreve a negarse y desaparece por la puerta blasonada. No tarda en regresar y, silenciosamente, conduce a Carlota al despacho donde Pío IX está tomando una comida frugal. Carlota, sin saludarlo apenas, se abalanza sobre la taza de chocolate humeante que él acaba de empezar a tomarse. Sumerge los dedos en el líquido y se los chupa: «Tengo mucha hambre, pero no me atrevo a comer nada porque todos quieren envenenarme.» El Papa conserva el suficiente dominio de sí mismo para no dejar traslucir su estupor. Llama, pide otra taza y él mismo la llena de chocolate. «No, sólo quiero beber de la taza de vuestra santidad. Si saben que es para mí, habrán echado veneno dentro.» El Papa deja que se tome el contenido de su taza. Carlota ve sobre el escritorio un vaso de plata y se apodera de él: «Dádmelo, santísimo padre, para que pueda beber sin ser envenenada.» El Papa hace un gesto afirmativo. Ella inicia entonces un discurso que deja a Pío IX atónito. Todo el mundo va a por ella, todos están a sueldo de Napoleón III, «ellos» quieren envenenarla. «Protegedme, santísimo padre, sólo estoy segura aquí.» El Papa no sabe qué hacer. Solo, encerrado con esa loca... No es miedo lo que lo invade, sino compasión y una incomodidad insoportable. Finalmente propone hacer una visita a la biblioteca. Carlota acepta. A través de una serie de salas decoradas con frescos y tapices, llegan a su biblioteca privada. Los cardenales, que esperaban en la antecámara, los siguen. El Papa abre un armario y saca un manuscrito que data de la alta Edad Media: «Mirad estas admirables ilustraciones.» Carlota se inclina, fascinada. El Papa aprovecha su distracción para retroceder, alejarse y salir por una pequeña puerta lateral. Carlota no se ha dado cuenta. Pasa lentamente las páginas y contempla las ilustraciones.

Uno o dos cardenales se han quedado en la estancia, junto con algunos dignatarios y la señora Del Barrio, que se ha unido al grupo.

Le proponen a la emperatriz visitar los jardines del Vaticano y ésta acepta. Por una escalera secundaria, acceden a los jardines inundados de sol. Carlota corre hacia la primera fuente que ve, se saca del bolsillo el vaso de plata del Papa y bebe con avidez.

«Quiero dar un paseo por la ciudad.» Prelados y nobles exhalan un suspiro de alivio; la señora Del Barrio se echa a temblar. Conducen a Carlota a la entrada de los palacios vaticanos. El coche que las ha llevado sigue allí aún. Mientras circula por las grandes avenidas, la emperatriz mira vagamente desfilar los monumentos cuando de pronto algo atrae su atención: «Deténgase.» Abre la portezuela, desciende, corre hacia una fuente y bebe de nuevo en el vaso del Papa. «Siga», ordena tras subir de nuevo al coche. Poco a poco, haciendo muchas paradas, el coche se acerca al Albergo di

Roma y se detiene ante la entrada. Carlota baja sin protestar y se dirige a sus aposentos. Está anocheciendo y ya han encendido las lámparas. La señora Del Barrio está exhausta y horrorizada.

Desde el Vaticano se ha enviado al hotel un mensaje, previniendo a los mejicanos que acompañan a Carlota de su estado y de sus sospechas de que quieren envenenarla. Sobre todo que no se dejen ver. Al llegar a la puerta de su dormitorio, Carlota observa que han retirado la llave para impedir que se encierre. Se vuelve hacia su dama de honor. «Volvemos al Vaticano.» La señora Del Barrio tiene la sensación de que el suelo se hunde bajo sus pies, pero ¿qué va a hacer? No puede abandonar a la emperatriz. Así pues, con el corazón en un puño, la acompaña.

Piden de nuevo un coche y se dirigen al Vaticano. Los guardias suizos, familiarizados ya con Carlota, la dejan pasar. Arriba encuentra a todo el mundo preparándose para ir a la cama. Como esta vez el Papa se guarda mucho de recibirla, se dirige a los cardenales y a los cortesanos; les dice a todos que quiere dormir en el Vaticano, el único lugar donde se siente segura. ¡Una mujer durmiendo en el Vaticano! Ni siquiera las amantes de los papas del Renacimiento se acostaban a la sombra de San Pedro. Carlota, casi histérica, asegura gritando que no se moverá de allí. No se trata a una emperatriz como a una loca. No se puede recurrir a la fuerza... además, a nadie se le pasa por la cabeza hacerlo, pues todos están dominados por el respeto paralizador que inspira la locura.

El Papa, informado, alza los brazos al cielo. «Sólo nos faltaba que una mujer se volviera loca en el Vaticano.» Pero él también cree que la única solución es calmarla. Así pues, acepta ofrecerle hospitalidad durante la noche. Carlota tiene hambre, Carlota pide la cena. El Papa hace que le preparen apresuradamente algunos restos de su cena. Carlota se niega a comer si no la alimenta el Papa en persona. Pío IX se ve obligado a ceder y acaba dándole de comer a la emperatriz de México como si fuera una niña. También se ocupa él de conducir a Carlota a la biblioteca, adonde ha hecho que lleven dos camas de cobre para ella y la señora Del Barrio, así como un aguamanil de plata maciza y unos espléndidos candelabros. Carlota parece mucho más tranquila.

El Santo Padre y sus allegados respiran al salir de la biblioteca y cerrar la puerta.

La señora Del Barrio, agotada, se tiende sobre la cama y es imitada por Carlota. Las velas arden lentamente, el silencio invade la estancia y el palacio entero, interrumpido tan sólo por los gritos de reconocimiento de los guardias suizos. Transcurre una hora, dos; luego Carlota, que no se ha desnudado, salta de la cama y despierta a la señora Del Barrio. «Quiero ver enseguida al cardenal Antonelli.» La señora Del Barrio manda a buscar al secretario de Estado. El lacayo regresa: «Su Eminencia está en la cama y no quiere ser molestada.» La puerta se cierra. La señora Del Barrio se acuesta de nuevo. Carlota, por su parte, va de un lado a otro mascullando palabras ininteligibles. Se tiende en la cama, dormita, vuelve a levantarse para caminar arriba y abajo por la biblioteca. Al amanecer, se sumerge en un sueño ligero que dura poco.

Cuando se despierta, la señora Del Barrio constata que se ha tranquilizado. La emperatriz está aseándose, vierte agua de la jarra en la gran palangana de plata, se lava la cara y las manos. Siempre ha sido muy cuidadosa. Se peina meticulosamente y se sacude la ropa. Luego sale de la biblioteca y se pone a caminar sin rumbo de una sala a otra, abriendo puertas sin que nadie se lo impida. Piensa en voz alta: puesto que la han envenenado y va a morir, debe resignarse; lo único que le queda pendiente de hacer es redactar sus últimas voluntades.

Pide papel y una escribanía, e inmediatamente se lo llevan. Se sienta en el primer sillón que ve, probablemente una de esas altas cátedras renacentistas de madera dorada y terciopelo rojo, con las armas pontificias grabadas. Carlota redacta una nota, se detiene, reanuda sus paseos, vuelve a sentarse y escribe de nuevo:

«Roma, 1 de octubre de 1866. No quiero que se exponga mi cuerpo después de mi muerte ni que se le practique la autopsia. Quiero ser enterrada con la mayor sencillez en la iglesia de San Pedro, vestida con el hábito de las clarisas y lo más cerca posible del sepulcro del Santo Apóstol, a no ser que el emperador disponga otra cosa.»

«Roma, 1 de octubre de 1866. Mi querido tesoro: Me despido de ti, el Señor me llama a su lado. Te doy las gracias por la felicidad que me has proporcionado. Dios te bendiga y te conceda la paz eterna. Tu fiel Carlota.»

«Roma, 1 de octubre de 1866. Al santísimo padre Pío IX. Santísimo padre: Tal como le anuncié a vuestra santidad el otro día, voy a morir. Os pido vuestra bendición. La hija afectuosa de vuestra santidad, Carlota.»

«Roma, 1 de octubre de 1866. Al santísimo padre Pío IX. Ruego a vuestra santidad me envíe inmediatamente a un sacerdote para que me confiese y me traiga la santa hostia.»

Por último, redacta su testamento, según el cual deja su fortuna a Maximiliano, así como sus joyas, con el encargo de dar algunas como recuerdo a sus dos hermanos. Finaliza perdonando a todos los que han contribuido a provocar su muerte. Una vez cumplido este deber, tan sólo le resta esperar el fin, de modo que acepta regresar al hotel. Prelados y cortesanos respiran, aunque, por miedo a que se le ocurra regresar, el Papa le asigna una escolta y a uno de sus chambelanes para que la acompañen... y le impidan dar marcha atrás.

El coche, escoltado por dragones pontificios, se pone en marcha. En medio de la piazza della Pilota, el conde de Linanche, que está al mando de los dragones, oye: «¡Deteneos!» Carlota baja del coche, se dirige a la fuente y bebe ávidamente, esta vez no con el vaso del Papa, sino con el que hay atado a una cadena para uso de los turistas. Después vuelve a subir al coche. El chambelán del Papa, Egidio Dati, sentado junto a ella, ya no sabe adónde mirar.

El coche se detiene ante el Albergo di Roma. Carlota se vuelve hacia él. «Tengo hambre. Id a comprarme castañas asadas, y sobre todo no las peléis. Mis deseos son órdenes.» El chambelán, con su suntuoso uniforme, tiene que recorrer las calles para comprarle a un vendedor ambulante lo que pide Carlota. En el vestíbulo del hotel, Carlota se abalanza sobre el cucurucho de papel que contiene las castañas calientes, les arranca la piel, tirándola al suelo, y las devora vorazmente. A continuación sube a sus aposentos seguida de la señora Del Barrio, a quien las piernas ya no sostienen, y de Mathilde Doblinger. Deja a la dama de honor en el salón, entra en su habitación con la camarista y da una vuelta a la llave, que está de nuevo en la cerradura. Los mejicanos aparecen para interrogar con impaciencia a la señora Del Barrio, que apenas puede hablar para hacerles el relato de esa terrible noche.

De pronto se abre la puerta de la habitación. Mathilde Doblinger anuncia que su majestad quiere ver de inmediato a la señora Kuhacsevich, la mujer del tesorero. Van en busca de la dama. La encuentran y la llevan a la habitación de Carlota, que cierra violentamente la puerta antes de espetarle:

—Jamás habría pensado que una persona como vos, que me conoce desde hace tantos años, a quien he colmado de favores, a quien le he dado mi afecto y mi confianza, pudiera venderse a los agentes de Napoleón para envenenarme.

La interpelada protesta, indignada:

—¿Cómo puede hacer vuestra majestad semejantes acusaciones? Es injusto. Mi marido y yo os hemos dado al emperador y a vuestra majestad infinidad de pruebas de nuestra abnegación.

—Salid, señora. Salid y decid a vuestros cómplices que sus intrigas han sido descubiertas y que sé quiénes son los traidores. Decidle al conde del Valle, a vuestro marido y al doctor que huyan si no quieren ser encerrados inmediatamente en la cárcel, y huid vos también. No quiero ni oír vuestro nombre.

La señora Kuhacsevich rompe a llorar y, vacilante, sale de la habitación.

Carlota sale tras ella con una botella vacía en la mano y hace llamar a la señora Del Barrio. Ésta, más muerta que viva, ve que la pesadilla vuelve a empezar. Carlota la lleva a la planta baja, sale a la calle y detiene un coche. «Busque una fuente —le ordena al cochero— y deténgase.» El hombre obedece. Carlota baja, llena la botella y le indica al cochero que vuelva al hotel. Una vez allí, regresa a su habitación, donde la espera la fiel Doblinger, y cierra la puerta con llave. La señora Del Barrio podrá encontrar por fin un poco de reposo. Es la noche del 1 de octubre de 1866. Carlota permanecerá encerrada en su cuarto cinco días.

Mathilde Doblinger, que se ha dado cuenta de que la emperatriz sólo confía en ella y cree que todo el mundo quiere envenenarla, ha tomado la precaución de comprar unos pollos, un pequeño hornillo de carbón y un cesto de huevos, y los ha guardado en la habitación.

Es una estancia grande y cómoda, con dos ventanas que dan al Corso. Doblinger le ofrece a la emperatriz otros alimentos, pero Carlota los rechaza: se pueden introducir productos tóxicos bajo la piel de la fruta o la corteza del pan. Sólo quiere cosas preparadas delante de ella por Mathilde. La camarista saca un pollo de la jaula y le corta la cabeza delante de la emperatriz, manchando la alfombra de sangre. Luego le arranca las plumas, que revolotean sobre los sofás, los sillones, las mesas, lo vacía y echa las entrañas en un cesto. Carlota no le quita los ojos de encima. La dama enciende el hornillo, instalado sobre una mesa redonda de mármol, y guisa el pollo en una cazuela. Carlota espera con impaciencia que esté a punto; después se abalanza sobre el ala que le tiende Mathilde.

Tras haber devorado el pollo, le entra sed. Coge la botella vacía, arrastra a Mathilde hasta la calle, busca una fuente, llena la botella y regresa rápidamente para encerrarse en sus aposentos.

Cae la noche. Mathilde cierra las contraventanas y corre las cortinas, pero deja las ventanas abiertas porque hace un calor sofocante. Carlota se niega a dejarse desvestir; se tiende en la cama, para volver a levantarse al cabo de un rato y caminar arriba y abajo. No parará en toda la noche. Mathilde no puede conciliar el sueño. Sabe Dios qué podría ocurrir si dejara de vigilar un momento a la emperatriz. Intenta convencer a Carlota de que se acueste, pero es inútil. Al amanecer, cuando una luz grisácea invade progresivamente la oscuridad de la habitación, Carlota se deja caer en un sillón, vestida, y se adormece unos minutos.

Varios días así vuelven a Mathilde medio loca; las interminables noches en blanco, las matanzas de pollos sobre las alfombras del Albergo di Roma y, sobre todo, las palabras de Carlota, que habla sin parar, la agotan. Las confesiones, las revelaciones de la emperatriz conmueven y aterrorizan a un tiempo a Mathilde.

La propia Carlota se da cuenta de que eso no puede prolongarse, y ¿en quién confiar si no en Felipe, su hermano preferido? Le escribe un telegrama y le encarga a Mathilde que lo envíe: «Estoy rodeada de traidores y asesinos. Ven a salvarme lo antes posible.» La familia ya ha sido informada. El relato de las escenas que se han desarrollado en la residencia del Papa y la noticia de que Carlota ha perdido la razón se han extendido como un reguero de pólvora. Toda Roma habla de lo mismo. La prensa publica todos los días noticias cada vez menos discretas. El Vaticano también ha actuado. Antonelli ha enviado un largo telegrama cifrado al nuncio en Bélgica, a fin de que ponga al corriente a la familia real con la mayor discreción. De todas formas, los hermanos de Carlota no tienen más que leer los periódicos belgas para enterarse de un modo mucho más crudo de la suerte de su hermana. Leopoldo II, que está de vacaciones en Ostende, no tiene ningunas ganas de interrumpirlas. Así pues, será Felipe, a quien su hermana ha pedido ayuda, el que parta para Roma.

Una mañana, Carlota, rompiendo su aislamiento, aparece en el salón donde desde hace cinco días espera su séquito y le pregunta a la señora Del Barrio: «¿Sigue Blasio en Roma?» El secretario mejicano de Maximiliano, por deseo de éste, ha acompañado a la emperatriz a Europa. Carlota lo hace convocar. Blasio, que se aloja en otro hotel, es rápidamente localizado. Acude de inmediato y lo conducen a la habitación de Carlota, ese templo misterioso donde la enigmática liturgia de la locura se desarrolla a salvo de las miradas y del que los mejicanos, el Vaticano y los romanos permanecen pendientes. Blasio esperaba encontrarse a una loca desgreñada, pero ve a una mujer admirablemente peinada y perfectamente arreglada, vestida de negro de la cabeza a los pies, como si estuviera de luto.

Carlota lo recibe tan amablemente como de costumbre; con una sonrisa encantadora, se dirige a él con un tono quedo y triste: «Ya habéis visto muchas cosas en Roma. Si deseáis visitar otras ciudades de Europa, podéis hacerlo. Pero antes quiero dictaros los decretos siguientes. Sentaos y escribid.» Blasio se sienta ante una mesita y coge papel y pluma. Carlota empieza: «Yo, Carlota, emperatriz de México, dado que el conde del Valle...» Se trata de una orden de destitución de su chambelán, a quien retira títulos y cargos, y le ordena alejarse de la corte y no volver a aparecer en ella bajo ningún pretexto. Y acaba así: «Sea la presente disposición sometida a su majestad el emperador Maximiliano para que la firme... Roma, 7 de octubre de 1866.» Carlota ordena a Blasio que se lo lea y éste obedece.

—¿Está satisfecha vuestra majestad? —le pregunta.

—Totalmente. Ahora, redactad otras iguales a nombre del señor Del Barrio, del tesorero Kuhacsevich, del doctor y de algunos más.

Mientras escribe, Blasio dirige miradas furtivas hacia Carlota, que camina arriba y abajo, y aprovechando que no se fija en él, la observa. El cambio físico que ha experimentado en unos días lo deja estupefacto. Tiene ante sí a una mujer distinta de la que veía hace tan sólo unos días. Su rostro, más delgado, está tenso, tiene los pómulos enrojecidos y muy marcados, y sus pupilas, dilatadas, presentan un brillo anormal. Su mirada raramente se detiene en un punto fijo; vaga, extraviada, como si buscara unas figuras ausentes o unos paisajes lejanos. Blasio observa también que la cama, cubierta por un baldaquín de seda, parece no haber sido hecha ni deshecha desde hace días y que seguramente nadie ha dormido en ella. Sobre la mesita de noche hay un candelero con una vela medio consumida y un precioso reloj de bolsillo de oro. Al pie de la cama hay un sillón en el que él sabe que Carlota se instala al final de la noche para dormitar un poco. En esa habitación que excita la curiosidad de la ciudad entera, ve asimismo un armario, un tocador lleno de objetos de plata, varios asientos y una mesa con el tablero de mármol, sobre la que Mathilde ha instalado el hornillo de carbón para cocer huevos y pollos. Ve, atadas con una cuerda a la pata de la mesa, a las gallináceas supervivientes. Ya no queda ni rastro de sangre y plumas; Mathilde Doblinger lo ha lavado todo. Sin embargo, el contraste entre el lujo del palacio y esa especie de corral, con los excrementos de los pollos sobre papel de periódico, el hornillo y las miserables sobras de la última comida, ofrece una imagen tan sorprendente que Blasio está como hechizado.

Finalizada la sesión, Carlota le da las gracias amablemente y le entrega, para que lo lleve a correos, un telegrama dirigido a su hermano Felipe, quien le ha anunciado su llegada para esa misma noche. «La emperatriz Carlota al conde de Flandes en Foligno. Espero que estés bien. No comas demasiado por el camino. Iré a recogerte a la estación. Carlota.»

Por la tarde, mientras recibe a Bombelles, que llegó el día anterior a Roma, se muestra absolutamente juiciosa. Le habla de su estancia, del grato recibimiento de los italianos, evoca México, su travesía del Atlántico y otras cosas. Ni un solo gesto, ni una sola palabra permitirían creer que acaba de perder la razón.

Después de cenar, en plena noche, se dirige a la estación. Llega al andén en el momento en que Felipe baja del tren. Se abrazan. En el coche, ella le recomienda, como sin darle mucha importancia, que lleve cuidado con lo que come, pero aparte de este detalle él no detecta nada anormal. Había ido a ver a su hermana sintiendo una profunda aprensión, pero la locura cuyas manifestaciones temía ni siquiera se adivina. Los dos hermanos se desean buenas noches en el umbral de sus aposentos respectivos.

A la mañana siguiente, cuando Felipe se reúne con Carlota, ésta aparece acicalada y absolutamente tranquila. Lo lleva de paseo por Roma. El coche los conduce de monumento en monumento, y Carlota lo deja atónito no sólo por el dominio de sí misma, sino por sus sorprendentes conocimientos de arquitectura, arte e historia. Aprovecha la circunstancia para sacar a la conversación el objeto de su visita. «Quizá sería conveniente que no te quedaras más tiempo en Roma, ¿no te parece, Carlota? Podrías esperar el resultado de tus negociaciones con el Papa en Miramar. No vale la pena seguir aquí; estarás mucho mejor en tu casa.» Angustiado, espera una negativa, un ataque. Pero ella acepta con toda tranquilidad y de inmediato. Regresa, pues, al hotel con su hermana, infinitamente aliviado. Comen con el séquito de la emperatriz y su propio ayudante de campo. Los dos hermanos se sientan uno frente a otro para presidir la mesa.

Mientras sirven los platos, Carlota, que no los toca, escribe con letra legible, aunque deformada, notas que le pasa a Felipe: «De eso se puede comer.» «Felipe, te suplico que comas lo menos posible porque creo que la dosis es bastante fuerte.» Él las lee, se sonroja y no sabe qué hacer. Tiene hambre, está deseando atracarse, pero teme que Carlota sufra un ataque. Le sonríe a través de la mesa y pica un poco bajo su mirada vigilante. Al finalizar la comida, interminable para Felipe, Carlota lleva a su hermano a su habitación. «Voy a contártelo todo.» Y acto seguido enumera todas las formas en las que ha sido envenenada: a través del café, del chocolate, de la fruta, de la carne, del pan. Coge de encima de la mesa un cortaplumas manchado de tinta seca y dice: «¿Lo ves? Es estricnina.» Felipe, espantado, la oye desvariar: «Y no es sólo a mí. Ninguno ha muerto de muerte natural. Mamá, papá, lord Palmerston, el marido de Victoria, el príncipe Alberto, y muchos más. Todos, ¿me oyes?, todos han sido envenenados por el Anticristo, por Napoleón III...» Sí, está realmente loca, constata Felipe, horrorizado, conmocionado y esperándose ya cualquier cosa.

Pero no sucede nada. Carlota ha previsto ir esa tarde a hacer una visita de despedida al rey y la reina de Nápoles. Se trata de Francisco II, último soberano de ese reino, del que fue expulsado por Garibaldi, y de su mujer, la bella reina Sofía, hermana de la emperatriz Isabel de Austria. Viven en el magnífico palacio Farnesio, que es de su propiedad. Carlota había anunciado su visita para las cinco. Llega a las tres. El rey ha salido; la reina, que está en su tocador, se apresura a recibir a la visitante. Informada al igual que toda Roma del estado de Carlota, intenta limitarse a hablar de banalidades. Carlota dice cosas tal vez un poco extrañas, pero, si no la hubieran avisado, confiesa que no habría advertido su enfermedad. Al poco llega el rey y se sirven unos refrescos. Francisco II, pensando en la escena que tuvo lugar en el Vaticano, quiere tranquilizar a Carlota y mete la pata:

—Tomaoslo sin ningún temor —dice—. No corréis ningún peligro.

—Sois vos quien debería llevar mucho cuidado con lo que coméis para evitar ser envenenado.

El rey agacha la cabeza; la reina evita la mirada de Carlota y se sumerge en los más tristes pensamientos. Se dice que en su propia familia, los Wittelbasch, existe un atavismo de locura. ¿Se encontrará algún día ella en el mismo estado que Carlota? Afortunadamente, ésta no tarda en marcharse. Se saludan con la mayor cordialidad antes de separarse.

Felipe ha decidido pasar la noche en la habitación de su hermana. Se quita el redingote, se desabrocha el chaleco y se acomoda en un sillón. Carlota, exhortada por él, se tiende en la cama, pero no dura mucho allí. Se levanta para hablarle de los palacios que tiene previsto construir en México. La palabra mágica, México, desencadena un río de palabras, de recuerdos, de imágenes. Le describe escenas y paisajes, se pone a hacer análisis políticos. Él se esfuerza en meterla de nuevo en la cama. Ella se deja hacer dócilmente antes de saltar de nuevo; recorre la habitación y de pronto se para delante del sillón donde Felipe da cabezadas. «Me han envenenado, todos me han envenenado, Del Barrio, Kuhacsevich, Del Valle... ¿Quieres saber cómo lo han hecho?...» Y la dramática letanía vuelve a empezar.

Felipe se levanta y, con delicadeza, la ayuda a tumbarse en la cama. Ella cierra los ojos, sigue hablando en sueños de México, de las imágenes, de los recuerdos, del veneno. Agotado, Felipe vuelve al sillón, pero no consigue dormir. Pese a todo lo que ha soportado Mathilde Doblinger, y a ser consciente de ello, preferiría que ella siguiera estando allí y él tranquilamente en su cama. Jamás hubiera imaginado que sería tan duro. Esa loca es Carlota, la hermana fuerte e inteligente a la que él idolatraba, reverenciaba, y que ahora se pierde en el delirio. En cierto modo está resentido.

El nuevo día lo libera. Mathilde Doblinger entra con el desayuno de Carlota y él aprovecha para retirarse a sus aposentos. Tras un breve descanso, redacta tres telegramas dirigidos a los señores Rothschild de París, a los señores Rothschild de Viena y al banco Cuza de Londres. Por su cuenta y riesgo, aconseja a estos establecimientos, donde se halla depositada gran parte de la inmensa fortuna de Carlota, que no sigan las instrucciones de esta última salvo si están firmadas también por Radonetz, el hombre de confianza de Maximiliano. Hay que impedir que la pobre Carlota, llevada por la locura, dilapide su capital.

A continuación se prepara para tomar el tren especial que ha pedido. Carlota ya está a punto para partir. En la estación se hallan reunidos numerosos oficiales, pero ningún miembro del séquito mejicano. Se quiere evitar que la visión de las personas a las que Carlota acusa de haber intentado asesinarla provoque su ira. Sin embargo, el orgullo de la soberana se impone a los extravíos de la demente. Se indigna por el hecho de que ninguno de los mejicanos esté allí para saludarla. Hay que explicarle con calma que algunos están ocupados y otros indispuestos. Ella acepta estas excusas, se despide de las autoridades, de los ministros de Asuntos Exteriores y del cardenal enviado por Pío IX para entregarle un mensaje escrito. El Santo Padre le declara que reza y rezará constantemente por ella. El cardenal le tiende también un sobre que contiene el proyecto de concordato elaborado por ella y Maximiliano, y que Carlóta había dejado en el Vaticano. El Papa se lo devuelve sin comentario alguno.

¿De qué sirve ya ese concordato? Con agilidad y delicadeza, Carlota sube en su vagón seguida de Felipe. El tren se pone en marcha. Durante horas el paisaje desfila mientras los hermanos charlan tranquilamente, con toda normalidad. La calma prosigue durante la comida. Pero, nada más acabar de comer, Carlota va a sentarse al lado de Felipe y le coge la mano. «¿Qué te he hecho para que quieras envenenarme? Si es por mi dinero, te lo daré ahora mismo, pero la vida es propiedad de cada uno.» Felipe no sólo protesta sino que se indigna. Carlota le da la espalda y no vuelve a dirigirle la palabra. En cualquier caso, resulta curiosa esta alusión al dinero, unas horas después de que Felipe haya dado órdenes a los banqueros de poner a Carlota bajo una especie de curaduría.

Aunque Carlota permanece callada y tranquila, la tarde transcurre en una atmósfera bastante cargada y tensa. El tren se detiene en Ancona, donde los viajeros embarcan en un vapor de la Lloyds fletado especialmente. Durante la cena a bordo, Carlota no le dirige la palabra a Felipe, sólo habla con Bombelles. «¿Sabéis que me han envenenado? Ha sido mi marido, ha sido Max. Hizo que me envenenaran durante mi viaje a Yucatán, por eso me mandó allí.» Bombelles protesta respetuosamente. Ella no insiste, se calla. La noche pasa en una calma relativa. A la mañana siguiente, Carlota desembarca en el puerto privado de Miramar, donde dos años antes embarcó para ir a México. Las verjas de la propiedad, habitualmente abiertas, han sido cerradas. Se ha prohibido el acceso del público al parque. El castillo de cuento de hadas construido para ser nido de amor se ha convertido en manicomio.

Enclaustran a Carlota en los lujosos aposentos de la planta baja del castillo, sin contar con la infinidad de ventanas, balcones y miradores que hay. La emperatriz se escapa y echa a correr por el jardín, furiosa por que hayan tenido la osadía de encerrarla. El colmo del escándalo es que ha salido sin sombrero ni guantes, cosa impensable para una dama de su rango y que demuestra, si todavía era necesario, su locura.

Felipe sale tras ella y la encuentra vagando por las extensiones de césped, entre los macizos de flores. Por más que intenta hacerla razonar y persuadirla de que regrese al castillo, ella no le hace caso. Planea ir a Trieste, a Viena, a Bruselas; quiere irse lejos, enseguida. Su hermano tarda horas en convencerla de que vuelva a casa con él por voluntad propia. Él mismo se asombra de su paciencia y su tranquilidad, pero su papel le desagrada. «Ocuparse de los locos es un oficio desagradable.» A los veintisiete años, en el mejor momento de su juventud y su belleza, su hermana ha perdido la razón, está condenada al encierro perpetuo. Felipe no se resigna a aceptar esa atroz realidad.

Jilek, el fiel médico de Maximiliano que se quedó en Europa, y el profesor Reidel, el ilustre alienista de Viena convocado en Miramar, tranquilizan la conciencia de todos con su diagnóstico: «Su majestad la emperatriz de México padece locura, tiene manías persecutorias producidas por una enfermedad mental más grave de lo que cabía creer al principio... El pronóstico es triste debido a que la agitación va en aumento, aunque, teniendo en cuenta la evolución de los síntomas, no del todo sin esperanzas.»

Por una indiscreción de los sirvientes, Felipe se entera de que la noche siguiente Carlota planea aprovechar la oscuridad para escapar de su prisión de Miramar y huir. Los médicos consideran que el castillo no dispone de la protección suficiente. Pero está el Castelleto, esa modesta villa con aspecto de seudocastillo gótico, construida por Maximiliano en la época en que supervisaba las obras del gran castillo. Sus reducidas dimensiones, así como sus ventanas estrechas y con rejas, ofrecen mejores condiciones para someter a Carlota a vigilancia. A las seis de la tarde, la decisión está tomada: Carlota será trasladada al Castelleto.

El problema es que ella no quiere ni oír hablar del asunto. Los doctores le ruegan a Felipe que se aleje. Él oye las súplicas y los gritos de Carlota, pues utilizan la fuerza, la reducen y la llevan como si fuera un paquete a través del parque, iluminado por la luz del sol poniente. Carlota se debate con furia. Una vez en el Castelleto, la llevan a su habitación, cuyas ventanas están protegidas por gruesos barrotes, y la encierran. Entonces los médicos le ruegan a Felipe que vaya a verla para que se calme. Él se resigna a ir y la encuentra magullada. Carlota le suplica que la saque de allí, al tiempo que se persigna y masculla oraciones: «Sálvame, es Maximiliano el que hace que me envenenen.»

Ha agarrado a Felipe de un brazo y se niega a soltarlo. Él pide ayuda, los médicos entran y separan por la fuerza a Carlota de su hermano. Ella grita, suplica. Felipe sale, se aleja apresuradamente, no quiere seguir oyendo los gritos de su hermana. «¡Qué horror, verse forzado de esta forma!», exclama.

Impresionado todavía por la escena que acaba de vivir, el 10 de octubre de 1866 Felipe escribe un largo informe dirigido a su hermano mayor, Leopoldo II. Enumera los primeros síntomas de la locura de su hermana según la información que ha recopilado, las señales de extravío, las acusaciones contra Radonetz durante el viaje de Miramar a Roma. Se extiende sobre el ataque de locura en el Vaticano. Cuenta su propia experiencia, tan terrible que le ha hecho perder todo su optimismo: «Los doctores creen que esas cosas se curan, pero yo no.» Al igual que todos los que le rodean, se interroga sobre la causa de esa inexplicable enfermedad.

Para Reidel, el alienista, podría deberse al clima y las condiciones ambientales de México, así como al doloroso fracaso de las negociaciones con Napoleón III, que habría provocado una conmoción irremediable. Pero Felipe sabe más del asunto que los médicos y tiene su propia explicación: «Yo creo que la impotencia notoria y reconocida de su marido ha influido de forma decisiva. Si hubiera tenido hijos, su mente se habría ocupado de otras cosas aparte de la política y la sangre habría seguido otra dirección. Se dice que Maximiliano no la ha tocado nunca.»

Siendo hermano de Carlota, Felipe se halla en una buena posición para saber lo que no se dice. La verdad es ésa: Maximiliano y Carlota nunca han mantenido relaciones físicas.

Por fortuna, al día siguiente Carlota parece haberse apaciguado tanto que se le permite a Felipe visitarla en el Castelleto. Ella le confiesa que no se encuentra nada bien, que es posible que esté enferma y que necesite cuidados. Felipe, infinitamente aliviado, no piensa más que en irse de Miramar lo antes posible. Médicos y acompañantes, encabezados por Bombelles, se alían para apoyarlo y disipar los problemas de conciencia que pudiera tener. De hecho, todos quieren desembarazarse de ese representante de la familia para poder tratar a Carlota como mejor les parezca, sin vigilancia.

Así pues, convencen a Felipe de que su presencia no sólo es inútil, sino que incluso podría revelarse perjudicial, ya que pone a Carlota en un inquietante estado de ansiedad que podría provocarle un ataque. De modo que, cuanto antes se marche, mejor será para la salud de su hermana. Felipe, a quien el espectáculo de su hermana desgarra el corazón, no necesita nada más. El 14 de octubre de 1866 parte en el tren de la noche. Carlota, encerrada en el Castelleto, se encuentra aislada del mundo.

En toda Europa se comenta el asunto de la locura de la emperatriz Carlota. En los palacios imperiales y reales de sus parientes, en la prensa, entre el pueblo, en todas partes, es el único tema de conversación, alimentado por los rumores más fantasiosos. Como de costumbre, los que más hablan son los que más deberían callar, es decir, los miembros más cercanos del entorno de Carlota, tanto los mejicanos como los austriacos. Asediados a preguntas —pues todo el mundo quiere saber la verdad—, para complacer, adornan. La locura de la emperatriz es un hecho que se conocía desde hace tiempo, se habían manifestado síntomas mucho antes de la fatal estancia en Roma.

Todo empezó durante el viaje a Yucatán, en noviembre. La emperatriz se mostró varias veces inquieta, extraña, decía cosas como mínimo incongruentes. Y recordad en Puebla, mientras se dirigía a Veracruz para embarcar rumbo a Europa, aquella inocente visita nocturna que ella misma describió a la casa de Esteva, el prefecto imperial entonces ausente. La verdad es más grave. La emperatriz tenía una especie de fijación, a pesar de que le explicaron que los señores de la casa se hallaban ausentes. Hubo que ir allí en plena noche, despertar a los guardias dormidos. La emperatriz vagó largo rato por la casa sin que nadie comprendiera por qué. Más tarde, cuando se partió el eje de un coche y tuvieron que alojarse en un albergue repleto de viajeros, muchos de ellos republicanos, escuchó un montón de veces la canción compuesta contra ella: *Adiós, mamá Carlota*. De repente empezó a ver enemigos por doquier, temía por su vida y hubo que proseguir camino en plena noche. Durante el viaje por mar, permaneció encerrada en su camarote, del que no quería salir bajo ningún pretexto, negándose a hablar salvo para pronunciar frases incomprensibles. Pero lo peor ocurrió en París. Cuando, en el transcurso de su visita a Saint-Cloud, le ofrecieron un refresco, lo rechazó gritando: «¡Asesino, dejad que me lleve vuestra bebida envenenada, huid!» Durante la segunda entrevista, cuando Napoleón III le negó la ayuda que ella pedía, perdió la cabeza hasta el extremo de insultarlo: «¿Cómo he podido olvidar quién soy yo y quién sois vos? Debería haber recordado que la sangre de los Borbón corre por mis venas, y no deshonrar a mi raza y mi persona humillándome ante un Bonaparte, tratando con un aventurero.» Se había desvanecido no una, sino tres veces. Eugenia había tenido que desabrocharle el corpiño, quitarle ella misma las medias y los botines, y humedecerle las sienes, los pies y las manos con agua de Colonia. ¡Qué escándalo!

Quienes facilitan esta información son la señora Del Barrio, la amable y paciente dama de honor, y Blasio, el fiel secretario, ellos que tanto quieren a su soberana.

A medida que se multiplican las conversaciones y las confidencias sobre la locura de Carlota, se revelan nuevos detalles, nuevos episodios inéditos. Así, el día que no quería salir del Vaticano, el único medio que se había encontrado para poner fin a semejante indecencia había sido proponerle visitar un orfanato. Ella había aceptado, y la visita había comenzado más o menos bien, pero de pronto, en la cocina, se tiró al suelo dando gracias a Dios por haberla salvado de una muerte segura. Luego, al ver en el fogón una cazuela borboteando, dio un salto y, antes de que pudieran impedírselo, sumergió una mano en la comida. Gritando a causa de la terrible quemadura, sacó un trozo de carne y lo engulló a dentelladas, como un caníbal. Sin embargo, el dolor era tan fuerte que se desmayó, lo que permitió llevarla al hotel.

Vuelve a ser la señora Del Barrio quien cuenta esta historia lamentable, que hay que añadir a sus mentiras. Tal vez deseaba vengarse por todo lo que había tenido que soportar de Carlota. Pero, tanto en ella como en Blasio y los demás miembros del séquito que se prodigaron en contar chismes, se detecta una reacción clásica. El anuncio de la locura de la emperatriz de México sumió a Europa en el estupor. A los que la rodeaban no se les ocurrió nada mejor que dar a entender que sabían desde hacía tiempo la verdad y habían guardado silencio por discreción. Rebuscando en sus recuerdos, comenzaron a desenterrar las anécdotas más banales para transformarlas en antecedentes de la locura, para explicarse a ellos mismos y explicar al público que los asediaba a preguntas lo incomprensible: esa locura provocadora. En la época en que estaba mentalmente sana, Carlota, cuando sufría en lo más profundo de su intimidad —lo que le había ocurrido con gran frecuencia—, se encerraba bajo un caparazón. En tales casos, no le hacía confidencias a nadie. Cuanto más sangraba su corazón, más cerrada, altiva e inaccesible parecía, al contrario que Maximiliano, que era en cualquier circunstancia el encanto y la amabilidad personificados. Los solitarios como Carlota nunca son populares, mientras que los seductores como Maximiliano lo son siempre. Así, damas de honor y lacayos preferían el emperador a la emperatriz. Tal vez incluso sentían cierto rencor hacia esta última, y de ahí las invenciones denigrantes sobre su estado.

En los antecedentes de Carlota no se conoce ningún caso de locura. Los Sajonia-Coburgo eran personas sanas y equilibradas, y la neurastenia reconocida de Leopoldo I no basta para explicar la locura de su hija. En cuanto a los Orleáns, no se observa en ellos ni un ápice de demencia. En la época en que sucumbió a la locura, Carlota era, por culpa de su marido, a quien amaba y que la amaba, una mujer profundamente infeliz y frustrada. A ello vino a sumarse la espantosa prueba del viaje a Francia y Roma, que la llevó a las puertas de la desesperación. Esta mujer introvertida no dice nada, no exterioriza nada. Pero la lava bulle lentamente en su interior mucho tiempo, hasta el día en que, al ser la presión demasiado fuerte, el volcán estalla. Si es cierto que «dentro de cada uno de nosotros dormita un loco», la loca que había en el fondo de Carlota se despertó para manifestarse estrepitosamente.

Carlota ya está encerrada en Miramar cuando Maximiliano recibe, el 18 de octubre de 1866, dos telegramas. Uno de su embajador en Roma anunciando que Su Majestad la emperatriz ha sufrido una congestión cerebral; el otro de Bombelles: la emperatriz acaba de llegar a Miramar, su estado es muy grave, pero se han tomado todas las disposiciones necesarias y ha ido el profesor Reidel de Viena. En su angustia, un detalle inquieta a Maximiliano; tiene un mal presentimiento.

—¿Conocéis al profesor Reidel de Viena? —le pregunta a su médico, el doctor Basch.

—Sí, sire, es el director del manicomio.

Entonces Maximiliano comprende la horrible verdad y su reacción es inmediata: decide partir para Europa. Al infierno México. Todo el mundo quiere que abdique; los franceses, con Bazaine a la cabeza, y varios de sus consejeros no paran de decírselo. De modo que abdicará para acudir a la cabecera de Carlota, y así se lo hace saber a su cuñado Felipe: «Rodearemos a nuestra querida Carlota de tantos cuidados y afecto que Dios, en su infinita bondad, se apiadará de nuestro dolor y le devolverá a nuestra querida enferma sus preciadas facultades.» Si Carlota debe curarse, quiere que sea gracias a él, sabe que será gracias a él, y eso bien vale sacrificar una corona. Carlota está enferma, Carlota se halla en peligro, y él la ama más de lo que jamás la ha amado.

Esa misma noche da instrucciones a Hertzfeld, un consejero de Estado al que ha hecho ir recientemente desde Austria, para que prepare su marcha con la mayor discreción. Se envían mensajeros a Veracruz a fin de reservar una corbeta austriaca, el *Dandelot*, para trasladar al emperador a Europa.

Antes, pone orden en casa. Los famosos decretos de octubre de 1865 que instauraban un régimen de terror y que habían suscitado la reprobación general, pura y simplemente los anula. Disuelve las legiones de voluntarios belgas y austriacos. En cuanto a su heredero, el pequeño Iturbide, puesto que doña Alicia, su madre, lo reclama a gritos, se lo devuelve.

—¿Qué pasa? —pregunta el niño, sorprendido de tener que separarse de su padre adoptivo y un tanto confuso por la agitación que reina a su alrededor.

—Nada, pequeño, es para preservarte de una desgracia.

El emperador no pierde tiempo. Dos días después del día fatal en que se entera de la locura de Carlota, está en camino. No se informa de la razón de su partida, pero todo el mundo la sabe. No ha abdicado, pero todo el mundo espera que lo haga. Le ha dado instrucciones al consejero Hertzfeld, pero es el padre Fischer quien se ocupa de todo, preocupándose en especial de la deficiente salud del emperador —sigue padeciendo disentería—, minada a causa de la depresión provocada por las noticias de su esposa. Esto se traduce en la conveniencia de no viajar demasiado deprisa, de manera que tardan siete días en recorrer el trayecto de México a Orizaba, el doble del tiempo normal, lo que exaspera a los militares franceses de la escolta, pues el país ha llegado a tal punto que se teme constantemente un ataque. Los «disidentes» merodean por los alrededores del mismo México y de Veracruz. Y si el emperador de México consigue alejarse de la capital, es únicamente gracias a la protección del ocupante.

El padre Fischer ha organizado en Orizaba una recepción destinada a reconfortar el corazón del soberano. Maximiliano se esperaba abucheos y he aquí que se le anuncia la presencia de una población entusiasta. Por eso cree que ya no necesita a la escolta francesa. Además, ya está harto de esos franceses, así que se apresura a despedirlos sin miramientos para hacer una entrada triunfal en Orizaba.

Las cajas que contienen sus efectos siguen el camino hacia Veracruz para ser cargadas en el *Dandelot*. Se envía a Hertzfeld por delante para anunciar y preparar su llegada. Pero Maximiliano parece no tener ya prisa. Instalado en la deliciosa hacienda de Jalapilla, renace a la vida y se complace en disfrutar de la encantadora naturaleza. Muy a su pesar, ha tenido que recurrir de nuevo a las tropas francesas para proteger su pequeño paraíso, pero se divierte haciendo travesuras, burlando su vigilancia para escaparse y galopar solo por los frondosos bosques.

Aislado por la densa vegetación y el silencio, contempla su futuro. Imagina el recibimiento de su familia, la frialdad de Francisco José, que se guardará mucho de ofrecerle ni siquiera un puesto de consuelo. Ya no tendrá su sitio en la familia imperial. Imagina por anticipado los «os lo habíamos dicho» de sus adversarios. Humillado, no podrá hacer otra cosa que retirarse a Miramar. Por supuesto, está impaciente por ver a Carlota para cuidarla. Pero ¿y si no se cura? A los treinta y cuatro años, estaría condenado a retirarse y vivir el resto de sus días con una loca.

—Además, esta marcha es, después de todo, una huida —susurra el buen padre Fischer al oído de Maximiliano.

—¿Cómo que una huida?

—Sí, sire, una huida.

Fischer es el único conocido que acompaña al emperador y se

aprovecha ampliamente de esa circunstancia. Ese aventurero de pasado turbio, ese teutón corpulento y canoso, de facciones toscas y ojillos fruncidos, es capaz de desplegar una sutileza casi bizantina para enredar a su interlocutor. Maximiliano le replica que, huida o no, es evidente que no puede quedarse en México.

—Al contrario, sire, es el mejor momento para quedarse.

—¡Pero si los franceses se van!

—Eso es precisamente lo que salvará al imperio.

—Ha perdido el juicio, padre Fischer.

—En absoluto, sire. Los soldados franceses son impopulares en México, hasta el punto de que su mera presencia se ha vuelto perjudicial para la causa del imperio. Una vez ellos se hayan marchado, entre los mejicanos, liberados del ocupante, surgirá un movimiento de entusiasmo inusitado y vuestra majestad reclutará sin dificultad diez mil, veinte mil, treinta mil soldados con los que, sin necesidad de extranjeros, os será fácil poner fin a la rebelión y establecer el imperio sobre bases mucho más sólidas.

Pero, pregunta Maximiliano, ¿en qué partido voy a apoyarme? En el soporte natural del trono, los conservadores, por supuesto; es decir, los socios del padre Fischer. Maximiliano toma nota y no se pronuncia. Los preparativos del viaje prosiguen, pero él no se mueve. Los días pasan sin que salga de su indecisión. Se entera de que Porfirio Díaz, el mejor general de Juárez, ha vuelto a arrebatarles Oaxaca a los imperialistas. Esta mala noticia debería empujarlo hacia Veracruz, pero en ese momento recibe una carta de su madre. La archiduquesa Sofía se ha enterado de su intención de retirarse y la desaprueba. El honor de los Habsburgo no permite a Maximiliano abandonar su puesto en el momento en que el ejército francés se retira. Al menos, que se quede en México hasta que la causa del imperio se resuelva en uno u otro sentido. Y el emperador de México, al leer esta misiva, reacciona como el niño que siempre hizo lo que su madre le decía.

En Washington están tan seguros de su marcha que para Estados Unidos Maximiliano ya no existe. Tan sólo cuenta Juárez, y la administración norteamericana envía una delegación, de la que forma parte el ilustre general Sherman, para hablar con el nuevo jefe de México. Los franceses también dan la abdicación por segura. Tienen prisa; sólo esperan la partida de Maximiliano para retirarse. Y este último está tardando demasiado. Respetuosa pero firmemente, se aventuran a decírselo. Maximiliano se resiste. Pero bueno, protestan los franceses, ¿les ha anunciado o no el emperador su decisión de abdicar? Claro, claro, lo que ocurre es que no puede hacerlo antes de haber pedido la opinión de sus ministros y consejeros de Estado, que se han quedado en México. Que se les convoque aquí mismo, pues, en Orizaba.

Los franceses tienen que inclinarse, tal como ha previsto el padre Fischer, autor de la maniobra. Los personajes más importantes del imperio salen de México para reunirse en la hacienda de Jalapilla el 28 de noviembre. Maximiliano los deja discutir en paz. Él no asiste a la sesión; ese día se ha ido a cazar mariposas, no sin antes haber redactado más cartas de despedida dando las gracias a los fieles que le han servido durante su reinado. Porque está decidido, se marchará después del consejo. Éste acaba y, sabiamente «trabajado» por el padre Fischer, decide por aplastante mayoría el mantenimiento del imperio. Maximiliano no debe abdicar. «Muy bien —anuncia éste—, no abdicaré.» Los franceses se quedan atónitos, mientras que el padre Fischer celebra el acontecimiento brindando con los ministros conservadores, sus cómplices. Al final, Maximiliano sigue la directriz que Carlota le ha marcado en todas sus misivas hasta ser víctima de la locura: no abandones jamás. Obedeciéndola, le daba su más bella prueba de amor.

Simultáneamente, entra en la rada de Veracruz la fragata norteamericana *Susquehannah*, que lleva a los delegados de Estados Unidos encargados de parlamentar con Benito Juárez. Oyen repicar las campanas de las iglesias y se les informa de que el emperador ha decidido quedarse, que el emperador no abdica, que el imperio continúa. Lo único que pueden hacer los norteamericanos es dar media vuelta. Maximiliano emprende el camino hacia México, y esta vez no pierde tiempo. En unos días está más allá de Puebla, y recibe al nuevo año no lejos de México: «He pasado un 1 de enero melancólico pensando en ti y suspirando por ti —le escribe a Carlota—. En días así, pesa doblemente la inmensidad del océano, pero con la bendición de Dios todo se arreglará. Estrechándote contra mi corazón...» Espera que esté en condiciones de comprender su mensaje. Es la última carta que le envía.

En Buenavista, Maximiliano se cruza con el comandante de la Legión belga, ahora disuelta, el coronel Van der Smissen, que va en dirección contraria. Nunca se ha entendido con él, de modo que lo saluda con frialdad. Van der Smissen empieza a hablarle en francés; Maximiliano le contesta en español. Van der Smissen le suplica a Maximiliano que reconsidere su decisión y abdique, a fin de evitar una catástrofe para el país y sobre todo para él, Maximiliano. El emperador, negándose a escucharlo, pone fin a la entrevista. Van der Smissen reanuda el camino que lo conducirá a Europa y Maximiliano ve las puertas de su destino cerrarse tras de sí.

Un estruendoso concierto de *cohetes*, salvas de cañón y de campanas lo recibe alegremente en México. Chapultepec le trae demasiados recuerdos; además, puesto que Maximiliano no iba a volver, el palacio ha sido prácticamente vaciado. Se instala muy cerca de allí, en la modestísima hacienda de Teja, que no tiene nada de palacio imperial pero que ilustra de maravilla la presente situación de su ocupante.

En cuanto se declara loca a Carlota, los Sajonia-Coburgo y los Habsburgo se apresuran a preocuparse de su fortuna, a decir verdad, inmensa. La componen fondos, acciones e inversiones, depositados en varios bancos de diferentes países. La Casa imperial austriaca declara que, puesto que está casada con Maximiliano, su fortuna debe ser administrada por el jefe de la Casa, el emperador. A lo que Leopoldo II responde que, puesto que la fortuna de Carlota proviene de la familia real de Bélgica, los Habsburgo no tienen ningún derecho a ponerle la mano encima. Se entablan discusiones discretas pero feroces. Los austriacos proponen administrar la fortuna de Maximiliano, así como la parte de ésta que le correspondería a Carlota, pero devolver a los belgas la dote de su antigua princesa. Leopoldo II, consciente de que por ese medio Francisco José anularía el contrato de matrimonio y quedaría dispensado de pagar la viudedad de Carlota, se indigna contra lo que considera «una falta de honradez congénita».

En lo que se refiere a la propietaria de esos millones, es inútil ocuparse de ella, los médicos lo hacen a la perfección; es inútil ir a verla, los médicos lo prohíben por su bien. Con todo, a Carlota le quedan algunos fieles. Éloin, el belga, viaja a Miramar, pero no le permiten verla. No obstante, mantiene los ojos bien abiertos y registra numerosos detalles. El séquito mejicano se ha dispersado; unos viven en Trieste, mientras que otros se han marchado a París. En el castillo de Miramar sólo queda el conde del Valle, gran chambelán, aunque no tiene acceso a Carlota. Ésta sigue enclaustrada en el Castelleto. Bombelles es quien lo dirige todo. Ha instalado al doctor Jilek y a otros médicos que se ocupan de Carlota en la planta baja del Castelleto, ha ordenado clavar las ventanas de la habitación de la emperatriz, también en la planta baja, y condenar la puerta que da directamente a la entrada. Carlota sólo puede salir de su aposento por la habitación donde permanecen noche y día sus camaristas, que la vigilan incluso después de cerrar las contraventanas al oscurecer. La única que intenta humanizar este régimen es Mathilde Doblinger, pues Carlota continúa contando sólo con ella.

Bombelles informa a Éloin de cómo pasa el día la enferma. En pie entre las siete y las ocho después de una noche tranquila; para desayunar, café con leche, pan y mantequilla; después, aseo con baño de agua templada; a continuación, música y dibujo. Los médicos y el capellán la visitan todas las mañanas. Si el tiempo lo permite, pasea bajo vigilancia por el parque, pero en este otoño lluvioso y ventoso las salidas no son frecuentes, lo que ensombrece el estado de ánimo de la enferma. A la una y media, la comida. El menú lo decide la propia Carlota con ayuda del capellán y de uno de los médicos. No obstante, procuran servirle alimentos sanos y ligeros. Por la tarde, conversación, noticias, paseo y, si el tiempo lo permite, paseo en barca. Por la noche, conversación y juego de cartas hasta las ocho y media. A las nueve, Carlota se acuesta. Su salud física es excelente. El principio del tratamiento de los alienistas consiste en distraerla constantemente a fin de apartarla de su manía persecutoria de envenenamiento.

A Éloin le sorprende que Carlota, que toda su vida ha escrito muchísimo, se haya vuelto tan perezosa para eso. Sólo se acuerda de los santos y los cumpleaños, y telegrafía a sus familiares para felicitarlos; por ejemplo, a la hija mayor de la reina Victoria, que le responde amablemente. Otros parientes le escriben cartas cuidadosamente pensadas, dado su estado, como su cuñada, la emperatriz Isabel. Carlota declara sentirse demasiado cansada para contestarle. En cambio, se complace en redactar una carta dirigida a su suegra, la archiduquesa Sofía, en la que, aparentemente con la más absoluta normalidad, se limita a hablar de trivialidades. Con su hermano Leopoldo II se muestra más franca, confiándole por escrito que no lee los periódicos desde hace un mes, probablemente porque se lo prohíben, y que le gustaría que la informase de lo que pasa en el mundo. Le hubiera encantado ir a Nápoles, «pero me han traído aquí, así que supongo que eso quedará para otra ocasión... De cualquier modo, en este reducido mundo llamado Miramar empieza a soplar la bora [ese terrible viento del norte que perturba el espíritu], si bien todavía moderada por la suavidad natural del clima».

Éloin interroga minuciosamente a los médicos de Carlota a fin de informar con el mayor detalle a Maximiliano. Éstos albergan la más sincera esperanza, aunque se niegan a comprometerse estableciendo un plazo para su curación. Éloin es un hombre sincero y sensible. Esas palabras tranquilizadoras no impiden que esté trastornado por lo que ha visto y lo que ha intuido: «Me falta valor para escribirle a su majestad, aunque tengo fe en la curación.»

El 4 de noviembre es el santo de Carlota, que se complace leyendo los numerosos telegramas de felicitación y respondiendo a ellos. Incluso se le permite recibir algunas visitas, como las del arquitecto del castillo, la princesa Auersberg, su antigua dama de honor, e incluso Bombelles, que hasta entonces, pese a dirigirlo todo, se había mantenido lejos de su vista porque lo había acusado, como a los demás, de querer envenenarla. Ese día, sin embargo, no sólo no le hace ningún reproche sino que se muestra amable con él, recordando que es también su santo y felicitándolo cordialmente. Alentados por esa actitud, los médicos autorizan un paseo por el parque. Como Carlota había pedido música para la celebración, han ido cuatro violinistas que, al verla aparecer, comienzan a tocar. De repente Carlota se echa a temblar. «¡Están aquí para matarme!», exclama. La conducen a toda prisa al Castelleto. Por el camino, se cruza con el gobernador del castillo. «¡Es un espía! —grita, y señalando a los obreros que están reparando una parte del tejado y a unas mujeres que se dirigen al lavadero cargadas con grandes cestas, añade—: ¡Son espías!»

Durante los días siguientes, cae en una especie de apatía, pero la obsesión perdura: todos intentan envenenarla. El doctor Jilek y Mathilde Doblinger la acompañan todos los días al pequeño estanque que hay en el centro de una extensión de césped, delante del Castelleto, para que coja la única agua que beberá. Los alienistas que una semana antes tranquilizaban a Éloin, se muestran ahora pesimistas en sus informes al emperador Maximiliano y a la familia real belga. La curación de Carlota, en lugar de acercarse, parece alejarse.

No obstante, ella continúa interesándose por lo que sucede a su alrededor. Así se entera de que su jefe de cocina acaba de tener un hijo, un varón, y se empeña en verlo. Le llevan al bebé; ella lo coge en brazos y lo llama Agustín, el nombre del pequeño Iturbide, el hijo adoptivo de Maximiliano. Lo estrecha con tanta fuerza contra su pecho que todos los presentes se echan a temblar. Se precipitan hacia ella y le arrebatan de las manos al niño. En un segundo se han manifestado años de frustración de la mujer que no ha podido ser madre.

A través de la ventana de su habitación, que no puede abrir, escruta largamente el mar. Todos los días pasa horas así, interrogando al horizonte en espera de ver aparecer el barco que le traerá a su marido. Y lo hace con la obcecación y también con el instinto de los locos. Está segura de que Maximiliano va a ir, y sin embargo ignora que ha llegado un telegrama a Miramar anunciando precisamente su partida hacia Europa.

Al recibir la noticia, Bombelles ha partido precipitadamente para Gibraltar a fin de recibir allí a su amigo de la infancia. La familia de Carlota, informada de inmediato, se dispone a acoger a Maximiliano. «Aquí acaba esta deplorable aventura en la que hubiera sido infinitamente mejor no embarcarse», comenta Felipe.

Desgraciadamente, se equivoca, pues la «deplorable aventura» dista mucho de haber acabado: Maximiliano no llegará a Gibraltar porque se ha quedado en México. Recibe la bendición de su madre, la archiduquesa Sofía, que en otra carta lo felicita por haber resistido a su legítimo deseo de ver a Carlota. Pero al emperador lo invade la nostalgia al leer la descripción que le hace su madre de la Navidad en familia. Por primera vez, ella y su padre habían reunido a su descendencia al completo y montañas de paquetes se apilaban alrededor del árbol. Gisèle y su hermano, el heredero —el pequeño Rodolfo—, abrían con nerviosismo sus regalos. Francisco José acunaba al recién nacido Otón, hijo de su hermano pequeño, el archiduque Carlos Luis. En cuanto al hermano mayor de Otón, el joven Francisco Fernando, había preferido ir a sentarse al lado de su tía Sissi, la emperatriz Isabel. Mientras la familia imperial celebraba el nacimiento del Salvador, el reloj-caja de música que estaba sobre la chimenea había empezado a sonar. A la archiduquesa Sofía se le habían saltado las lágrimas, pues era un regalo de su Max. Cuánto habría llorado si hubiese sabido que su nieto Rodolfo sería un día el triste héroe de Mayerling, que otro de sus nietos, Francisco Fernando, sería asesinado en Sarajevo, que su nuera Isabel —aunque a ella no le tenía mucho aprecio— sería apuñalada en Suiza, que Otón, el bebé, sería el padre del último emperador de Austria... En lo que se refiere a su querido Max...

El 5 de febrero de 1867, desde el amanecer reina una gran agitación en Ciudad de México. Los habitantes comentan: «¿Cómo, no lo sabe? Los franceses se van hoy.» Los soldados, procedentes de todos los cuarteles de la capital, forman un interminable cortejo. El mariscal Bazaine con uniforme de gala y sus oficiales, resplandecientes de bordados, condecoraciones y plumas, desfilan por última vez por las avenidas de la capital, atestadas de curiosos que guardan el más profundo silencio. Los militares pasan ante el palacio imperial, cuyas persianas están todas bajadas por orden superior. El enorme edificio parece desierto, pero no lo está, pues tras la persiana de una ventana, en el primer piso, hay un hombre solitario. Es el emperador Maximiliano. Espera, inmóvil, que el último soldado francés desaparezca al doblar la esquina de la calle; entonces murmura: «Por fin soy libre.» «Por fin somos libres», le contestan en silencio sus súbditos, encantados de ver desaparecer a unos extranjeros que, bajo la máscara de pacificadores, habían desempeñado el papel de conquistadores y que, según ellos, dejaban un país más pobre y desgraciado que antes de su llegada.

Por un acuerdo tácito con Benito Juárez, los franceses pudieron llegar a Veracruz sin ser molestados ni atacados. Bazaine se dirigió hacia el mar sin perder tiempo, aunque tampoco con una prisa excesiva. En cada etapa, esperaba que Maximiliano lo alcanzara. El emperador se había negado a verlo antes de su partida, pero Bazaine confiaba en que en el último momento se impondría la razón y conseguiría embarcar al emperador con él. En el momento de subir a bordo de la nave que debía llevarlo a Europa, se volvió para escrutar la carretera de México. Estuvo un rato esperando ver aparecer la nube de polvo que anunciaría a Maximiliano, pero la carretera siguió vacía.

Cuando el barco se hubo alejado de las costas mejicanas, Bazaine masculló: «Tendría que haberlo traído a la fuerza.»

El padre Fischer y sus conservadores le repetían de la mañana a la noche a Maximiliano que, ahora que los franceses se habían marchado, por fin era de verdad él el emperador de México. En caso de que hubiera puesto en duda esta afirmación, una noticia se la confirmó: la terrible derrota en San Jacinto de las tropas monárquicas contra los «disidentes», que fusilaron a más de cien prisioneros. «Peor para ellos —le dijo el padre Fischer a Maximiliano—. Por una derrota que hemos sufrido, tendremos cien victorias. Pero, puesto que Porfirio Díaz controla el sur desde su victoria en Oaxaca y amenaza Puebla, para poder aplastarlo es preciso que vuestra majestad abandone provisionalmente México y se reúna en Querétaro con el grueso de las tropas monárquicas. Desde allí, podremos actuar mucho más eficazmente para acabar con los disidentes.» De acuerdo, vayamos a Querétaro, asintió Maximiliano, dominado por el extraño cura.

El 13 de febrero de 1867 salió, pues, de la capital en dirección a esa ciudad, situada aproximadamente doscientos kilómetros al norte. Partió sigilosamente al amanecer. Entre su menguado estado mayor, caracoleaba el apuesto coronel López, el oficial que había entrado junto a él en México cuando tomó el poder. Desde entonces, otros validos lo habían eclipsado. Uno tras otro, todos habían desaparecido; tan sólo se había quedado López, que ahora acompañaba a su emperador para lo bueno y para lo malo. Maximiliano no había querido llevar a ningún extranjero: el ejército mejicano debía componerse exclusivamente de mejicanos.

Tan sólo había hecho una excepción con una extraña pareja. Él, el príncipe de Salm, era un gran señor alemán un poco aventurero. Había encontrado a la pareja ideal en una joven y hermosa amazona de origen francés, igual de cabeza loca que él, con quien se había casado. Maximiliano, que los había conocido recientemente, no había podido resistirse al placer fugaz de hablar su lengua materna y los llevaba con él.

Como era su costumbre, los conservadores, estimulados por el padre Fischer, habían hecho bien las cosas, preparando en Querétaro un recibimiento grandioso para su soberano. Gran multitud, vítores, aplausos, tropas presentando las armas, arengas triunfales, Te Deum... no faltaba nada. Maximiliano sintió reforzada su confianza.

Querétaro, ciudad vasta y rica, con suntuosas iglesias y opulentos conventos, se extendía en una llanura. La rodeaban unas colinas rocosas poco elevadas, que fueron ocupadas rápidamente por los rebeldes. Al principio sólo era un delgado cordón fácil de romper, pero las tropas monárquicas no lo conseguían. Se sucedieron las escaramuzas. Poco a poco, los monárquicos fueron perdiendo hombres, mientras que los rebeldes reforzaron sus tropas. A fines de marzo, Querétaro estaba totalmente sitiada, aunque los rebeldes permanecían prudentemente en las colinas.

Enterado Maximiliano de que Porfirio Díaz, el ardoroso general de Juárez, se había apoderado de Puebla y amenazaba México, convocó un consejo de guerra, en el transcurso del cual el general Márquez propuso ir en auxilio de la capital con una parte de las tropas reunidas en Querétaro. Era justo lo contrario de la intención inicial, que había llevado a Maximiliano a Querétaro precisamente para concentrar allí a sus tropas. Sin embargo, el emperador aceptó dividirlas.

Márquez, con una parte de los soldados, sale de Querétaro sin que los rebeldes muevan ni un dedo. Corre al encuentro del victorioso Porfirio Díaz, es derrotado, huye sin más y se encierra en México, para entregar rápidamente la capital a Porfirio Díaz en cuanto éste comienza a sitiarla.

Benito Juárez le envía entonces a Maximiliano la oferta de abandonar Querétaro con todos los honores debidos a su rango, para embarcar sin obstáculos en Veracruz y regresar a Europa.

Maximiliano la rechaza altivamente. A fines de abril Querétaro es rodeada. Maximiliano ya no puede escapar.

12

Una mañana de abril de 1867, varios barcos que enarbolan bandera francesa atracan en el puerto de Trieste. Llevan a los supervivientes de la Legión austriaca que fueron a luchar a México. Al ver desembarcar a los voluntarios, los triestinos se quedan espantados por su aspecto: flacos, atemorizados, con la ropa hecha jirones. No sólo no han recibido su paga desde hace meses, sino que sus carros han sido atacados e incendiados en la carretera de Veracruz. El archiduque Alberto, primo del emperador Francisco José, ha sido enviado por éste para recibir oficialmente a los veteranos. Sin embargo, se guarda mucho de pasar por Miramar, pues no tiene ningunas ganas de ver a la que la familia imperial considera una apestada: la loca.

Aunque, según anuncian los periódicos, ya no está tan loca. La prensa, efectivamente, publica que la emperatriz de México está en vías de curarse por completo, hasta el punto de poder ocuparse de nuevo de los asuntos de México. El cónsul de España en Trieste, don Joaquín García Miranda, es un testigo de excepción. Debe de tener espías en el castillo de Miramar, ya que en sus informes figuran detalles extraordinarios e inéditos. «No creáis lo que dicen los periódicos; mienten», le escribe a su ministro. Es cierto que la emperatriz está más tranquila, pero sus obsesiones y fobias no han desaparecido.

En consecuencia, el aislamiento total cuyo fin había anunciado la prensa se mantiene, por no decir que se refuerza, si bien la enferma experimenta largos momentos de lucidez en los que recupera sus facultades y escribe de la forma más normal del mundo a sus allegados. Su carta a la condesa de Grunne, su vieja amiga, es un modelo de inteligencia y está redactada en un estilo claro, vivo y ágil. Le cuenta que, como no ve hacia dónde se dirige la historia moderna, se sumerge en la antigua. Lee la *Historia sagrada* de Victor Duruy. Empieza una Historia de Grecia. Devora una biografía recientemente aparecida del rey de Suecia Gustavo III, cuya trágica muerte inspiró a Verdi para *Un ballo in maschera*. Lee con interés *La democracia en América*, de Tocqueville. A su hermano Felipe, le confiesa que sigue pintando abanicos; ha terminado uno para su suegra, la archiduquesa Sofía, y otro para tía Clementina, la hermana de su madre. También se entretiene haciendo *collages* de mariposas, y enumera las que le llevan con su nombre científico. Le escribe a su hermano mayor, Leopoldo II, para felicitarlo por el discurso que ha pronunciado con motivo del inicio de sesiones del parlamento belga, le describe el desarrollo de las obras del castillo de Miramar, que no han sido interrumpidas, y le anuncia con orgullo que la sala imperial del primer piso ya está terminada. Se mantiene al corriente de las novedades familiares y de los desplazamientos de unos y otros, se muestra encantada de los esponsales de Felipe con la princesa María de Hohenzollern. Ya quiere a esta nueva cuñada, a la que está ansiosa por conocer. Por supuesto, no la invitan a la boda, pero no hace ningún comentario sobre ese ostracismo. Incluso se complace en diseñar una pulsera como regalo de boda y encarga su ejecución a un joyero de Trieste.

Se alegra de que Felipe y su joven esposa estén invitados a la Exposición Universal que se celebra en París, para la cual ella había elaborado la lista de los objetos que debían representar al Imperio mejicano. Piensa en las personas a las que verán: Napoleón III y Eugenia, los primos ingleses, Bertie, Vicky y muchos más. Se queja del laconismo de su hermano para describir esa exposición que a ella le encantaría visitar.

Leyendo las cartas de la emperatriz, uno la imagina paseando por sus jardines para coger flores, leyendo periódicos y las obras más interesantes recientemente publicadas, sumergiéndose en su voluminosa correspondencia, practicando, como aficionada con talento, diferentes artes, en resumen, llevando libremente, en sus maravillosos dominios, la existencia lujosa de una gran dama. Sin embargo, leyendo entre líneas se advierte que habla mucho de los demás pero apenas de sí misma, mientras que los informes de los médicos y las noticias que envía Bombelles a la familia imperial son cada vez más escasos. Con todo, sabemos que Carlota pregunta todos los días por Maximiliano. «¿Se tienen noticias de él? ¿Cómo está? ¿Dónde está?» La respuesta es siempre la misma: como en México sigue la guerra civil, el emperador está tan ocupado reduciendo a los «disidentes» que, desgraciadamente, no tiene tiempo de escribirle a su esposa. En cuanto a la familia de Carlota, ya no sabe casi nada de su estado ni de su existencia. Nadie la ve porque no recibe a nadie. Órdenes de los médicos. Semana tras semana, el cerco se cierra y el encarcelamiento se vuelve cada vez más severo.

No obstante, por debajo de las verjas de Miramar se filtran extrañas informaciones que la familia de Carlota no está en condiciones de verificar. Mathilde Doblinger, la fiel camarista, tenía una ayudante vienesa, Amalia Stöger, una belleza de treinta y tres años con unos ojos magníficos y una melena espléndida. Aunque se había divorciado de su marido, seguía siendo profundamente religiosa. Pues bien, el 2 de junio de 1867 por la mañana la encontraron en su habitación del primer piso del castillo, colgada de la lámpara del techo. Había cogido un cordón de seda que sujetaba una cortina, le había dado ocho vueltas alrededor de su cuello y se había ahorcado. El cónsul de España en Trieste, García Miranda, al corriente como siempre, al principio había creído que se trataba de una dama de honor belga de Carlota, pero en Miramar ya no quedaba ninguna dama de honor. Luego se enteró de que se trataba de una camarista vienesa, de la que se afirmaba que estaba perdidamente enamorada de Maximiliano. Mientras reflexionaba en los elementos de esta tragedia, dejaba vagar la mirada, que se posó distraídamente en la primera página del periódico local, *L'Osservatore Triestino*. Entonces centró en ella su atención: allá, en Querétaro, titulaba la gaceta en grandes caracteres, el emperador Maximiliano había capitulado sin condiciones ante las tropas de Benito Juárez...

En lo más ardiente del verano mejicano, habían pasado días, semanas en unas condiciones terribles. El agua había sido cortada, faltaba comida, los soldados y los habitantes se veían obligados a comer cadáveres de caballos y perros. Sólo se podía conseguir pan de una monja que utilizaba para hacerlo la harina destinada a las hostias. Maximiliano se alimentaba exclusivamente de pescado en conserva. Poco a poco, iban perdiendo la confianza. Las deserciones se habían multiplicado, y para colmo de males se había declarado en Querétaro una epidemia de tifus. La situación era desesperada. Entonces, el último privado de Maximiliano, el apuesto coronel López, había intervenido. Una noche, deslizándose a través de las líneas de los soldados monárquicos, había llegado al campamento de los republicanos, donde había encontrado a un viejo amigo, Manuel Ricon-Gallardo. El padre de este último era monárquico y su hermana dama de honor de Carlota, mientras que él y su hermano servían en las filas de Juárez; en las grandes familias mejicanas era frecuente que los dos bandos cohabitaran.

López se sienta a una mesa con él, pide una copa y la levanta para brindar por la república. Ricon-Gallardo le arroja el contenido de su vaso a la cara —«Yo no bebo con los traidores»—, pero acepta llevar a López ante el general Escobedo, comandante de las tropas republicanas que asedian Querétaro. López le ofrece entregarle la ciudad, con la condición de que Maximiliano y los suyos puedan abandonarla para embarcar sin obstáculos rumbo a Europa. Escobedo acepta y ordena a sus tropas entrar en acción; no hay más que seguir a López. Pero Ricon-Gallardo, sospechando que se trata de una trampa, saca el revólver y lo apoya en la sien de su antiguo amigo: «Un gesto sospechoso y morimos los dos. Mientras tanto, demuestra lo que sabes hacer.»

Esto sucedía la noche del 14 de mayo de 1867. A Maximiliano, víctima de un terrible ataque de disentería, habían tenido que administrarle calmantes. Descansaba en el convento de Santa Cruz, su cuartel general, sumido en una especie de sopor, cuando de repente López entra en su cuarto gritando: «¡Deprisa, salvad al emperador, el enemigo está aquí!» Pese a su debilidad, Maximiliano se levanta y se viste. Seguido de Blasio y de algunos fieles más, logra salir del convento. Hay centinelas del ejército republicano por todas partes. El convento y la ciudad entera están ya en manos de las tropas de Juárez. Un soldado trata de cerrarles el paso, pero un oficial interviene: «Déjalos pasar, son paisanos.» Extraña vestimenta para unos paisanos, esos uniformes bordados y esas condecoraciones...

Al salir del convento, Blasio ha reconocido perfectamente a Manuel Ricon-Gallardo, que desvía la mirada y deja pasar a Maximiliano. Es evidente que los republicanos lo dejan marchar de forma deliberada. Maximiliano se aleja a pie en la oscuridad.

El coronel López se reúne con él.

—Seguidme, sire, os esconderé para poder evacuaros —le dice.

—¿Esconderme? Jamás.

De hecho, Maximiliano acepta ser salvado, pero no sin haberlo intentado todo primero. Abdicaría, volvería a Europa, de acuerdo, pero tras una resistencia heroica que borraría la vergüenza, la humillación de ese regreso. Así pues, mientras López se funde en la oscuridad, él continúa avanzando hacia el cerro de la Campana, una colina rocosa situada en las afueras de la ciudad donde se había reagrupado el centenar de soldados que le quedaba. Nada más reunirlos, decenas de miles de combatientes republicanos rodean la colina. Un tiroteo infernal acompaña ese combate desesperado, aunque sin causar ni una sola baja. Cada vez suenan más disparos por todas partes, hasta que Maximiliano se da cuenta de que es inútil seguir. En ese instante, Maximiliano ya no tiene ganas de ser salvado, prefiere acabar. Antes morir en el combate, ofreciéndose a la bala que lo liberará para siempre. Pero es inútil. Probablemente habían dado la orden de dejarlo con vida a toda costa. Finalmente, ordena izar la bandera blanca y se rinde al general Escobedo. Mientras atraviesa la ciudad, ya en poder de sus enemigos, oye a miles de vencedores cantar irónicamente a su paso *Adiós, mamá Carlota* con la música de *La paloma*, que a él tanto le gusta. Las lágrimas afloran a sus ojos. Es encarcelado en ese mismo convento de Santa Cruz donde se alojaba desde su llegada a Querétaro.

En Miramar, la arrebatadora Amalia Stöger se había colgado por desesperación tras enterarse de que su apuesto emperador había sido hecho prisionero. A Carlota se le había ocultado esa noticia, al igual que la suerte de Maximiliano. Es, pues, la única que lo ignora, pues Europa entera no habla de otra cosa. No tarda en llegar la noticia de que Benito Juárez piensa procesar a Maximiliano y se teme lo peor. Agnès de Salm, la antigua amazona que, junto con su marido, el príncipe alemán, había acompañado a Maximiliano a Querétaro, decide jugarse el todo por el todo. Va a preparar su evasión. Con esta finalidad, ofrece millones y se dice que incluso sus encantos a los militares juaristas para que faciliten la empresa, pero en vano, pues la intención de Juárez es, ahora que tiene a Maximiliano y pese a sus promesas, dar un ejemplo tal que quite a México para siempre toda veleidad monárquica y a los europeos toda idea de injerencia.

En su prisión, el emperador sostiene con una mano y lee *Vida y muerte por decapitación del rey Carlos I de Inglaterra*, mientras con la otra firma decretos de promoción en la orden de Guadalupe, fundada por él. Al mismo tiempo sale de la imprenta el grueso volumen del *Protocolo de la corte imperial*, como si no hubiera cambiado nada. El valor y la confianza sólo abandonan a Maximiliano cuando uno de sus compañeros de cautividad le dice que Carlota ha muerto. Aun sin acabar de creérselo, murmura: «Un lazo menos que me ata a la vida.»

Su proceso se lleva a cabo sin estar él presente, ya que se encuentra demasiado afectado por la disentería para comparecer en las audiencias. Éstas duran poco, como es habitual en las parodias de juicios. Dos días bastan al tribunal para condenarlo a muerte.

Aquello impresiona a Europa. Victor Hugo, Garibaldi —de quien no se puede sospechar que sea monárquico— y personalidades de todas las tendencias firman peticiones de indulto del condenado. Los representantes de Italia, Bélgica y Prusia hacen cuanto pueden ante Benito Juárez. Pero el terrible indio se mantiene inflexible. Los embajadores en Washington suplican al secretario de Estado, el eterno Seward, que intervenga, pues se sabe de sobra que sin el aval de Washington Juárez jamás se atreverá a ejecutar al hermano del emperador de Austria. Seward finge tomarse el asunto a la ligera. «No se preocupen, Maximiliano no corre ningún peligro. Su vida está tan a salvo como la mía.»

En la Hofburg, Francisco José, hostigado por su madre, que está al borde de la histeria, se decide a actuar. Para empezar, devuelve mediante un decreto solemne los títulos y honores a su hermano, que los había perdido desde la renuncia forzada por el propio Francisco José. Tal vez Juárez no se atrevería a ejecutar al que había vuelto a ser archiduque de Austria, así como príncipe real de Hungría y de Bohemia. Paralelamente, el ministro de Austria en Washington vuelve a la carga y exige de Seward que impida a Juárez ejecutar a Maximiliano. Seward promete actuar y telegrafía a Campbell, representante de Estados Unidos ante Juárez, para pedir oficialmente, en nombre del gobierno norteamericano, el aplazamiento de la ejecución de la sentencia.

Pero resulta que Campbell, considerando que el clima de México, con la guerra civil y la inseguridad generalizada, era decididamente insalubre, no había querido poner los pies allí y se hallaba instalado en Nueva Orleans. Al recibir las instrucciones de

Seward, en lugar de ponerse en camino, decide aplazar su cumplimiento y le envía una respuesta, perdiendo así un tiempo precioso. Cuando, varios días después, recibe un telegrama conminatorio del secretario de Estado ordenándole que vaya a San Luis de Potosí, donde se encuentra Juárez, a fin de obtener el indulto de Maximiliano, argumenta que está demasiado enfermo para viajar y dimite. Seward no insiste. Maximiliano ve desaparecer su única posibilidad de salvación, mientras que Seward, y con él la administración norteamericana, se lava las manos. Falta por saber si Benito Juárez se atreverá a ejecutar a un archiduque de Austria emparentado con todas las cabezas coronadas de Europa sin el permiso expreso de los señores de Washington.

Maximiliano es consciente de que está perdido. Le escribe una última carta a su madre, la archiduquesa Sofía, un texto infinitamente revelador, redactado unas horas antes de su ejecución, cuando está debilitado por la enfermedad. Empieza por justificarse: ha sucumbido a la superioridad del enemigo y a la traición, pero lo ha hecho con honor. Él y sus tropas resistieron valerosa y noblemente durante setenta y dos días en una ciudad mal protegida, contra un enemigo siete veces superior. Y sin embargo, «si caímos en sus manos fue debido únicamente a la traición nocturna». Mientras se acerca el instante fatal, sus pensamientos lo llevan a Europa, donde están los suyos. No cree que Carlota haya muerto. Ignora cuál es el estado de su salud, ya que no ha recibido noticias directas de ella desde hace meses; en consecuencia, se abstiene de escribirle, pero no deja de pensar en ella. Saluda fraternalmente a sus hermanos, a sus padres, a sus amigos. Enviará dos recuerdos: la alianza nupcial, que se le entregará a «su pobre y bienamada Carlota», y un anillo con unos cabellos engastados de Amelia de Braganza, su primera prometida, que jamás se ha quitado del dedo y que lega a su madre. Antes de morir, Maximiliano pide como último favor escuchar *La paloma*, no la letra insultante de *Adiós, mamá Carlota*, sino el poema que acompaña ese aire romántico. Buscan una cantante y la llevan a su celda. Mientras ella canta la célebre canción, los labios de Maximiliano esbozan una débil sonrisa.

El 13 de junio de 1867 Maximiliano, despierto desde las tres de la madrugada, se viste de negro y se cuelga un pequeño toisón de oro del cuello; su confesor, el padre Soria, está tan alterado que el emperador le tiende su frasco de sales. También consuela a sus sirvientes Blasio y Grill, que se deshacen en lágrimas: «Estad tranquilos. Ya veis que yo lo estoy.» A las seis y media, los soldados van a buscarlo. Parte en un coche para el cerro de la Campana, el lugar donde se rindió. Al bajar del vehículo, le tiende su reloj de bolsillo al confesor: «Enviad este recuerdo a Europa, a mi querida esposa. Decidle que mis ojos se cerraron viendo su imagen.»

Junto con los dos generales también condenados, se coloca ante los soldados del pelotón de ejecución. Éstos, de alturas muy diferentes, parece que vayan de prestado con unos uniformes que no son de su talla. Intentando adoptar un aire marcial, sostienen torpemente los fusiles. Su actitud no tiene nada de militar, y tampoco es vengativa. Maximiliano le da una moneda de oro a cada uno, antes de declarar con voz firme y clara: «Perdono a todos, que todos me perdonen. Que mi sangre dispuesta a correr sea derramada por el bien del país. ¡Viva México! ¡Viva la independencia!»

Los soldados apuntan las armas. El oficial da la orden. La descarga resuena en el aire puro del amanecer. «Pobre Carlota», murmura Maximiliano mientras cae al suelo, herido de muerte.

Los vencedores, que habían decidido embalsamar el cadáver de Maximiliano, se lo confiaron al doctor Liera, quien para hacer olvidar los años pasados en las filas conservadoras y monárquicas, llevó a cabo con aquel cuerpo sin vida prácticas de una brutalidad indescriptible. Además, trabajó tan mal que el cadáver empezó a pudrirse y, cuando hubo que entregarlo a los representantes de la familia imperial, se hallaba en un estado impresentable. Otros médicos tomaron el relevo y se esforzaron en reparar los daños. Sin embargo, no estaba en sus manos reemplazar los ojos, que se habían licuado, aquellos magníficos ojos azules que habían constituido el encanto de Maximiliano. Confundidos, no se les ocurrió otra solución que ir a la iglesia vecina y arrancarle a una imagen de la Virgen los ojos de cristal negro, para introducirlos en las órbitas vacías del difunto emperador.

El 30 de junio de 1867, al amanecer, el encargado del telégrafo del palacio de las Tullerías recibe un telegrama: Maximiliano ha sido ejecutado. Se apresura a entregar el mensaje a Napoleón III, que rompe a llorar. La emperatriz Eugenia está vistiéndose cuando se entera de la noticia. Se queda pálida y está a punto de desmayarse. Unas horas más tarde está previsto que tenga lugar la entrega de los premios a los ganadores de la Exposición Universal, que ya se clausura. Napoleón y Eugenia dudan un buen rato sobre lo que deben hacer; finalmente, deciden no cancelar la ceremonia. Antes de trasladarse a la Exposición, Eugenia, completamente vestida de negro y acompañada de una sola dama de honor, va a la iglesia de Saint-Roch, junto al palacio, y allí, al pie del altar, reza y llora.

De regreso en palacio, se cambia el atuendo por un vestido blanco, se cubre de diamantes y, del brazo de Napoleón III, aparece sonriente y afable ante los representantes de toda Europa. La ceremonia comienza. Mientras entrega las medallas de oro y de plata, ve en la tribuna de honor dos sillas vacías, las del conde y la condesa de Flandes. Dado que en Bruselas ya se sabe la noticia, Felipe y su mujer se han abstenido de asistir a la ceremonia que a Carlota tanto le hubiese gustado que le describieran.

Nada más conocerse los hechos, en toda Europa se produce una reacción de indignación. La reina Victoria propone cortar todas las relaciones diplomáticas con el continente americano y declara luto solemne.

Por su parte, Seward hace, a guisa de duelo, una visita oficial a Benito Juárez destinada a recoger los frutos de la política tenaz de Estados Unidos. Gracias a su protegido, México es ahora una colonia estadounidense que no lleva tal nombre, o al menos eso cree Seward.

La misma mañana de su ejecución, Maximiliano, tras haber escrito a su madre, le había dictado a Blasio una carta para Juárez, su verdugo, en la que le pedía que la sangre que iba a derramar, la suya, fuese la última que se vertiera en esa desdichada tierra. «Pierdo la vida gustoso si este sacrificio contribuye a la paz y la prosperidad de mi nueva patria.» Luego, con mano firme, había trazado su magnífica rúbrica. Un fiel le había llevado temblando al vencedor esta misiva, expresión de un patriota, de un gentilhombre y de un hombre de honor. Benito Juárez se había negado a cogerla: «Jamás tuve relación alguna con ese señor en vida y no la tendré después de su muerte.»

Maximiliano tuvo ocasión de explicitar la traición a la que hacía referencia en la carta a su madre. El barón de Lago, ministro de

Austria en México, había obtenido autorización para visitarlo en su celda. «Conocéis la traición de López —le dijo el emperador—, pero la que más daño me hace es la del general Márquez. A López podría perdonarlo; a Márquez, jamás.» Márquez, en efecto, al llevarse la mitad de las tropas reunidas en Querétaro, dejarse derrotar por Porfirio Díaz y entregar México casi sin luchar, había justificado las peores sospechas. López había entregado al emperador; Márquez había entregado el imperio.

Probablemente, Maximiliano desconocía la existencia de otros traidores menos visibles. Tal vez no quería interrogarse acerca del padre Fischer. Sin embargo, la ficha de este último estaba singularmente llena. Él había sugerido adoptar al pequeño Agustín Iturbide, él había inspirado los sangrientos decretos de octubre de 1865, él le había impedido a Maximiliano seguir la voz de la prudencia, que le aconsejaba embarcar para Europa. Suya había sido también la idea de enviar a Maximiliano a encerrarse en la plaza indefendible de Querétaro, adonde, por lo demás, él se había abstenido prudentemente de acompañarlo. ¿Quién teledirigía al padre Fischer? Los conservadores, a priori sus socios más plausibles, no tenían ningún interés en empujar a Maximiliano a cometer el error fatal. Ahora bien, Fischer, antes de instalarse en México, había vivido mucho tiempo en Estados Unidos...

Después de la ejecución del emperador hubo por todo el país una auténtica persecución a muerte de sus partidarios y servidores. Ninguno de ellos era más llamativo y, por lo tanto, más buscado que Fischer. Sin embargo, no sólo no fue molestado, sino que conservó la considerable fortuna que había amasado.

En cambio, los fieles —el ayuda de cámara mejicano, Blasio, y el ayuda de cámara austriaco, Grill, que servía a Maximiliano desde la época de Miramar— tuvieron menos suerte. Sabiéndose amenazados, no pensaban más que en huir de Querétaro, cargado de terribles recuerdos y convertido en una ratonera, pero corrían el peligro de ser arrestados a cada paso. Si los republicanos los dejaban partir, sin duda alguna caerían por el camino en manos de los bandidos que infestaban los campos. Así pues, los dos sirvientes se disfrazaron de rancheros y se unieron al primer regimiento de republicanos que salió de Querétaro en dirección a México para organizar el recibimiento triunfal de Benito Juárez. No fueron ni reconocidos ni arrestados, y lograron viajar bajo la protección de las tropas republicanas.

Por el camino, los dos hombres no paran de hablar entre ellos de su secreto, que evidentemente no pueden compartir con nadie. En voz baja, cantan las alabanzas del emperador y la emperatriz que los han colmado de favores. Las relaciones entre ese hombre y esa mujer continúan intrigándolos. Blasio sigue sin entender que durmieran separados.

—¿No estuvieron nunca enamorados? —pregunta.

—Sí —le responde Grill—. En Miramar siempre los veía juntos y muy enamorados, pero después de un viaje del emperador a Viena pasó algo que rompió para siempre la relación conyugal. Desde entonces, ante el mundo seguían siendo una pareja enamorada y tierna, pero en la intimidad ya no había ni confianza ni ternura. A partir de aquella época, observé que dormían separados.

—Sé desde el principio que había llegado hasta los oídos de la emperatriz la noticia de que su marido le había sido infiel, y que, herida como mujer y como soberana, y sin buscar en absoluto un escándalo, se había propuesto observar en lo sucesivo con su marido esta norma de conducta que no abandonó desde su llegada a México, es decir, dormir separados y no entregarse a él. Resulta fácil suponerlo así en lo que a ella se refiere, pero el emperador, al que yo conocí en la plenitud de su juventud, en pleno vigor viril, ¿es posible creer por un instante que viviera de un modo totalmente casto durante todo el tiempo que estuvo en México, cuando su mera presencia fascinaba, hipnotizaba a las mujeres más hermosas? Y sin embargo, desde que entré a su servicio no vi nunca el menor indicio que permitiese suponer que tenía una aventura amorosa. ¿Y usted, Grill?

—Usted no pudo observar nada, pero yo vi mucho. La habitación del emperador fue visitada muy a menudo por las damas más elegantes de la corte. Llegaban y se marchaban rodeadas de tal misterio que yo era el único que las veía, aunque la mayoría de las veces sin saber quiénes eran. ¡Cuántas de esas mujeres, cuya reputación permanece limpia, cedieron a los deseos del emperador!

—Se lo suplico, Grill, dígame el nombre de alguna.

—No, querido Blasio, prometí guardar el secreto.

—En el palacio de México debía de ser bastante fácil mantenerlo en secreto, introduciendo a esas damas por una puerta secreta al anochecer, pero ¿y en Chapultepec?, ¿y en Cuernavaca?

—En lo que se refiere a Chapultepec, puedo asegurarle que allí jamás entró ninguna dama en los aposentos del emperador. Y en

Cuernavaca es cierto que en el primer patio estaba el cuerpo de guardia, que en caso de que hubiera entrado y salido alguna mujer indefectiblemente la habría visto, pero ¿no se fijó nunca, querido Blasio, en que en el muro del jardín había una puerta tan estrecha que apenas podía pasar a través de ella una persona? Pues bien, esa puerta que permanecía siempre cerrada podría hacerle revelaciones muy curiosas sobre las personas que la cruzaban.

¿Quién afirma que Maximiliano era impotente, él, que siempre tuvo amantes de todas las clases sociales, desde las grandes damas de la corte de su esposa hasta las vivarachas indias de Cuernavaca? Se cita el nombre de Guadalupe Martínez, una belleza apenas núbil, hija de un funcionario, en quien Maximiliano se fijó durante el primer baile dado en su honor en Cuernavaca, así como los de Lola Ermoscillo, Emilia Blanco y otras. Y finalmente, la más hermosa, la más conocida: Concepción Sedano, la hija del jardinero de Borda. A ésta la amó tanto que para albergar sus amores con ella compró la hacienda de Acapazingo y construyó, para que se instalase allí, la casa bautizada con el nombre de El Olvido. ¡Maximiliano impotente! Numerosos bastardos indios demuestran lo contrario. A juzgar por lo que actualmente dicen los habitantes de Cuernavaca, la mitad de la ciudad está poblada de descendientes ilegítimos de Maximiliano.

De este sinfín de informaciones y especulaciones es de donde surgen las contradicciones. Carlota es una mujer engañada, tal vez enferma de sífilis, pero es Maximiliano quien interpone una distancia entre ambos. Éste tiene innumerables amantes, pero nadie se entera en un país como México, donde todo se sabe enseguida. En cuanto a las bellas indias, cuyos nombres se conocen, en efecto —Guadalupe Martínez, Concepción Sedano—, sólo existen sobre el papel, en las obras que recogen los recuerdos de los contemporáneos. Pero, curiosamente, no se tiene ninguna información sobre ellas, ninguna descripción. Antes y después de la breve primavera de 1866, en que llenan las páginas dedicadas a Maximiliano, no existen. Ni una palabra sobre lo que fue de ellas. Ni un comentario sobre su familia o sobre su posible descendencia. ¿No se tratará de una invención de los allegados del emperador, destinada a ocultar su impotencia? El misterio sigue sin haberse aclarado.

«¿Por qué tarda tanto el emperador en venir a cenar?», pregunta Carlota sentándose a la mesa en el minúsculo comedor del Castelleto, la misma noche en que la noticia de la ejecución de su marido ha estallado como una bomba en toda Europa. Las órdenes del doctor Jilek, que vive con ella, han sido tajantes: por nada del mundo debe enterarse de la verdad. No se le permite a nadie vestir de luto, y los amigos, como Bombelles, tienen que tragarse la pena en presencia de Carlota. Este último, con el corazón desgarrado, acaba por odiar a esa mujer que ha empujado a Maximiliano a aceptar la corona mejicana y, por lo tanto, lo ha obligado a embarcarse en una aventura sin salida. Ella es la responsable indirecta de la suerte de Maximiliano. Él ha muerto, mientras que ella se ha salvado. Está loca, es cierto, pero huyó de México, abandonando a Maximiliano, y ya no corre ningún peligro. Consciente o inconscientemente, Bombelles se muestra cada vez más mezquino e incluso cruel con la enferma. Como sabe que sus señores, el emperador de Austria y su familia, detestan a Carlota, se siente con las manos libres. Por otro lado, la necesidad de mantener en el más absoluto secreto la locura, considerada una enfermedad vergonzosa, le permite reforzar a su capricho el aislamiento de Carlota.

Sin embargo, ésta se rebela, sufre violentos arrebatos precisamente para protestar de su situación. En tales casos, sus guardianes se creen autorizados a utilizar la fuerza. Los médicos, con el doctor Jilek a la cabeza, saben que no están expuestos a sufrir ningún control y, además, perciben el odio de Bombelles hacia su paciente, de modo que no vacilan en utilizar la camisa de fuerza y otros procedimientos abominables en caso de considerarlo necesario. Los que podrían protestar, los pocos que quieren a Carlota, han sido apartados de ella. Sólo le quedan los gatos para demostrarle afecto; éstos pueden moverse libremente por la planta baja del Castelleto, cuyas puertas están provistas de gateras, y Carlota, a falta de otro interlocutor, habla con ellos. Mathilde Doblinger, la camarista vienesa, la única en la que Carlota no perdió la confianza, desaparece. Se habla de muerte súbita. Al parecer, una mañana la asaltaron unos dolores terribles y al cabo de unas horas murió. A pesar del cordón impenetrable extendido en torno a Miramar, se filtran fragmentos de noticias que llegan hasta Bruselas. Nadie ha visto a Carlota desde hace semanas. Los médicos ya no envían informes. Se rumorea que Carlota está encadenada y que se la trata con una gran crueldad. Y la fiel camarista, que sabía de sobra todo esto, ha muerto de una forma un tanto precipitada para que su desaparición no despierte las peores sospechas.

La familia real belga, considerando finalmente que el vaso se ha colmado, decide sacar a Carlota de su prisión.

¿Quién va a encargarse de la espinosa misión? El rey Leopoldo queda excluido, ya que sus deberes y su posición se lo impiden. El más indicado es su hermano, el conde de Flandes, el hermano preferido de Carlota. Consultado al respecto, éste se niega porque no aprueba la empresa. Según él, lo mejor es dejar a Carlota donde está. «Si mi mujer se volviera loca, haría que la encerrasen sin más», declara en tono gruñón delante de su esposa, haciendo que ésta se sonroje y se le salten las lágrimas. Los belgas no entenderán, le explican, que la familia real no intente hacer algo para salvar a Carlota. Felipe está de acuerdo, pero no será él quien vaya a Miramar; su encuentro con la locura de Carlota le dejó una impresión tan espantosa que por nada del mundo se enfrentaría a ella de nuevo. Se encuentran en un callejón sin salida.

«Iré yo», decide entonces la mujer de Leopoldo II, la reina María Enriqueta. Considerada hasta entonces un cero a la izquierda, pasa a ocupar el primer plano del escenario. No era muy agraciada. Se la acusaba de comportarse como un marimacho, de interesarse sólo por los caballos, que por lo demás montaba de forma admirable. Su familia política no la había tratado bien. Leopoldo I, su suegro, había tardado años en considerarla una persona digna de aprecio. Su marido la engañaba casi abiertamente con numerosas amantes. En cuanto a Carlota, cuando la joven María Enriqueta llegó a Bélgica, no le había mostrado más que desdén, quejándose constantemente de sus torpezas y de su falta de tacto. No sólo era simplemente un elemento añadido a la familia real belga, sino que para colmo había nacido archiduquesa de Austria. Con todo, fue esta mujer valerosa quien decidió ir a salvar de las garras de los Habsburgo, su familia, a la cuñada que la había despreciado.

Por instigación suya, Leopoldo II empezó por escribir a Carlota para anunciarle la visita de su mujer en el transcurso de un viaje por los alrededores. Carlota respondió que se sentía infinitamente conmovida por el deseo de María Enriqueta de verla, que hubiera estado encantada de acoger a su cuñada, pero... «el castillo no es grande, estoy instalada con muchas estrecheces», los aposentos no están terminados del todo, no hay un alojamiento apropiado para la reina de los belgas. «Me veo, pues, forzada a renunciar, aunque muy a mi pesar, al placer sincero y vivamente sentido, te lo aseguro, que me habría causado la visita de María. Espero que más adelante, en otra ocasión, me sea posible abrazarla...» Las excusas de Carlota no suenan sinceras. ¿No quería realmente ver a su cuñada, o su respuesta había sido dictada, o más bien impuesta, por sus carceleros? Este detalle no alteró en absoluto la determinación de María Enriqueta.

Leopoldo II piensa que su hombre de confianza, el barón Goffinet, es la persona más indicada para ayudar a su mujer. Perteneciente a una gran familia belga muy tradicional, este hombre inteligente, perspicaz y discreto demuestra poseer en todas las circunstancias una firmeza inquebrantable. Tiene habilidad para sonsacar confidencias a testigos, pero no hace caso de chismorreos y sólo afirma lo que cree. Es también el más leal servidor de la dinastía belga y un defensor de Carlota.

El rey lo convoca en el palacio real de Bruselas para darle instrucciones. Lo primero que deben hacer la reina y él es averiguar cuál es exactamente el estado de salud de Carlota y qué trato recibe; luego, si es posible, llevarla a Bélgica. Leopoldo II no oculta que Francisco José ve con malos ojos la gestión de su prima María Enriqueta y Goffinet se da cuenta enseguida de que los austriacos complicarán todo lo que puedan la misión belga. Entonces pregunta si el rey desea realmente que lleven a su hermana a Bélgica. Porque él quiere saber hasta dónde puede llegar para ejecutar la voluntad de su soberano. Leopoldo II, tras pensarlo detenidamente, enuncia con voz firme su respuesta: «Sí, querido Goffinet, sin duda alguna es deseable que mi hermana regrese.»

La noche del 5 de julio, Goffinet está en la estación del Norte, en Bruselas, cuando llega la reina acompañada de su marido y de su cuñado, Felipe. Además de Goffinet, ésta viaja con dos damas de honor y un ayudante de campo, y lleva más de veinte mil francos de oro para los gastos del viaje y una carta de crédito ilimitado de los señores Rothschild de Viena.

A las cinco de la mañana del día siguiente llegan a Colonia. La reina baja del tren para oír misa y telegrafiar al emperador de Austria preguntándole dónde puede verlo. A última hora de la tarde, el tren se detiene en Augsburgo, donde María Enriqueta y su séquito pasan la noche en un hotel. Allí la espera un telegrama de Francisco José anunciándole que la recibirá en Viena.

El 8 de julio por la noche, cuando el tren se detiene en la estación del Este, Francisco José, rodeado de un numeroso séquito —ayudantes de campo, generales, chambelanes—, está allí esperando a su prima. El emperador de Austria recibe con la pompa de los días señalados a la reina de los belgas. La lleva a la Hofburg y la conduce a la suite que se le ha asignado. Una vez cerradas todas las puertas, comienza a hablar inmediatamente de la suerte de Carlota. María Enriqueta permanece alerta. Sin motivo, porque para su sorpresa Francisco José le anuncia de entrada que no es razonable que Carlota permanezca en Miramar. María Enriqueta sugiere que regrese, provisionalmente, por supuesto, a Bélgica con su familia. A esto, Francisco José contesta ofreciendo lo que la familia real belga pedía insistentemente desde hacía tiempo: un diagnóstico médico emitido por un alienista de su elección. María Enriqueta cita el nombre del doctor Bolkens, una eminencia belga. Francisco José acepta. «Se trata, querida prima, de un asunto que debemos solventar en familia. Me alegro de que el rey os haya enviado a vos, pues eso simplifica las cosas.» María Enriqueta no da crédito a sus oídos, ya que creía que tendría que luchar encarnizadamente para lograr su propósito.

Nada más marcharse el emperador de Austria, convoca a Goffinet para comunicarle el feliz resultado de la entrevista y éste comienza de inmediato a hacer planes para trasladar a Carlota. Alquilarán un barco, pero ¿dónde y cómo encontrarlo? Precintarán las posesiones de Carlota para impedir que los austriacos las utilicen. Y antes de todo eso, deben citar al alienista belga al que Francisco José ha dado el visto bueno, el doctor Bolkens, pero no hay manera de localizarlo.

Al día siguiente, la reina recibe un alud de solicitudes de audiencia: de Bombelles, del doctor Reidel, el alienista que trata a Carlota, del comandante Radonetz, prefecto del castillo de Miramar. Se diría que todo Miramar ha acudido apresuradamente a Viena para averiguar sus intenciones y evaluar su determinación. En el informe que le hace a su marido, la reina no oculta que Bombelles le desagrada, sobre todo «su manera de ser afectada y falsa». Éste le dice que es absolutamente necesario nombrar un curador de Carlota elegido por la familia imperial. María Enriqueta, ofendida, replica que esa exigencia contradice lo que el propio emperador le dijo el día anterior.

En esto llega el doctor Reidel. «Tiene aspecto de loco y de viejo farsante.» En su opinión, Carlota puede ser trasladada, pero probablemente habrá que recurrir a la fuerza, y también él habla de la necesidad de un curador.

Cuando, al día siguiente, María Enriqueta ve de nuevo a Francisco José, éste sigue mostrándose igual de colaborador e incluso la anima a ir cuanto antes a Miramar. Sin embargo, su tono ha cambiado de forma imperceptible, y ella atribuye esa reserva, que no había observado en su anterior entrevista, a la influencia detestable de Bombelles. María Enriqueta recibe también a varios primos suyos que son archiduques o príncipes de Wurtemberg. Todos le suplican que vaya enseguida a Miramar y libere a Carlota «de buen grado o por la fuerza»; cualquiera diría que la emperatriz de México está retenida allí por unos tiranos desconocidos, y no que resida por orden de Francisco José.

La víspera de la partida, María Enriqueta recibe otra visita de Francisco José, en esta ocasión terriblemente contrariado. El emperador le anuncia que, obligado a acceder a los repetidos requerimientos que se le han hecho, ha nombrado un curador para Carlota. Ha escogido a su hermano, el archiduque Carlos Luis, pero, añade al ver la expresión furiosa de su prima, se trata de una simple formalidad que no obstaculizará en absoluto la acción de la reina. No obstante, esta iniciativa contradice la actitud inicialmente conciliadora de Francisco José, y Goffinet ve en ello, al igual que María Enriqueta, la voluntad de no dejar partir a Carlota. ¿Y quién, aparte de Bombelles, Reidel y otros miembros de su entorno, tiene interés en que se quede en Miramar? Los «repetidos requerimientos» a los que ha aludido Francisco José son obra de ellos. Goffinet confiesa en el diario que escribe apresuradamente todas las noches que «este nombramiento hecho en el ultimo momento me parece muy preocupante, no me dice nada bueno». Francisco José no parece ser libre de sus decisiones en lo relativo a Carlota; se diría que los carceleros de Miramar lo tienen dominado.

María Enriqueta, prudentemente, en lugar de enfrentarse abiertamente a Bombelles y Reidel, se dedica a engatusarlos. Los lleva en su tren y durante el viaje se muestra de lo más amable. Reidel no planteará grandes problemas, pues ella se ha percatado de que no tiene ningunas ganas de seguir en Miramar. Bombelles, por su parte, obedece a motivos oscuros y claramente incontrolables. Goffinet comparte la opinión de la reina, que intenta tomarse al enigmático Bombelles por el lado bueno y lo trata un poco como a un amigo. El tren llega a Trieste el 12 de julio por la noche. La reina y los miembros de su séquito se instalan en el mejor hotel.

Al día siguiente, para inaugurar su misión, deben asistir a un Réquiem solemne en memoria del emperador Maximiliano. Oficia el arzobispo y todas las autoridades están presentes. María Enriqueta está decidida a ir cuanto antes a ver a Carlota, pero Bombelles se presenta en su hotel después del Réquiem. «Llega temblando y llorando, una escena de lo más ridícula —señala la reina—, y habla del apego que siente por esa infeliz a quien mi visita puede matar. Yo le doy a entender que, siendo la emperatriz nuestra hermana, es probable que mi afecto por ella sea equivalente al suyo.»

Goffinet va a ver a Bombelles con la intención de hacerle un discreto chantaje. El gigante belga se inclina sobre el pequeño austriaco y le murmura que la reina ha decidido, si le impide ver a su cuñada, instalarse en el castillo de Miramar para controlar mejor la situación. Bombelles, fuera de sí, empieza a entremezclar protestas, juramentos, lágrimas y excusas, y el monolítico Goffinet se pregunta cuáles serán las motivaciones de ese neurótico.

A la mañana siguiente, Bombelles se presenta de nuevo y le tiende a la reina María Enriqueta una carta de Carlota en la que ésta ruega encarecidamente a su cuñada que no vaya a Miramar. «¡Esto es excesivo! —exclama Goffinet cuando se le pone al corriente—. No cabe duda de que ese horrible Bombelles ha obligado a la emperatriz a escribir esa carta.» «¿Cómo? —replica por su parte la reina, indignada—. Yo había dado instrucciones precisas para que no se le mencionara mi visita a la emperatriz y no han sido cumplidas. Dada la situación, salgo inmediatamente para Miramar. Que traigan mis coches.» Al oír esta amenaza, a Bombelles está a punto de darle un síncope, para alegría de Goffinet, pero no puede oponerse a la voluntad de la reina. Así pues, se ponen en marcha.

En la verja, los guardias no se atreven a impedir la entrada a la reina de los belgas. Bombelles, desquiciado, no tiene más remedio que conducirla al Castelleto. La reina siente una profunda tristeza al ver la prisión de esa loca que es su cuñada. Cruza sin detenerse el vestíbulo y la estancia de las camaristas, llama a la puerta y, sin esperar respuesta, entra en la pequeña habitación. Su increíble dominio de sí misma y su gran valentía no impiden que sienta cierto temor. Carlota se arroja en sus brazos y le manifiesta un gran afecto. «Se ha roto el hielo», comenta Goffinet. Ante el estupor de María Enriqueta, Carlota no sólo se muestra amistosa, sino absolutamente normal, aunque a la reina de Bélgica le cuesta reconocerla. Delgadísima, con el semblante amarillento y la expresión huraña, más que una loca es una mujer que ha sufrido lo indecible. María Enriqueta intuye que se ha dejado a su cuñada en manos de sirvientes estúpidos, de subalternos obtusos, de encargados insensibles y de médicos tiránicos y crueles. El sol del verano mediterráneo entra a raudales en el cuarto. Fuera se extiende el magnífico parque, y entre los troncos de los pinos el mar lanza destellos. Fuera está la luz, la libertad, muy cerca y a la vez muy lejos de esa terrible prisión. María Enriqueta se queda con Carlota una hora y cuarto.

La entrevista la ha impresionado sobre todo por lo tranquila y cariñosa que ha encontrado a su cuñada, y le transmite esa emoción a Goffinet, quien la plasma en las anotaciones que hace en su diario. «Un día impregnado de tristeza. El interés de la familia y los deseos de Bélgica exigen el traslado de la emperatriz, pero eso supone enfrentarse a todos los de Miramar, todos extranjeros dominados por el interés de su posición personal y dispuestos a defenderla. Sin embargo, el emperador Francisco José permite el traslado y el rey Leopoldo lo desea. En caso de enfermedad grave, ¿puede la familia abandonar a Carlota aquí? ¿Qué habría que hacer? ¿Quién responderá de esta infortunada que es una mujer y una princesa? ¿Habrá que llevársela por mar, recurrir a la mentira —por ejemplo, una orden falsa del emperador Maximiliano— para convencerla?»

En estas líneas se percibe la determinación de Goffinet, quien, pese a no conocerla apenas, le ha tomado a la infeliz un profundo afecto dictado por la piedad. Carlota, efectivamente, cree que todo el mundo trata de envenenarla, pero no tiene ninguna intención de destruirse. Teme ser asesinada simplemente porque tiene ganas de vivir. Goffinet insinúa que tal vez la emperatriz no esté tan equivocada al temer que se atente contra su vida. En vista del trato que se le dispensa, todo es posible.

Pero, antes de sacarla de su prisión, primero hay que obtener el consentimiento definitivo del emperador de Austria, y a estos efectos presentarle la decisión de los alienistas. También hay que derribar los obstáculos que interpondrán Bombelles y sus secuaces, quienes, si Carlota se marchara, perderían su sinecura. Y finalmente hay que convencer a la propia enferma de la conveniencia de partir, pues, pese a la opinión de los alienistas, el uso de la fuerza está totalmente descartado.

Al día siguiente, el doctor Bolkens, el médico escogido por la familia real, llega por fin. Goffinet lo ha maldecido por su retraso, pues no hay que perder ni un día, ni una hora. Goffinet está convencido de que es preciso apresurarse, antes de que la «corte de Miramar» o la familia imperial reaccionen. Así pues, hace un aparte con Bolkens y le da instrucciones precisas sobre lo que debe hacer y decir. Con independencia de cuál sea su diagnóstico, el alienista tendrá que llegar a la conclusión que Goffinet desea. Luego deja a Bolkens hacer su trabajo. Es la primera vez, desde el inicio de la locura de Carlota, que un especialista imparcial examina a la enferma, pues hasta entonces sólo Jilek y Reidel lo han hecho. La verdad, tal vez hasta entonces oculta, va a ver la luz. «Ese flamenco linfático y bastante fastidioso», como una dama de honor describe a Bolkens, desagrada enormemente a Carlota, ya que lo primero que hace es arrebatarle brutalmente de las manos la llave de su habitación, que ella trata de esconder. A continuación, una vez su paciente domeñada, probablemente aterrorizada, la ausculta y la observa. García Miranda, el cónsul de España, se entera de inmediato de que, al salir de la habitación de Carlota, el alienista declara que su locura no puede tener una explicación únicamente natural. A la emperatriz se le ha administrado un veneno, probablemente antes de partir de México.

Estupor general. Carlota no se ha vuelto loca sin más, sino como consecuencia de la acción de una mano criminal.

Todavía están dándole vueltas en Miramar a este descubrimiento explosivo, cuando aparece en *Le Figaro* un largo artículo de un tal D. G. D'Auvergne, quien afirma haber entrevistado a numerosos testigos procedentes de México. Que Carlota fue envenenada, es un hecho. Al parecer, incluso recibió en Veracruz una nota previniéndola contra un intento de este tipo. Le administraron el «veneno vudú», que no debe confundirse con el *toloache*, el *datura stramonium*, utilizado por los brujos para doblegar las voluntades. Según D'Auvergne, el *toloache* tiene una consistencia viscosa y un sabor amargo que forzosamente se notaría al mezclar la sustancia con cualquier líquido, mientras que el veneno que desequilibró a Carlota tenía que ser imposible de detectar por el gusto. Cita a varias víctimas de esa sustancia cuyo nombre desconoce, entre ellas un europeo que vivía en Matamoros y estaba prometido a una mejicana, y que, tras romper su compromiso, presentó y sigue presentando exactamente los mismos síntomas que Carlota.

El padre Domenach, el extraño capellán francés que fue nombrado jefe de la oficina de prensa de Maximiliano, no podía permanecer ajeno a tales rumores. Sin confirmar abiertamente que Carlota fue envenenada, cita y describe casos de envenenamiento con las mismas características que el de la emperatriz.

La teoría del *toloache*, no obstante, se abre camino. En Yucatán no se habla de otra cosa, y se afirma que Carlota fue envenenada el día de su visita a las ruinas de Uxmal. Entre los voluntarios austriacos que se quedaron en México, se afirma que el *toloache* fue administrado por el propio Napoleón III durante la famosa entrevista en Saint-Cloud y que se hallaba en el refresco ofrecido por Eugenia.

Con todo, el principal testimonio sigue siendo el de Carlota. Los locos no se equivocan nunca, y desde el principio ella declara que la han envenenado, ya a su regreso de Yucatán. Pero ¿quién la ha envenenado y por qué? Teniendo en cuenta el clima político de México, podría concebirse que hubieran querido librarse de ella haciéndole ingerir un veneno que la hubiese mandado al otro mundo. Sin embargo, un veneno destinado a volverla loca sólo lo podía haber administrado un ser reconcomido por el odio y sediento de venganza. El cónsul García Miranda había oído decir que Amalia Stöger, la camarista a la que encontraron ahorcada en Miramar, se había suicidado por remordimientos. ¿Sería ella la responsable? Según esta teoría, había cometido el crimen porque estaba enamorada de Maximiliano y quería librarse a toda costa de su esposa. Asimismo cabía suponer que, más adelante, una de las indias con las que Maximiliano retozaba en Cuernavaca, celosa de Carlota, había utilizado una fórmula local para eliminarla.

Sin embargo, se trata de una hipótesis bastante improbable. Si se utilizó veneno, no fue con la finalidad de volver loca a Carlota. La intención oculta tras este atentado era otra.

Es posible que Maximiliano, sumido durante sus estancias en Cuernavaca en la laxitud ambiental, ingiriese drogas afrodisíacas y mantuviera relaciones con indias, pero eso no resolvía su problema principal: tener un heredero. Debía engendrar con Carlota, y desde que sus amantes cobrizas le habían demostrado sus aptitudes, se creía capaz de hacerlo. Pero Carlota, frustrada desde hacía años, si no desde su noche de bodas, se había vuelto más fría que un témpano. Su intensa actividad intelectual y política constituía una prueba de ello. Pese a estar enamorada de Maximiliano, no se hallaba preparada para el amor físico, que tal vez nunca había experimentado. ¿Habría surgido entonces la idea de administrarle los mismos afrodisíacos que tan eficazmente habían actuado en su marido? ¡Sin ella saberlo, por supuesto! ¿Quién se habría encargado de verter la droga en su chocolate? Sin duda alguien muy cercano a ella. En cualquier caso, en sus ataques de demencia siempre acusará a los miembros de su entorno.

Ahora bien, el abuso de afrodisíacos puede provocar graves trastornos psíquicos. Maximiliano, aparte de una profunda relajación de toda su persona, parece ser que los soportó bien. En cambio, en el psiquismo agotado y frágil de Carlota, máxime teniendo en cuenta el estado de ánimo en que se hallaba, tuvieron un efecto fatal.

Mientras el público está entretenido con las suposiciones sobre el envenenamiento de Carlota, en Miramar, los belgas, en medio de un bosque de dificultades, reticencias y mentiras, intentan descubrir qué ocurrió de verdad. La reina María Enriqueta recibe de uno en uno a los allegados de Maximiliano y Carlota y les hace hablar, generalmente a unos contra otros. Interroga con especial esmero a la señora Kuhacsevich, la mujer del tesorero. Maximiliano creía que se había adaptado perfectamente a México y que ese país le encantaba, cuando en realidad ella lo detestaba. María Enriqueta se percata de que esa mujer amargada es inteligente y observadora. También intuye que la señora Kuhacsevich tiene miedo: miedo del futuro, miedo de lo que se le podría reprochar. Pero la reina, con toda su amabilidad, sabe mostrarse tan tenaz como persuasiva y consigue que la señora Kuhacsevich suelte todo lo que lleva dentro. Ésta se queja de Carlota, que le parece una mujer dura y sin corazón, pero sobre todo carga contra Bombelles, a quien no soporta. Sus revelaciones son de tal importancia que esa misma noche María Enriqueta le escribe a su marido, el rey Leopoldo: «No puedo evitar temer que hayan sucedido cosas muy desagradables alrededor de la pobre emperatriz y que el terror del conde de Bombelles sea el resultado de un miedo excesivo a que se revele ante mí alguna complicidad por su parte. A juzgar por lo que ha surgido durante mi entrevista con la señora Kuhacsevich, la pobre emperatriz tenía un miedo increíble de su marido y de Bombelles desde mucho antes de presentar el menor signo de locura.

»Las relaciones que mantenía con el emperador no eran las de una mujer con su marido. Le hacía de consejera en asuntos políticos y sobre todo de secretaria. En la intimidad, él se mostraba más que indiferente hacia ella y la hería a menudo debido a su falta de atenciones. Uno de los chambelanes le hacía la corte a la emperatriz, pero la señora Kuhacsevich cree que Carlota no compartía los sentimientos de ese señor. En resumen, la describe como una mujer muy infeliz. Kuhacsevich era la única persona con la que hablaba abiertamente. Carlota debía de guardárselo todo dentro, así que, ¿cómo vamos a extrañarnos de su enfermedad?...»

La señora Kuhacsevich no penetró en toda la sutileza de las relaciones entre Maximiliano y Carlota. No detectó que bajo la anomalía de dichas relaciones se ocultaba una gran pasión. Sin embargo, la novedad es el miedo que le inspiraban a Carlota Maximiliano y Bombelles. ¿Habría tenido Maximiliano, el delicado, débil y popular Maximiliano, otra cara desconocida por todos? ¿Y qué pasaba con el noble, el cortés, el fiel Bombelles? ¿Qué vínculos había entre Maximiliano y Bombelles para que aquellos dos hombres aterrorizaran a una mujer tan fuerte, enérgica y valerosa como Carlota? ¿Cuál era el secreto que Bombelles tanto temía que llegara a oídos de María Enriqueta? Y, finalmente, un detalle inédito: al parecer, un chambelán de Carlota estaba enamorado de ella. ¿Sería él el misterioso acompañante en sus paseos solitarios por el lago Chalco, cuando estaba tocando el fondo de la desesperación? En cualquier caso, según la señora Kuhacsevich, que no le tenía ningún cariño, Carlota había permanecido indiferente a esa pasión.

Informado por María Enriqueta de las confidencias de la señora Kuhacsevich, Goffinet lleva a cabo su propia investigación. «La señora Kuhacsevich ha sido recibida por la reina —anota en su cuaderno con fecha 17 de julio de 1867—. Esta dama le ha dicho a Bolkens que la emperatriz no amaba a su marido, sino que tan sólo amaba en él al emperador; que de hecho no quería a nadie, ni a los que la rodeaban ni a sus hermanos.» Esta imagen de una Carlota ajena al amor demuestra la escasa psicología que tenía la señora Kuhacsevich, pero al mismo tiempo revela que Carlota, tímida e introvertida, ocultaba su sufrimiento hasta el extremo de parecer indiferente.

Al día siguiente, Goffinet recoge un elemento todavía más interesante: «La emperatriz no parece haber sido feliz con su marido. El emperador nunca quería estar a solas con ella. La señora Kuhacsevich duda que hayan mantenido alguna vez alguna relación. Cuando su marido iba a sus aposentos, la emperatriz experimentaba una especie de ahogos. He oído decir que el emperador era de costumbres dudosas.» Goffinet ha sugerido el término: parece que Maximiliano era homosexual.

En este ambiente sórdido de intrigas y cotilleos, Goffinet, enfrentado a las malas lenguas y los tiranos atemorizados, comienza a odiar literalmente Miramar. El calor sofocante —más de treinta grados a la sombra— exaspera al belga. En cuanto al lugar en sí, lo encuentra abominable: un peñasco sin tierra, sin agua, accidentado, escarpado. ¡Y pensar que todo eso ha costado más de diez millones de francos! Esa obra maestra no es sino la expresión absurda de un espíritu caprichoso que aspiraba a ser grande y poético y que desvariaba: «Miramar es una triste curiosidad, una bombonera inhabitable, en mi opinión, como residencia permanente. He recorrido el castillo y los jardines dos veces, y una de las dos sobra. Sería una crueldad dejar aquí a la hermana de nuestro rey.»

El 20 de julio, cuando los belgas llevan una semana allí, Bolkens se presenta en los aposentos de Goffinet. «¡Victoria, querido amigo, victoria!» Y caen uno en brazos de otro. La victoria es, en primer lugar, el diagnóstico de Bolkens: en Miramar, Carlota está abocada a la muerte. Trasladarla a Bélgica es salvarle la vida. Bolkens ya ha obtenido, ejerciendo cierta presión sobre ellos, el acuerdo de Jilek y de Reidel.

Telegrafían al emperador Francisco José solicitando su consentimiento para la marcha de Carlota. Éste acepta inmediatamente. Goffinet decide que no harán el viaje por mar, ya que tardarían demasiado, sino en ferrocarril. No hay que perder ni un minuto, pues, gracias a algunas indiscreciones, se ha enterado de que Bombelles proclama que impedirá por todos los medios que Carlota se vaya de Miramar. Goffinet aconseja a Bolkens que mantenga una vigilancia constante sobre el entorno más cercano a Carlota y en general sobre los habitantes de la propiedad, pues los intereses de los miembros de la «corte de Miramar» son tan vitales que éstos no retrocederán ante nada para aterrorizar a Carlota con objeto de que se niegue a marcharse. Goffinet se afana en buscar un tren especial, pero las condiciones del trayecto, sobre todo del paso montañoso, hacen el problema insoluble.

Otra preocupación para Goffinet es el equipaje de Carlota, que no quiere dejar nada tras de sí por miedo a no volver a encontrarlo. Así pues, controla personalmente el empaquetado de las joyas, los enseres de aseo y los objetos decorativos, de los que se hace un inventario preciso. El propio Goffinet ha negociado con los austriacos el acuerdo sobre los bienes de Carlota, sin el cual Francisco José no habría dado autorización para la partida. El rey Leopoldo recibirá la fortuna de Carlota, pero tendrá que ocuparse de su mantenimiento. Renuncia a todos los derechos de Carlota estipulados en su contrato de matrimonio y les deja a los austriacos sus propiedades situadas en el Imperio austrohúngaro, la isla de Lacroma y sobre todo Miramar. Es un precio elevado para los belgas, pero o lo aceptan o tienen que abandonar a Carlota. Goffinet, que ha tenido que ocuparse de todo, deja traslucir cierta lasitud, acompañada de una admiración sin límites por la reina María Enriqueta, que parece no saber qué son el desánimo, el cansancio y el miedo, y cuya intrepidez supera con mucho la de los hombres.

De pronto aparece un aguafiestas encarnado en la persona del archiduque Carlos Luis, nombrado por su hermano Francisco José curador de la emperatriz Carlota. Cuando se presenta en Miramar, María Enriqueta lo recibe amablemente; después de todo, es su primo. Si dependiera de él, declara el archiduque, no habría ido, pero la opinión pública acusa a la familia imperial de abandonar a la emperatriz, motivo por el cual Francisco José lo ha enviado a fin de que haga acto de presencia.

Goffinet suspira ante este nuevo obstáculo en perspectiva, pues, pese a las afirmaciones de Francisco José, están expuestos a que el curador se tome en serio su papel y los obligue a cambiar de planes, eso si no se le ocurre impedir que Carlota se marche. El archiduque solicita ver a la enferma, de modo que el doctor Bolkens lo lleva al Castelleto. Ambos encuentran la habitación de Carlota cerrada con llave. A través de la puerta, Bolkens le pide a Carlota que reciba a su cuñado. Ella se niega en redondo. Bolkens insiste. Carlota no cede: «Soy soberana y no quiero recibir al archiduque.» Bolkens observa que Carlos Luis daría cualquier cosa por no estar allí. Por lo demás, no insiste y levanta acta de ese lamentable fracaso.

Al día siguiente, el archiduque solicita por escrito a Carlota que lo reciba. Ésta responde con una carta encantadora en la que le desea un buen viaje. Ofendido por el hecho de que se burle de él, el archiduque se venga, tal como atestigua Goffinet: «El archiduque le ha dicho a Bolkens que al parecer su cuñada era demasiado estrecha para el coito, y que el acto conyugal no se había consumado nunca.»

¿Padecía Carlota una deformación? Goffinet, indignado ante semejante suposición, restablece la verdad: «A mí me han dicho que el archiduque era impotente y que nunca estuvo con ninguna mujer.»

Carlos Luis, vapuleado y consciente de estar pisando en falso, decide marcharse esa misma noche. Goffinet lo acompaña a la estación, por educación, evidentemente, pero también y sobre todo para asegurarse de que se libra de él, y cuando le desea a Su Alteza imperial, de parte de María Enriqueta, que tenga un buen viaje, lo hace de todo corazón.

Queda la dificultad mayor: convencer a Carlota de que acepte ir a Bélgica. Bolkens ya le ha hablado de ello con la delicadeza de que se jacta, pues según él Carlota lo recibe encantada. Tan encantada que rechaza rotundamente su propuesta. Quien encuentra la solución es Goffinet. Sabe que Jilek tiene la costumbre de apoyarse en Maximiliano para conseguir que Carlota se pliegue a su voluntad. Cada vez que ella le opone resistencia, él le asegura que su marido lo ha decidido así y Carlota se inclina. Así pues, Goffinet se inventa un supuesto telegrama dirigido por Maximiliano a Carlota desde Veracruz, anunciando su partida para Europa y citándola en Bruselas. El doctor Bolkens lleva el telegrama al Castelleto; Carlota le echa un vistazo y lo tira al suelo: no cree ni por un instante que sea de su esposo. «Son imposibles», masculla, aludiendo a los falsificadores.

Goffinet, sin desanimarse, se inventa otro telegrama, esta vez del rey Leopoldo a su mujer, anunciando la llegada inminente de Maximiliano a Bélgica y rogándole a María Enriqueta que lleve a Carlota. «El emperador Maximiliano desea verla aquí.» María Enriqueta va al Castelleto y le muestra el telegrama a Carlota.

—Bueno, Carlota, ¿vienes conmigo?

—No, María Enriqueta, me quedo.

—Salgo mañana por la noche, prepárate para el viaje.

—Yo no voy, ya te lo he dicho.

—Sí, tú vendrás —concluye María Enriqueta sin levantar la voz pero con firmeza.

Cuando sale de la habitación, oye a Carlota decir a sus camaristas: «Preparad mis cosas, pero no pienso ir.»

María Enriqueta, exhausta, está todavía cenando en el hotel cuando le anuncian la llegada del archiduque Carlos Luis, que ha vuelto a Trieste por orden de Francisco José. Aún no se han acabado las dificultades, piensa. Son las diez y media de la noche cuando recibe a su primo en el salón de su suite. Bombelles, que lo acompaña, presenta un aspecto radiante que pone a María Enriqueta en guardia de inmediato. El archiduque le tiende una carta del emperador de Austria prohibiendo a la reina de los belgas utilizar la violencia para llevarse a Carlota. Como jefe de la Casa imperial, no puede permitir que una archiduquesa sea molestada y aconseja aplazar en caso necesario, si no anular, el viaje.

Con los ojos brillantes por la excitación y conteniendo a duras penas la alegría, Bombelles observa a María Enriqueta mientras ésta lee. Cuando acaba, la reina arroja la carta sobre la mesa y se echa a reír:

—Esta carta no tiene ninguna validez para mí. Yo vi a Su Majestad el emperador y compartía mi opinión. Tengo su consentimiento para el viaje de mi cuñada. Este documento no es del emperador, que posee un gran corazón... pero que en ocasiones se ve sometido a influencias extrañas. De todas formas, señores, mañana me marcho con la emperatriz.

—Pero el emperador se opone al uso de la violencia.

—¿Y acaso voy a recurrir yo a la violencia?

María Enriqueta conoce perfectamente a su familia. Durante los últimos días ha habido discusiones feroces entre Goffinet y los austriacos por los bienes privados de Carlota, en particular por su extraordinaria colección de joyas. Así pues, la reina les espeta con aire despreciativo a sus dos visitantes:

—Si es por las joyas, haré que os las devuelvan. Quiera Dios que en la familia a la que ahora pertenezco nunca haya conflictos de intereses.

Ha conseguido intimidarlos. Bombelles no rechista, mientras que el archiduque se deshace en excusas antes de retirarse.

Al día siguiente, el que se ha fijado para la partida, la reina María Enriqueta, levantada y vestida a las seis de la mañana, envía un mensajero a Miramar para prevenir al doctor Bolkens de que el «curador» ha vuelto a Trieste y probablemente se presentará en Miramar. En el transcurso de la mañana, se entera de que el archiduque ha ido al castillo, donde ha mantenido durante tres horas una conferencia con Bombelles, con el gobernador del castillo, Radonetz, con el confesor de Carlota, con Kuhacsevich, el tesorero, y con otros austriacos, conferencia sobre cuyo contenido no se ha filtrado nada.

Al final de la mañana, Bombelles se presenta en el hotel para ver a Goffinet. Le anuncia que todo está preparado para el viaje, que Carlota ha decidido irse y que no pondrá ningún obstáculo. La prueba es que ha ordenado preparar sus enseres de aseo. Goffinet finge entrar en el juego de Bombelles, lo felicita por el éxito obtenido y le ruega que, a fin de disipar las nubes, le comunique él mismo la buena noticia a la reina María Enriqueta, que se alegrará muchísimo. Bombelles, invitado a comer a la mesa de la reina, repite sus buenas palabras y a continuación se excusa por las dificultades que ha podido causar y desea que el viaje se vea coronado por el éxito. María Enriqueta lo encuentra «absolutamente empalagoso y compungido». Al irse, Bombelles da su palabra de honor de no estar presente en Miramar en el momento de la partida de Carlota. Pero Goffinet se ha enterado de que la víspera, en el transcurso de una cena entre amigos, Bombelles había jurado de nuevo impedir que Carlota se marchara. Por lo demás, el regreso inopinado del curador no hace sino confirmar a los belgas en sus temores.

María Enriqueta, como si ya no hubiera ningún obstáculo, telegrafía a Francisco José para anunciarle su partida esa misma noche: «Me complace poder comunicaros esta buena noticia. Firmado: la reina de los belgas.» Unas horas más tarde, recibe la amable respuesta del emperador de Austria.

En cuanto a Goffinet, está tan decidido a salvar a Carlota que se declara dispuesto a llevar él mismo a la emperatriz en brazos hasta el tren si fuera necesario.

La salida está prevista para las diez de la noche. María Enriqueta toma temprano una cena ligera en el hotel; después, la comitiva se pone en marcha, sube lentamente la cuesta que bordea el mar y llega a Miramar. Las antorchas que sostienen los lacayos, alineados, arrojan una luz inquietante y magnífica sobre el decorado. Toda la «corte de Miramar» se encuentra reunida ante el castillo excepto Bombelles, quien, tal como ha jurado, no se deja ver. María Enriqueta los saluda a todos y a continuación, acompañada únicamente por Bolkens, va a buscar a Carlota al Castelleto. En las alamedas asfaltadas hay faroles de gas encendidos, pero a medida que se acercan al Castelleto las tinieblas parecen espesarse. La silueta fantástica del pabellón se alza sobre el cielo estrellado. Parece deshabitado, salvo por unas débiles luces que se filtran a través de algunas persianas, entre ellas las de la habitación de Carlota. María Enriqueta y el alienista rodean el edificio, pues la entrada se encuentra detrás. Un gran farol ilumina el porche. La reina María Enriqueta ha llegado antes de lo previsto; todavía no han llevado el coche que debe conducirla con Carlota a la estación. Con la intención de no molestar a la emperatriz antes de tiempo, se dirige hacia una pequeña antecámara de la planta baja utilizada como sala de espera. Para su sorpresa, una doncella, una austriaca a la que Bolkens se había apresurado a despedir ya en su primera visita, se halla ante la puerta. ¿Qué hace a esas horas en el Castelleto, de dónde ha sido despedida? María Enriqueta intenta apartarla. La doncella no se mueve y, con aire insolente, le espeta a la reina de Bélgica:

—¡Está cerrado!

—¿Quién ha cerrado? ¿Dónde está la llave?

—La habitación está vacía, la llave está en el castillo.

—Vaya a buscarla.

La camarista no se mueve.

—¿Y bien? —dice María Enriqueta.

—La llave no está en el castillo, está dentro.

—Entonces es que hay alguien.

De pronto, la doncella, deponiendo su actitud insolente, se arroja a los pies de la reina María Enriqueta, se agarra a su vestido y rompe a llorar:

—Majestad, yo no he dicho nada.

—Vamos, ¿a qué viene esta comedia? Levántese y dígame quién está ahí.

—El señor conde.
—¿Qué conde?
—El conde de Bombelles.
Entonces, María Enriqueta da rienda suelta a su cólera. Obliga a la doncella a levantarse, la agarra con fuerza de un brazo y le ordena que vaya inmediatamente al castillo a dar la voz de alarma.
—¡Conde de Bombelles! —grita ante la puerta.
Silencio.
—¡Conde de Bombelles!
Silencio.
—¡Abra la puerta!
Nadie rompe el silencio. La reina llama a Bolkens, que está esperando fuera.
—Derribe esa puerta.
Bolkens obedece. La puerta, que está mal cerrada, cede al primer golpe. La sala de espera se halla sumida en la oscuridad, pero la luz de la antecámara le permite distinguir a Bombelles en cuclillas y pegado a la puerta para mirar por la gatera. La puerta le ha dado en plena cara. María Enriqueta lo mira de arriba abajo.
—Le ruego que se aleje de aquí.
—Imposible, majestad.
Bombelles está pálido y tembloroso.
—Le ruego que se aleje de aquí.
—Estoy aquí por orden del emperador de Austria. Debo informarle de la partida e impedir que se fuerce a la emperatriz.
—Dudo que el emperador quiera hacerme la afrenta de someterme a semejante vigilancia. Márchese.
—Imposible. Tengo una orden del emperador.
—Muéstremela.
—No la tengo aquí, pero doy mi palabra de honor.
—Llega tarde. Yo tengo en el bolsillo un telegrama del emperador, mi primo, aprobando el viaje. En cuanto a su palabra de honor, sin duda olvida que hoy ya ha faltado una vez a ella. Salga, se lo ordeno, o me veré obligada a hacer que llamen a un miembro de mi séquito.
Bombelles no se mueve. Señalando la habitación de Carlota, murmura:
—Esa desdichada está oyéndonos, me encuentro en una posición delicada.
—Puede oírnos. Empiezo a pensar que, aunque está enferma,

se halla totalmente capacitada para juzgar a los que la rodean. Doctor, llame al barón Goffinet.

María Enriqueta sale del Castelleto. Bombelles la sigue, intentando hablar con ella. La reina aprieta el paso. En el jardín se encuentra con Goffinet, que acude a su encuentro. El alivio de ver esa figura familiar y tranquilizadora es tal que se echa a temblar. Ella que se ha mantenido firme durante la tensa escena está a punto de derrumbarse, y Goffinet debe sostenerla. En un susurro, la reina le dice: «Goffinet, encárguese de ese hombre, que no esté presente cuando nos vayamos.» Goffinet estaba esperando esa orden. Con una satisfacción indescriptible, agarra al pequeño Bombelles, lo levanta como si fuera una brizna de paja y lo arrastra sin miramientos. En ese momento aparece el coche destinado a conducir a las dos soberanas a la estación. Hay que ir a buscar a Carlota, que por supuesto lo ha oído todo y debe de hallarse en un estado terrible.

Bolkens, intimidado, vacila. Una vez más, María Enriqueta encuentra el valor necesario para afrontar la situación. Con paso decidido, abre la puerta y entra en la habitación de Carlota. La estancia está escasamente iluminada por una sola lámpara de petróleo. Al principio, María Enriqueta no ve a la emperatriz, que está acurrucada en un rincón, inmóvil. Al oír ruido, levanta la cabeza y reconoce a su cuñada.

—Ah, eres tú, querida.

—Yo y el coche.

—Sí, he oído un coche. ¿Para quién es?

—Para nosotras. Ya te dije ayer que nos íbamos a Bélgica.

—¿Irnos? No, yo me quedo. Vete tú si quieres.

—Sin ti, no. Vamos, ven.

—No.

María Enriqueta se vuelve hacia Bolkens, que la ha seguido de puntillas.

—Deme su chal y su sombrero.

Bolkens obedece. María Enriqueta se acerca a Carlota e intenta ponérselos. Carlota se los arroja a la cara.

—No, yo no me voy.

—Eso lo veremos.

Esta vez, Carlota deja que su cuñada le ponga el sombrero e incluso se coge de su brazo; luego, con la otra mano se agarra a una pata de la mesa y finge que va a desvanecerse. María Enriqueta la sujeta por la cintura. Carlota, sin oponer ya resistencia, se deja llevar. Las dos mujeres montan en el coche. Durante el corto trayecto entre el Castelleto y la estación privada de Miramar, Carlota no para de hablar. Le cuenta a María Enriqueta cómo la encerraron en el Castelleto, recuerda todos los detalles del horrible día.

—Te lo suplico, María Enriqueta, no permitas que me separen de ti.

Al final de las tenebrosas alamedas está la minúscula estación brillantemente iluminada. La locomotora del tren especial desprende nubes de humo blanco. En el andén están alineados los miembros del séquito belga. Carlota, convertida de nuevo en una soberana de pleno derecho, le pide a María Enriqueta que se los presente. Los reconoce a todos —las damas de honor, el barón Goffinet— y le dirige a cada uno unas palabras amables, como si estuviera en visita oficial. María Enriqueta le ruega que suba al vagón. Carlota le sonríe afablemente.

—Pasa tú delante, María Enriqueta, aquí estás en mi casa.

Los belgas montan a su vez en el vagón y el tren se pone en marcha lentamente.

Esa misma mañana, mientras tenían lugar las sórdidas maniobras destinadas a impedir su marcha, Carlota había pedido dar un último paseo por el parque de Miramar. Se había detenido en el mirador, el lugar preferido de Maximiliano y donde éste había instalado un telescopio. Había dejado vagar largo rato la mirada por el mar y la lejana costa; luego, como si hubiera tenido una inspiración venida de muy lejos, había pronunciado claramente esta frase profética: «Lo esperaré durante sesenta años.»

13

Carlota es libre tras haber permanecido encerrada diez meses prácticamente en secreto. Nada más salir el tren de Miramar, se calma por completo. Se deja desvestir, pero le suplica a la reina María Enriqueta que haga poner su cama al lado de la de ella. Al día siguiente sigue igual de tranquila; come muy poco, pero charla por los codos. De pronto se da cuenta de que el tren se dirige hacia Viena y le entra miedo. María Enriqueta la tranquiliza. El tren se limitará a rodear la capital austriaca. «Ya sé que no vamos a Bélgica —replica Carlota—, sino a Hertzendorf.» Es un castillo situado cerca de Viena y de recuerdo siniestro para los Habsburgo. Allí se quemó viva una archiduquesa, y a otra la encerraron tras declararla loca. «Vamos a Hertzendorf. Allí es donde encierran a las archiduquesas enfermas», repite Carlota. A María Enriqueta le cuesta convencerla de que está equivocada.

Cuando Carlota se percata de su error, respira, y al cruzar la frontera belga su alivio es palpable. Mira con semblante alegre por la ventanilla los pueblos, los campos y a los campesinos, que dejan un momento su trabajo para ver pasar el tren.

Cerca de Bruselas, el tren atraviesa el bosque de Soignes y se detiene en la pequeña estación de Groenendael. Carlota se pone sola el sombrero, sin pedir ayuda a nadie, y baja, contenta y ágil. Unos coches de la corte esperan, y reconoce al cochero y a otro sirviente. El cortejo se pone en marcha.

De repente se pone frenética: «¡Van a matarme! ¡Por favor, no me dejes, no quiero separarme nunca de ti!» Abraza a María Enriqueta, la estrecha contra sí con fuerza, se echa a llorar. La reina consigue apaciguarla. Llegan al castillo de Tervueren, donde la familia real ha decidido instalar a Carlota. Al bajar, reconoce al mayordomo mayor de la corte y le dirige unas palabras amables. Siguiendo las instrucciones dadas por la reina a través del telégrafo, las damas de honor que la reciben han cambiado el luto que llevan por Maximiliano por vestidos claros. María Enriqueta acompaña a Carlota a sus aposentos. Al cabo de un momento se abre la puerta; es Leopoldo II. Carlota se arroja en sus brazos. El hermano no se queda mucho rato y deja que su mujer se ocupe de Carlota.

—María Enriqueta, ¿puedo quitar las llaves de las puertas?

—No, Carlota, pero te prometo que nadie te encerrará.

—Quédate conmigo, te lo suplico, duerme en mi habitación.

—No puedo, Carlota.

María Enriqueta logra escabullirse.

Después de cenar, cuando acompañan a la emperatriz a su habitación, ésta se niega a meterse en la cama. Se sienta en una silla, decidida a pasar allí la noche.

Goffinet se ha quedado con sus compañeros de viaje y escucha sus confidencias. Así se entera de que, en el tren, el doctor Bolkens ha intentado violar a la señorita Frisch, la doncella de Carlota. Ya la propia emperatriz había afirmado que el alienista se había comportado mal con ella y que no quería volver a verlo. Pero ¿quién hace caso a una persona que sufre manías persecutorias? Sin embargo, no es improbable que el médico perdiera por un momento la cabeza ante aquella hermosa mujer de veintisiete años, lo que no era el mejor tratamiento para curar a su paciente.

Carlota regresa, pues, al castillo de Tervueren, adonde de pequeña la había llevado su madre cuando contrajo la tos ferina. Reconoce perfectamente el gran edificio cuadrado, adornado con un frontón de columnas y erigido sobre una colina. La vista se pierde en la lejanía, a través de largas alamedas abiertas en el bosque. La casa, desocupada desde hace tiempo, no tiene muchos muebles y ofrece una comodidad limitada. Sin embargo, al surgir de improviso la necesidad de buscar un alojamiento para Carlota, se pensó que ese castillo tranquilo, en medio de un parque magnífico, sería muy adecuado.

Como la familia real quiere que Carlota sea tratada no sólo como un ser humano, sino como una soberana, le nombran una

Casa, dirigida por el indispensable Goffinet. Tiene cuarenta servidores a sus órdenes, y se observa estrictamente el protocolo.

A Carlota le encanta pasear por el vasto parque. En coche, rodea el estanque y se detiene en su lugar preferido, la capilla donde san Huberto tuvo la famosa aparición del ciervo que llevaba entre las astas una cruz de luz. Se dirige hacia las grandes hayas que dan sombra al santuario de ladrillo. Recorre las ruinas de lo que había sido el espléndido castillo de la infanta Isabel, la hija de Felipe II, que había gobernado los Países Bajos. Llega hasta los amplios establos del príncipe Carlos de Lorena, otro gobernante. Camina por el borde del agua, observando con placer los innumerables pájaros que revolotean por allí.

Según la opinión general, la locura de Carlota es leve. Delira de vez en cuando, pero con frecuencia demuestra inteligencia e incluso lucidez. Y siempre se muestra dócil y es fácil de dirigir.

Todos los que la ven —la familia real y los allegados— se declaran unánimemente horrorizados al descubrir el estado en que la ha dejado su encierro en Miramar. Sus testimonios concuerdan tristemente. «¡De qué entorno bárbaro e impío hubo que apartar a la pobre Carlota! —exclama la reina María Enriqueta—. No creo que haya en la historia un ejemplo de una joven tan abandonada como lo estaba la desdichada emperatriz.» «Mi hermana llegó en un estado espantoso —confiesa Leopoldo II—, no era más que piel y huesos. El tratamiento y el aislamiento de Miramar resultaron muy perjudiciales, mi pobre hermana vivía allí en una zozobra constante y abandonada por todos los suyos.» «¡Pobre emperatriz! ¡Qué ruina! —clama el ministro Jules Devaux—. Un fantasma lívido, delgado, sin frescor, belleza ni expresión, como una pobre criatura a la que hubieran pegado con saña.»

Lo cierto es que tal vez le han pegado con saña. Todos juran no volver a dejarla en manos de los austriacos y ocuparse de ella con todo el cariño, la ternura y los cuidados necesarios.

La más decidida es la reina María Enriqueta. La tragedia de Carlota le ha permitido descubrir su vocación, la de una enfermera con un gran corazón y la de una mujer de bien... Se ensalza unánimemente su paciencia unida a su firmeza, su delicadeza unida a su inteligencia en relación con la enferma, y finalmente su inmensa solicitud y su disponibilidad total. Se pasa el día en Tervueren. Lleva a Carlota del brazo cuando ésta remolonea y la conduce hasta el coche. La acompaña a su habitación cuando Carlota se niega a acostarse y la desnuda. La distrae mostrándole las ilustraciones de un libro o sentándola junto a ella ante el telar. La tranquiliza cuando los ruidos del pasillo la aterrorizan. La convence de que coma cuando Carlota teme ser envenenada. La acompaña a misa los domingos, día en que Carlota, para su sorpresa, aparece magníficamente vestida con un vestido azul y admirablemente peinada.

Algunas confidencias que se le escapan a la emperatriz la estremecen. Una noche en que ésta se pone terca, María Enriqueta consigue por fin acostarla y se sienta en el borde de la cama. «¡Qué cama tan cómoda! —exclama Carlota—. ¿Estás segura de que no vendrá nadie? Veo a alguien en la puerta. —Está temblando como una hoja—. Tengo mucho miedo. Dime, ¿van a venir para atarme los pies y las manos? —Rompe a llorar y se abraza a María Enriqueta—. Júrame que no vendrá nadie, que no me pasará nada, que no me atarán a la cama como hicieron un día allí.» María Enriqueta entrevé una vez más la horrible realidad de la estancia en el Castelleto. No se atreve a imaginar los malos tratos que ha sufrido su cuñada. Hierve de rabia contra sus torturadores, al tiempo que siente cada vez más ternura por la inocente que se aferra a ella.

No obstante, el estado de Carlota mejora día a día. El cambio de vida la transforma, recobra el color, la redondez de las mejillas y lo esencial: la calma. Los momentos de extravío se espacian progresivamente.

Se acerca el invierno, señalado por brumas procedentes del estanque, por una lluvia fina y que cala, por cierzos glaciales. María Enriqueta considera que Tervueren no es un lugar apropiado, dada la deficiente calefacción. Tranquilizada sobre el estado de Carlota, decide llevarla a su casa, a Laeken.

El 9 de octubre de 1867 Carlota ve de nuevo el castillo donde pasó su infancia. Es un gran edificio de fines del siglo XVIII, situado a la entrada de Bruselas y construido en medio de un parque muy verde y de terreno ondulado. Una cúpula y una columnata le confieren una elegancia un tanto fría. Napoleón se lo había regalado a Josefina. Más tarde, la familia real belga lo había convertido en su residencia favorita. Carlota se alegra de encontrar allí recuerdos, imágenes, testigos del pasado, como el perrito de su padre; reconoce a los mayordomos, los lacayos, las doncellas. María Enriqueta ha dispuesto que la instalen en el primer piso, en las antiguas habitaciones de sus hermanos, unas estancias cuya visión le causa evidente placer. La reina ha dirigido personalmente la decoración del saloncito y del comedor privado, antiguamente una sala de billar.

Carlota ha mejorado tanto que puede llevar una vida más o menos normal. Ahora la saca a pasear por el parque su hermano Leopoldo II. Interpretan piezas musicales en familia, pasean en trineo, van al lago a ver a los patinadores, cosa que divierte mucho a Carlota. Hacen excursiones a las Árdenas, al castillo de Ciergnon, antaño retiro inviolable de su padre, Leopoldo I, van de pícnic al bosque de La Cambre, comen en albergues campestres.

Carlota está totalmente integrada en la familia. Además de a Leopoldo y María Enriqueta, ve a menudo a Felipe y su mujer. Juega con sus sobrinos y sobrinas: el heredero, el pequeño Leopoldo, y sus hermanas, Luisa y Estefanía. La condesa de Bassompierre, a quien la reina ha nombrado dama de honor de Carlota, observa con curiosidad a esa mujer de la que habla toda Bélgica. Tiene los rasgos un tanto marchitos en comparación con las fotos antiguas, pero conserva una gran belleza, un talle y una flexibilidad de muchacha. Es muy cuidadosa de su persona y muy meticulosa en el aseo. Siempre lleva vestidos elegantes, y su preferido es uno confeccionado en tela gris y adornado con lazos de color amaranto. Cada vez que habla con Carlota, la dama de honor se queda impresionada por su inteligencia, la variedad de sus conocimientos, la exactitud de su memoria. Se acuerda de todo, habla de todo, opina sobre todo con un sorprendente rigor lógico. En ocasiones se la ve florecer, relajar sus facciones severas y abandonar esa expresión intensa para bromear y reír, hasta tal punto que la reina María Enriqueta se muestra confiada. «No sabría decir por qué, pero tengo puestas grandes esperanzas en la curación de esta hermana bienamada.»

México sigue siendo un tema tabú. No se habla nunca de él delante de Carlota. La dejan leer el periódico de Bruselas *L'Étoile Belge*, pero cuando publica un artículo sobre México no se lo dan. Carlota ha advertido la irregularidad de las entregas, que le ha sugerido un sobrenombre para el periódico: La Estrella Fugaz. Cada vez que pregunta por Maximiliano, le contestan, como en Miramar, que la guerra civil continúa y no tiene tiempo de escribir, pero que pronto, muy pronto, sabrán algo.

Sin embargo, ¿es posible continuar ocultándole la verdad? Benito Juárez ha aceptado entregar el cadáver de su enemigo a Austria. Una noche fue a ver al emperador mal embalsamado; luego cerraron el ataúd, que fue trasladado a Veracruz y embarcado en la *Novara*, la fragata que había llevado al joven archiduque a México. El barco está cruzando en ese preciso momento el Atlántico. Hay que cambiar de versión. La familia empieza por sugerir que, si no se han recibido noticias desde hace tanto tiempo, quizá sea porque ha sucedido alguna desgracia. Después deja que Carlota medite en esta hipótesis mientras busca a la persona idónea para anunciarle la muerte de su marido.

Se deciden por el antiguo abad Deschamps, su primer director espiritual, que se encargó de su educación religiosa y que más tarde se convirtió en arzobispo de Malinas. Lo convocan en Laeken. La reina María Enriqueta desaparece; va a rogarle a Dios que ayude a Carlota a aguantar el golpe que está a punto de recibir. El prelado, tras haberse hecho anunciar, entra en el saloncito de Carlota, que se arrodilla para besarle el anillo. Monseñor Deschamps la levanta y le coge la mano, como hacía cuando era una adolescente.

—Señora, tengo muy malas noticias. El emperador Maximiliano ha muerto. Los mejicanos lo han asesinado; lo han fusilado, igual que al emperador Iturbide.

—¿Es eso cierto?

—Sí, señora, es verdad.

Carlota rompe a llorar en silencio. Monseñor Deschamps le prodiga palabras de consuelo y hace llamar a la reina, que ha salido de su oratorio. María Enriqueta aparece, dispuesta como siempre a afrontar las situaciones difíciles. Carlota se arroja en sus brazos y continúa llorando, pero sin excesos, diciendo: «¡Ah, si pudiera hacer las paces con el cielo y confesarme!» María Enriqueta y el prelado se miran, sorprendidos, maravillados. Como en México, Carlota seguía fielmente el oficio dominical, pero el fondo de impiedad de su abuelo Luis Felipe sobrevivía en ella, que practicaba sobre todo para satisfacer las exigencias de su posición y del buen tono. Y he aquí que el cielo atendía las ardientes plegarias de María Enriqueta, a quien esa situación desesperaba. En la desgracia, Carlota recupera la fe.

Una doncella despierta a María Enriqueta en plena noche. Carlota no puede dormir y desea verla. María Enriqueta acude de inmediato. Carlota llora con gran sosiego sobre el hombro de su cuñada: «No tengo valor, María Enriqueta, prefiero no ir a confesarme.» María Enriqueta la estrecha contra su pecho, la abraza y le propone arrodillarse y rezar juntas.

A la mañana siguiente Carlota se confiesa; luego pide que le den todos los detalles sobre el fin de Maximiliano. María Enriqueta está convencida de que la muerte gloriosa de su marido consuela a Carlota. Le muestran los artículos publicados en la época, que describen con admiración su heroísmo sin escatimar detalles.

Como es natural, se ha puesto de riguroso luto. Se cubre de lana negra y crespón. Para redactar ella misma el recordatorio fúnebre de su marido, elige las citas de la Biblia que según el uso se imprimirán en él, y entre esas citas figura el Salmo 3: «La memoria del justo será eterna y no temerá las palabras malévolas de los hombres.» Curiosa cita, curiosa elección, pues en verdad nadie dijo nunca ninguna palabra malévola contra Maximiliano.

Parientes y amigos pueden por fin darle el pésame a Carlota. Recibe una carta particularmente conmovedora de la emperatriz Isabel de Austria. Carlota responde a todos digna y tristemente, en francés, en alemán, en inglés y en español. Le pide a Leopoldo II que conceda condecoraciones a los austriacos, los belgas y los franceses que sirvieron a Maximiliano con abnegación y lealtad. Se trata de una petición normal y sus argumentos no pueden ser más procedentes. Pero el estilo, más alambicado, difiere del utilizado en el resto de sus cartas, y los nombres que propone, aunque poco numerosos, sorprenden. Quisiera ver condecorado a Bombelles, su cruel carcelero de Miramar, y también a Loysel. El oficial francés con el que tal vez mantuvo un idilio platónico, reaparece por primera vez en su pensamiento justo después de enterarse de la muerte de Maximiliano.

Pese al luto, Carlota desea continuar dando sus paseos por la ciudad y quisiera llevar, sólo en palacio, algunas joyas que le gustan especialmente. La terrible escena, la profunda crisis, la desesperación ilimitada que todos esperaban no se han producido.

La *Novara* ha llegado a Trieste. Un tren especial traslada el féretro de Maximiliano a Viena. Llega cuando ya ha caído la noche, un día glacial de invierno. A pesar de la hora tardía y del frío, una gran multitud espera en las calles de la capital, pues los vieneses jamás han olvidado a su querido Max. Un cortejo interminable sigue a su féretro hasta el palacio. La nieve cae sin interrupción, amortiguando la luz de las antorchas y cubriendo a los vivos y al muerto con un manto blanco.

El féretro es depositado en la capilla de la Hofburg, completamente forrada de negro... por el viudo de Amalia Stöger, la camarista que se suicidó en Miramar, ya que ha sido nombrado tapicero de la corte. Una anciana con el pelo casi totalmente blanco, llorosa y descompuesta, velará a Maximiliano toda la noche: su madre, la archiduquesa Sofía. Al entrar en la capilla, se ha precipitado sobre el féretro para tratar de ver a su hijo a través de la pequeña ventana de cristal, pero el grotesco rostro de ojos negros del cadáver mal embalsamado la ha hecho retroceder de horror.

A la mañana siguiente tiene lugar el entierro solemne en la iglesia de los Capuchinos, el panteón de los Habsburgo. Bajan a Maximiliano a la cripta y lo ponen en el sepulcro al lado del duque de Reichstadt, el hijo de Napoleón, unido por un tierno vínculo a su madre, Sofía, y fallecido el día de su nacimiento.

Mientras en Viena entierran al emperador de México, en Bruselas se ocupan de la fortuna de su viuda. El valor total de los diferentes títulos depositados en Inglaterra, en Coutts, los fondos administrados por los Rothschild de París y de Viena, la parte de herencia del rey Leopoldo I, los bienes raíces indivisos con Leopoldo II y las joyas ascendía a once millones de francos, una cifra colosal para la época. La propia Carlota distaba mucho de desinteresarse de su peculio; en el peor momento de su encierro en Miramar le había pedido al administrador de los bienes de la familia real belga, el vizconde de Conway, que fuera a verla. Él había eludido el compromiso con un pretexto cualquiera. Posteriormente, en virtud del acuerdo con la Casa de Austria, Leopoldo II mantenía a su hermana, pero también administraba sus bienes. Y jamás había aceptado que una parte de la fortuna familiar, en forma de dote para Carlota, pasara a manos de los austriacos. Así es como se le ocurre formar, con todos los bienes de su familia, un fondo no enajenable del que saldrían las pensiones para garantizar el tren de vida de cada uno de sus miembros, pero del que no podría ir a parar al extranjero ni un céntimo en forma de dote. De esta forma preserva la fortuna real, pero pone la de Carlota a su exclusiva disposición. Semejante cúmulo de dinero le da alas. «Seré, si Dios me da vida y conservo mi posición actual, a la vez muy rico y creador de grandes cosas.»

Llega el verano. Las cartas de Carlota continúan pintando una vida apacible y agradable. Su hermano Felipe se ha mudado a una vivienda nueva, «un soberbio palacio rebosante de dorados». El parque de Laeken ha sido remodelado en un estilo mucho más moderno. En cuanto a los antiguos aposentos de Carlota, en la planta baja, se han convertido en los de su hermano Leopoldo II, así que es de allí de donde «se extraen las inspiraciones políticas». Ve a menudo a monseñor Deschamps. Hace tapices y lee muchísimo, aunque menos obras de historia que vidas de santos. Está muy descontenta de su perra. «*Iona* ha caído en desgracia; la he echado de mi habitación a causa de su mal olor, que iba en aumento y resultaba absolutamente insoportable.»

A estas descripciones tranquilizadoras se opone un parecer distinto, el de una de las personas que se cartean con Carlota, la condesa de Grunne. El estado de la enferma no se ha mantenido estable. Poco después del primer aniversario de la muerte de Maximiliano, en junio, ha amenazado con desencadenarse una crisis. El mes de julio ha sido mucho más tranquilo; Carlota ha recuperado la serenidad que tenía durante el invierno. No obstante, los caprichos y las manías se multiplican, hasta el punto de que la condesa de Grunne pierde la esperanza de ver a Carlota reanudar una vida normal. Parece que la mejoría sólo ha sido pasajera.

Por lo demás, Carlota no es la única enferma que hay en el palacio. En sus cartas habla repetidas veces de la salud deficiente de su sobrino, el pequeño Leopoldo, único hijo varón de Leopoldo II y la niña de sus ojos. Entonces tiene nueve años, y una afección de los pulmones le hace toser constantemente. Se cree que la contrajo como consecuencia de una caída en un estanque del parque. Aunque la enfermedad no se agrava, tampoco se cura. «El estado del pequeño es estacionario. Por mi parte, sigo confiando en su curación y no creo que la situación tenga que empeorar. Quiera Dios que esté en lo cierto.»

Pero, poco a poco, el heredero del trono comienza a debilitarse y hasta el opio deja de hacerle efecto. Aguanta unas semanas más; luego el fin se precipita y el 22 de enero de 1869 el niño muere. Bélgica se pone de luto, toda Bruselas sale a la calle para ver pasar el cortejo fúnebre. Julie Doyen, la fiel camarista de la reina María Enriqueta, a quien ésta confía a Carlota, quiere tomarse unas horas para unirse a los centenares de miles de belgas que están de luto. Carlota se lo prohíbe: «No hay que ir a ver cosas tan tristes.»

Pese a la inmensidad de su pena, la reina María Enriqueta encuentra consuelo en su profunda fe y su fortaleza de carácter no la abandona ni un instante. En cambio, Leopoldo II está destrozado, probablemente para siempre. Su hijo representaba para él el futuro y la esperanza. Basaba todos sus sueños y todos sus proyectos en él. Concebirá con María Enriqueta otro hijo, esperando que sea un varón. Será una niña, Clementina, la última. A continuación, Leopoldo II se alejará para siempre de su mujer. Ya de por sí poco comunicativo, se encerrará en la dureza y el cinismo, como si de esta forma levantara una muralla contra su desdicha.

Carlota, sumergida en una cotidianidad monótona, siente crecer en su interior una insatisfacción que se trasluce en una carta, por lo demás lúcida y clara, que le escribe a la condesa de Hulst: «Vivo al día en mi soledad, leyendo mucho, bordando, escribiendo y paseando por el parque. Me pedís que os recuerde en mis oraciones, mi buena condesa; los papeles están cambiados, pues soy yo quien me encomiendo a las vuestras con un sincero y filial ardor.» Esta serena melancolía que impregna la personalidad normal de Carlota contrasta con una singular exaltación que invade su personalidad perturbada. En la noche del 10 de diciembre de 1867, tiene un sueño que modificará sus convicciones. Su marido, Maximiliano, se le aparece para anunciarle que no ha muerto. Lo que se envió a Europa no era su cadáver, sino una figura de madera. Maximiliano sigue con vida. El luto de Carlota acaba.

En el transcurso del invierno de 1868-1869, la razón de Carlota se tambalea seriamente. No se trata tanto de accesos violentos como de ausencias, manías, discursos incoherentes, en resumen, de delirio. Como su salud física sigue siendo excelente y no le faltan cuidados y afecto, sus familiares se preguntan por la causa de este agravamiento. ¿Lo habrá provocado la muerte del pequeño Leopoldo? Carlota le tenía mucho cariño, pero no por ello perdió la serenidad. ¿O quizá el primer aniversario de la muerte de Maximiliano? No es probable, pues Carlota conservó el control de sí misma al anunciarle su ejecución. Tan sólo queda una hipótesis. Carlota sigue quejándose de que la envenenan. En lugar de drogas mejicanas, ahora le administran montones de medicamentos, calmantes y de otra clase. ¿Qué pócima le obligan a ingerir para calmar sus frecuentes dolores de estómago? «Me dan café con leche saturado de morfina —se queja—. Eso hace que se me hinchen las entrañas, me quede pálida, me salgan ojeras y se me ponga la lengua blanca. Si quieren ponerme delante de los ojos todos los platos con los venenos más fuertes, yo los examino, los conozco lo suficiente para no equivocarme, los huelo, los rechazo, estoy en mi derecho, pero hay que mantener la vida del cuerpo con algo que no sea morfina. Y yo sé por qué me la dan. Eso es lo que me molesta; no calma sino que embrutece, disminuye los latidos del corazón y, como consecuencia, el poder de la voluntad. Eso es lo que me ofende...»

A estas sensatas palabras se opone la crisis que dominó a Carlota de febrero a junio de 1869, de una forma inesperada aunque familiar en ella: la escritura. Desde su encierro en Miramar, el ritmo de su correspondencia ha disminuido considerablemente. Pero un día de invierno se sienta ante el escritorio, en el saloncito de sus dependencias del palacio de Laeken, empieza a escribir y no puede parar. Pasa así varios meses, durante los cuales llena miles de páginas. Su letra sigue siendo bonita y legible, pero empieza a cambiar: pierde las proporciones elegantes, se vuelve más prieta, empequeñece hasta convertirse en borrones. La regularidad de la correspondencia no indica ningún desorden mental. Hay montones de esas cartas de locura. Las últimas están arrugadas, y algunas rasgadas o manchadas. Han sufrido malos tratos, tal vez por parte de la propia Carlota, lo que dificulta su lectura.

La primera, fechada el 16 de febrero de 1869, va dirigida a Loysel. Carlota se ha enterado de que ha contraído matrimonio y, en agradecimiento por su dedicación, le ruega que acepte la pulsera que le envía para su mujer. Un detalle de lo más normal.

El 28 de febrero invita a Loysel a ir a verla a Bélgica con su esposa, a quien se sentiría muy dichosa de conocer.

El 3 de marzo le envía una estampa de Notre-Dame-des-Victoires.

El 14 de marzo da el salto. Al día siguiente, le anuncia a Loysel, tiene que ir a casa de una amiga en Bruselas, la señora Moreau. Le ruega que se encuentren allí para... que la lleve a París. Ha decidido huir. Loysel reservará billetes en el ferrocarril, así como habitaciones en el hotel del Louvre de París. «Llevaré tres napoleones encima, 180 francos, no tengo nada más a mano.»

En el transcurso de las semanas siguientes, el tema de la huida aparece de nuevo para permanecer, aunque sea de una manera implícita, siempre presente. Le envía a Loysel un plano del castillo con las salidas y los puestos de guardia, enumera los centinelas, detalla el modo de penetrar en el parque y el camino que le sugiere para llegar hasta ella. Loysel no tarda en dejar de ser su único cómplice. Van der Smissen, el antiguo jefe de la Legión de voluntarios belgas, a veces es incluido, aunque ocupando una posición secundaria: transmite mensajes y es enviado por delante para tantear el terreno. Carlota lo mantiene a distancia, y en una o dos ocasiones incluso manifiesta hacia él cierto desprecio.

El 24 de marzo hace aparición otro tema: los sueños, descritos con una belleza y una poesía sorprendentes, y tal vez también con una percepción a la que los mentalmente sanos no tienen acceso. «Si hace un momento he pronunciado la palabra sueño, no es en su acepción vulgar, sino en la de ensueño que es una luz que se hace sobre el porvenir mientras se duerme, que la razón sanciona y del que el alma recibe un inefable éxtasis. Yo he tenido dos, uno sobre mi bienamado esposo el emperador el pasado 10 de diciembre, y me hizo recuperar las ganas de vivir; el otro ayer, sobre vos, y me ha devuelto la esperanza...»

A veces, los desconocidos caminos de la locura no se encuentran muy lejos de las vías misteriosas de la revelación. Al igual que los místicos, Carlota tiene sus interlocutores invisibles, pues menciona «voces misteriosas con las que se me muestra todo».

Una larga misiva inaugura la serie de divagaciones histórico-político-religiosas. Sus vastos conocimientos bíblicos, históricos y genealógicos explican que Carlota mezcle la Trinidad, los Napoleón, los reyes franceses antepasados suyos y Jesucristo. En este batiburrillo se repiten varias nociones: Maximiliano es el Mesías, es Jesús. «Estabais al pie de la cruz, fuisteis a México, y el apóstol Judas estaba en Querétaro...» Para Carlota sólo existe Francia, sus antepasados franceses, el actual emperador de Francia y su obsesión por Napoleón I. Curiosamente, la lucidez política no la pierde. A principios de 1869, Carlota percibe claramente el peligro que representa Prusia para el Imperio francés. Enumera con gran exactitud las debilidades del reinado de Napoleón III, a quien escribe varias veces. No tiene más que un objetivo: defender a Francia de la amenaza que siente que pesa sobre ella. Solicita ser nombrada general de división para poder combatir. En su carta del 1 de abril declara que es el hijo de Napoleón III.

Obsesionada por su proyecto de defender Francia espada en mano, se vuelve tan meticulosa como un viejo general. Llena página tras página con detalles sobre uniformes, condecoraciones, honores, jerarquías y nombramientos. El ejército es un conjunto de soldados de plomo con los que juega indefinidamente.

El 5 de abril de 1869 olvida por un instante a Loysel para dirigirse a su hermano pequeño: «Mi buen Felipe: Pronto hará veinticuatro horas que no me alimento. Esta tarde he dado un largo paseo, pero no puedo comer nada porque me hace toser y sufrir dolores durante horas. Es casi como en Roma. ¿Quieres ser tú el Papa y alojarme en tu casa por esta noche? No te causaré ningún trastorno y dormiré en cualquier sitio. Aquí estoy tosiendo de la mañana a la noche. Si al leer estas líneas decides venir a buscarme, yo estaré esperándote hasta las nueve. Tu tierna hermana, Carlota.»

Ninguna de estas cartas es enviada a sus destinatarios. Sus allegados las guardan y se las muestran a los alienistas. La carta a Felipe, en especial, hace temer que repita las terribles escenas de Roma. No puede seguir en Laeken con la familia real. Así pues, regresa al castillo de Tervueren, de nuevo habitable porque el invierno está finalizando y ya se anuncia la primavera.

Este traslado no hace que mejoren los sentimientos de Carlota hacia su familia. Varios días antes, en una de sus cartas a Loysel, ya estaba preocupada por su fortuna, de la que «mi hermano se ha erigido en depositario». Sabe que tiene mucho dinero y no tiene ni idea de qué uso se está haciendo de él. Se queja «de esta tutela, continuación obligada de las violencias que he sufrido».

Se aparta de Bélgica: «Aquí sólo tengo, tras haber sido conducida traicioneramente, bajeza, vergüenza, dolor y humillación.» De hecho, los malos tratos que sufre datan, según ella, del 11 de octubre de 1866, es decir, el día que se marchó de Roma, cuando Felipe la llevó a Miramar. Desde entonces se considera víctima, prisionera de sus hermanos. Ni siquiera la generosa María Enriqueta escapa a su venganza: «Te invito a matarte conmigo —le escribe—, pues quiero salir de la cautividad a la que me has condenado injustamente.»

Nada más llegar a Tervueren, su delirio se intensifica. Al principio es sobre todo su obsesión por Loysel, el destinatario de la inmensa mayoría de las cartas: «Que Dios os bendiga, os ilumine, os fortalezca, os guíe... Ya os veo aparecer como el rayo de sol.»

Simultáneamente, las divagaciones bíblicas se multiplican: «Entonces se oirá esa voz diciéndonos al emperador y a mí, reunidos en ese instante: "He aquí mi hijo bienamado, en quien tengo puestas todas mis esperanzas." Esa voz sería la de Napoleón III, vuestro padre y el mío...» Carlota introduce a Loysel en su misticismo: «Hoy he descubierto que vos sois el segundo Mesías. Que el emperador Maximiliano, vos y yo formamos la Trinidad de los Mesías.» A ello se suma la confusión de los sexos: «Sois vos quien debéis desposaros con el emperador Maximiliano, no yo.»

El 12 de abril aparece el tema de la muerte deseada: «Si no queréis retirarme de este antro de infamia y de dolor, disparadme al pecho apuntando bien. Sería el último acto de amor que pediría de la Francia que amo.»

Los recuerdos precisos abundan. Rememora la escena en que Loysel hace un informe negativo de su misión en Francia y Maximiliano lo acusa de traición: «En el mismo instante capté esa palabra en el aire, la pulvericé, respondí de vos tan abiertamente como de mí misma, y después de que yo la hubiera apartado de vuestra cabeza, esa palabra fue a caer sobre la de López. Esa palabra rotunda fue la que convirtió a López en un traidor... Ese día salvé vuestro futuro, tuve conciencia de ello y lo vi en vuestros ojos. Más tarde os salvé la vida, pero aquel día os había salvado el honor.»

El 16 de abril de 1869 marca un nuevo ascenso en el delirio: «Podríais venir con las dos espadas que tanto deseo. Yo paseo de seis y media a siete y media de la tarde por el parque. Me encontraríais con una dama y un lacayo, pero iríamos a batirnos con nuestras espadas al lugar que vos escogierais.» El mismo día, como le ocurre con frecuencia, le escribe otra carta a Loysel: «Clavaremos y volveremos a clavar las espadas el uno en el otro lo más profundamente posible para que se impregnen bien, pues deben estar rojas hasta la guarnición.»

Unos días más tarde toma una decisión: «A partir de hoy ya no firmaré como Carlota, sino como Carlos, y podéis llamarme simplemente así. Yo también os llamaré simplemente Loysel. Todos los demás deben llamarme asimismo Carlos... En lo que se refiere a mi persona, no debéis creer que vais a encontrarme como en México. Ya hay en gran parte un hombre en mí.»

Luego, abandonando la idea del duelo, que se revela imposible, propone otra solución: «Puesto que creo que ha sido el emperador Napoleón el que os ha prohibido batiros en duelo, lo mejor que podríamos hacer sería encontrarnos de la misma forma y azotarnos mutuamente con mucha fuerza.» Ante esta perspectiva, se embala: «Vos venís con dos grandes fustas del mismo tamaño. Os quitáis los pantalones y yo os azoto con una de ellas. A continuación, os ponéis de nuevo la ropa, yo me quito las enaguas y el pantalón, me ato la camisa por encima de la cintura y vos me pegáis diez minutos, igual que he hecho yo.»

Unidos por la sangre en esta tortura recíproca, a Carlota y Loysel sólo les resta casarse. «Ante el cielo y la tierra, os elijo por esposo.» ¿Quién se casa con Loysel, Carlota o Carlos? Ninguno de los dos. Quien se casa con Loysel es Loysel. Porque al día siguiente, por primera vez, firma con ese nombre una carta que empieza con las palabras «querido Loysel».

A continuación se encadena una retahíla de citas en las que Carlota prevé largas sesiones de desnudarse y azotarse violentamente, cuyo desarrollo detalla y cada una de las cuales hace crecer sus sentimientos por él: «Creo haber hecho saber que el amor que manifiesto es hasta la muerte, y que es tan grande como el vuestro por mí, y sé muy bien que tanto en vos como en mí se da en grado superlativo.»

«Quede claro que nos azotaremos directamente sobre la piel... Primero yo me quitaré delante de vos todas mis prendas de mujer, me quedaré desnuda ante vos...»

El 12 de mayo decide por primera vez autocastigarse: «Hoy, Loysel, me he azotado tan fuerte que una hora después aún tenía los muslos rojos... he azotado un poco más de la cuenta, en vuestro nombre y en el mío...»

Al parecer ha encontrado su camino, porque confirma: «Me azoto como los caballos, más fuerte incluso, en los muslos desnudos, me gusta en grado sumo, es un verdadero goce que he descubierto... me entran unas ganas locas de ser azotada. Me quito el pantalón y lo meto en un armario, me tiendo sobre el canapé boca abajo, con el trasero al descubierto y lo más abombado posible, cojo la fusta con la mano derecha y azoto hasta que salen ampollas.»

Su majestad imperial, la princesa Carlota de Bélgica, emperatriz de México, se despierta a las ocho. Tras desayunar, se viste y se peina, ayudada por sus camaristas. Abren de par en par la puerta de su dormitorio y ella entra en su salón. Sus damas de honor se levantan y le hacen una profunda reverencia. A cada una de ellas, le dirige unas palabras cordiales; luego, acompañada de una u otra, sale a la escalinata, ante la que la espera su coche. Cocheros y otros sirvientes se inclinan respetuosamente y la ayudan a montar. Va a pasear por el parque. Por el camino, charla de esto y aquello. A petición suya, el coche se detiene; ella baja y va caminando hasta el borde del agua para mirar los cisnes. Tal vez hasta coge algunas flores silvestres. De regreso en el castillo, deja a su séquito y se encierra sola en su gabinete. Retratos y fotos de familia cubren las paredes tapizadas de damasco y las ligeras mesas; jarrones con flores y objetos preciosos se amontonan sobre las cómodas.

Carlota se sienta en una silla dorada ante su escritorio taraceado, toma una hoja de papel de carta con su monograma impreso, moja la pluma en el tintero de piedra dorada y, con su letra regular e inclinada, comienza a llenar páginas enteras de delirios sadomasoquistas. Acaba de transformarse en «Carlos Loysel, primer coronel de estado mayor».

En la última semana de mayo, delirio y pasión se acentúan simultáneamente: «Bienamado y encantador Loysel», así comienza ahora sus cartas. De pronto recuerda que le está escribiendo a un hombre casado. «Propongo que matemos a todos los animales, empezando por la señora Loysel...»

Las últimas cartas son reveladoras. «Quiero que aquí ya no se me dé el tratamiento de Majestad, sino simplemente el de "usted". Me resultará difícil debido a la costumbre.» Ha renunciado a todo, no quiere nada que le recuerde su pasado real e imperial.

De repente, las cartas se interrumpen. Sigue una serie de notas muy breves y sin sentido, dirigidas a otro personaje, el general Douay, asistente de Bazaine en México, por quien Maximiliano y ella sentían un aprecio especial. En las cartas a Loysel, su obsesión seguía una dirección precisa. Ahora, sus caprichos tiran de ella en todas direcciones. «General Douay, hotel Mangele, calle Royale, Bruselas. El diablo ha sido visto aquí con cola de ardilla...» «Espada de Bélgica, Van der Smissen, pues a través de él tendré la de mi hermano...» «Propongo que Judas me venda a san Pedro para salvar a la Iglesia y los papeles de la Casa de Croy, que estuvieron a punto de ser engullidos por el diluvio cuando la paloma llevaba el olivo.»

¿Cómo ha recordado Carlota, en medio de su incoherencia, que la ilustre Casa de los príncipes de Croy poseía un cuadro del Renacimiento que representaba el diluvio universal, y en el cual un cuervo llevaba una burbuja con las siguientes palabras escritas en letras góticas: «Salvad los archivos de la Casa de Croy»? Como tantos grandes personajes, había visto ese cuadro, pero el misterio de la locura quiere que esa imagen reaparezca en ese momento concreto. Y la divagación dirigida al general Douay prosigue: «He estado embarazada nueve meses de la redención del diablo, nueve meses de la Iglesia, y ahora estoy embarazada del ejército. Hacedme dar a luz en octubre.» Y finalmente esta nota, nada disparatada por cierto: «Yo, pluma del mundo, pues no hago sino escribir.»

Son los últimos escritos. Salvo unas cuantas notas garabateadas a lápiz pidiendo una u otra cosa, no volverá a expresarse por escrito. La erupción de locura ha terminado, pero cuán reveladora ha sido, cuántos secretos y misterios ha evocado a lo largo de esas cartas.

«El matrimonio que contraje me dejó tal como estaba —le escribió a Loysel el 5 de mayo de 1868—. Jamás le negué hijos al emperador Maximiliano... Mi matrimonio fue consumado en apariencia, el emperador me lo hizo creer, pero no lo fue, y no por mi causa, pues siempre le obedecí, sino porque es imposible o no hubiera seguido siendo lo que soy», es decir, virgen.

Esos cuatro meses de expresión epistolar exacerbada han agotado a Carlota, que ya no tiene nada que revelar de lo que rebosa de su consciente y su inconsciente. Una vez liberada, no puede sino replegarse en sí misma, sin defensa contra la locura en la que caerá irremediablemente.

Los miembros de su entorno la observan con inquietud y, enfrentados a esa enfermedad que despierta en ellos un gran terror a la vez que una piedad inconmensurable, se esfuerzan en ayudarla: las damas elegidas por la reina María Enriqueta, Moreau, convertida en amiga íntima de Carlota, Muzer, De la Fontaine, Mockel, los alienistas, los funcionarios que administran el castillo... Sin olvidar a los más humildes, los más importantes, los más abnegados: las doncellas, que se relevan para estar las veinticuatro horas del día al servicio de Carlota. Las encabeza Julie Doyen, la más fiel de todas, que sirvió durante mucho tiempo a la reina María Enriqueta antes de que ésta se la asignara a su cuñada. Y finalmente el barón Goffinet, jefe de la Casa de la emperatriz, que no reside en Tervueren porque tiene otras responsabilidades, reúne bajo su mando a esas personas, arbitra sus disputas y toma las decisiones importantes. La opinión de todos es unánime: las puertas de la esperanza se han cerrado, la emperatriz no se curará nunca. Para colmo, su salud nunca ha sido mejor y está resplandeciente, mucho más que antes de su locura.

Los austriacos, que no ceden, envían a Bruselas a una espía ante la que todas las puertas se abren. Se trata de la tía de Carlota, la princesa Clementina de Orleáns, casada con un príncipe de Sajonia-Coburgo, que vive en Viena y es súbdita de Francisco José. Esta dama, lengua viperina e intrigante reputada, en cuanto llega a Bruselas exige ver a su sobrina. María Enriqueta no puede negarse, pero en una larga carta a Goffinet enumera las precauciones que hay que tomar. Sabe perfectamente que «tía Clementina» es hostil a la familia real belga, a la que acusa, como los Habsburgo, de secuestrar cruelmente a Carlota. Es posible que le proponga a ésta llevarla a Austria. María Enriqueta recomienda decir lo menos posible, ya que tía Clementina posee una peligrosa curiosidad y sabe desatar admirablemente las lenguas. Casi desea que durante la visita de tía Clementina Carlota sufra un ataque, lo que le demostraría en qué estado se encuentra: «El rey dice que, si pudiera producirse una escena delante de ella, sería una inmensa suerte, y todavía más si la tía pudiera recibir una tunda de nuestra augusta hermana.» Para gran pesar de María Enriqueta, no hay ni escena ni, sobre todo, tunda, y la visita transcurre sin incidentes.

La que demuestra siempre la misma solicitud y el mismo afecto es María Enriqueta. No sólo la reina hace frecuentes visitas a su cuñada, sino que se mantiene informada a diario de su estado. Se entera, por ejemplo, de que Carlota, por puro capricho, ya no quiere que la peinen y la vistan sus doncellas; exige lacayos. ¡Qué terrible escándalo! ¡Unos hombres metiéndola en la cama! Pero, dicen los alienistas, si se oponen a su deseo, la emperatriz no querrá acostarse, se pasará toda la noche dando vueltas por el castillo en camisa y descalza, exponiéndose a pillar una inflamación de pulmones. Y si la meten en la cama a la fuerza, se arriesgan a provocarle una congestión cerebral, tal vez «un fin apresurado». «Se trata de la hija de un rey, la hermana de un rey y una reina.» Así pues, concluyen los alienistas, démosle los lacayos puesto que se obstina en ello.

Durante estos años Europa es presa de terribles convulsiones. En España, la reina Isabel II ha sido derrocada por el general Prim, el mismo que estaba al mando de la escuadra española enviada a México poco antes de la llegada de Maximiliano y que había redactado el informe más lúcido y más pesimista sobre las posibilidades de este último. La sustitución de la reina destronada provoca una crisis general. Tal como presentía Carlota en sus cartas de locura, Francia corre un gran peligro, pues la candidatura de un príncipe alemán provoca la guerra franco-prusiana. Francia es derrotada, el imperio, destruido, los prusianos hacen prisionero a Napoleón III y Eugenia huye. París no tarda en caer en manos de la Comuna. En el transcurso de estas refriegas, una patrulla de partidarios de la Comuna armados topa con un burgués asustado:

—¿Quién eres?

—Soy suizo. Me llamo Jecker.

Veinte años antes, ese banquero había emitido los bonos que cubrían el préstamo a México y, al involucrar a los franceses en el asunto, había provocado su intervención en dicho país. Uno de ellos lo sabe: «Tú eres el responsable de todo lo malo que ha ocurrido.» Jecker es empujado contra una pared y fusilado.

Tras ser liberado, Napoleón III se reúne con Eugenia, exiliada en Inglaterra, pero al poco muere. Sólo queda su único hijo, el príncipe imperial e ídolo de su madre, al que Carlota había conocido de pequeño. Unos años más tarde morirá, víctima de las azagayas de los zulúes del sur de África. Napoleón III y Eugenia atrajeron involuntariamente la desgracia hacia Maximiliano y Carlota, y ahora la desgracia se abate sobre ellos.

La caída del Segundo Imperio devolvía a los Orleáns a Francia, recuperando su fortuna y con la esperanza de ver restablecida la monarquía. En medio de estas convulsiones, no olvidan a su sobrina Carlota y se interesan con frecuencia por su estado. En noviembre de 1870, Leopoldo II les confiesa que Carlota ya no quiere hablar con nadie, no deja entrar a nadie en sus aposentos, se lava, se hace la cama y limpia su habitación completamente sola. Hay que dejarle delante de la puerta las cosas que puede necesitar.

Padece «cierta indisposición, un malestar» que agrava su estado de ánimo. Los médicos prescriben crémor tártaro, que es preciso mezclar con cuidado con la mermelada a fin de que Carlota no lo detecte, pues podría volver a sospechar que intentan envenenarla. Durante los violentos ataques que sufre, las fantasías expresadas en sus cartas a Loysel se realizan en parte. Pelea con los alienistas y con los sirvientes, haciendo gala de una fuerza insospechada: «He recibido bastante a menudo patadas y puñetazos de la emperatriz —confiesa uno de ellos—, la he sujetado con la suficiente frecuencia para haber podido apreciar su fuerza y no temerla, pero de lo que tengo miedo es de ponerla furiosa; eso repercute en su cerebro y se traduce en una disminución de la inteligencia, disminución que tiene tendencia a acentuarse.»

Una mañana retiran, entre las cenizas de la estufa del salón, dos adornos del escritorio destrozados, uno de bronce y malaquita, y el otro de bronce dorado con granates y turquesas engastados, así como un marco que contenía una miniatura de Maximiliano. En un arrebato de cólera, Carlota los ha roto.

A medida que se suceden los ataques, el pesimismo de todos aumenta. Marie Moreau, la dama de honor preferida de Carlota, está convencida de que la triste enfermedad no sólo no remitirá, sino que «proseguirá su curso hacia un desenlace fatal». Con todo, se observan ciertos progresos. «Su Majestad no se abandona tanto y recobra ese pudor que tan doloroso resultaba verla violar.» Si bien las noches las pasa generalmente bien, pese a insomnios poblados de discursos incoherentes y de gritos, Carlota aprovecha la oscuridad para entregarse a «actos como mínimo inoportunos», y el alienista insiste en que es preciso atajar a toda costa «esas manifestaciones mórbidas para que no degeneren en hábito, esencialmente perjudicial para la salud de la augusta enferma».

Pese a lo inevitable de la locura, se ha tomado la decisión de renunciar a determinadas precauciones adoptadas al principio. Habían instalado en Tervueren una celda acolchada donde encerrar a la enferma en caso de que sufriera un ataque demasiado violento. Marie Moreau tiene la alegría de anunciar a la reina María Enriqueta que ese odioso instrumento va a ser desmontado. Se siente tan feliz que le pide a la reina autorización para utilizar la crin de las paredes, con la que hará colchones para los pobres.

Así transcurren diez años. Carlota fue trasladada a Tervueren en la primavera de 1869 y estamos a fines del invierno de 1879. Tiene treinta y nueve años. La mujer cuya vida se seguía en otros tiempos día a día, ahora ve deshilacharse los años en la apagada rutina de un ritmo de vida puntuado tan sólo por pequeños acontecimientos repetitivos e irremediablemente previsibles.

14

El 5 de marzo de 1879, la doncella de Marie Moreau se despierta temprano. Apenas son las cinco; fuera, todavía es noche cerrada. Se acerca a la ventana y, maquinalmente, mira en dirección a los aposentos de su señora. De una ventana de la planta baja sale humo. Inmediatamente da la voz de alarma. La noche anterior, las lavanderas se quedaron hasta tarde y al marcharse se dejaron encendida la estufa, que se ha pasado toda la noche ardiendo contra un grueso madero. El incendio se ha declarado justo debajo de las dependencias de Carlota. Despiertan a la señora Moreau, que se pone un impermeable encima del camisón y va corriendo a los aposentos de Carlota. El saloncito ya está lleno de humo. Despierta a la emperatriz, que se niega a moverse. «Señora, por favor, venid.» La emperatriz ve el humo al otro lado de la puerta. «Eso no debería estar, eso no debería estar», repite. La señora Moreau trata de convencer a Carlota de que es preciso salir. Quiere vestirla, pero la ropa que dejó Carlota en el vestidor por la noche ya se ha quemado y no hay tiempo de buscar otra cosa. Una de las camaristas corre a la habitación contigua a buscar su propia ropa y se la ponen casi a la fuerza a Carlota. El alienista, el doctor Hart, y la señora Moreau la ayudan a bajar la escalera. El doctor se la confía a una de las damas de servicio, la señorita Muzer: «Llévela al pueblo, a mi casa.»

La señorita Muzer conduce a Carlota medio vestida, con pantuflas, a través del parque. Hace frío, pero afortunadamente ni hay bruma ni llueve. El pueblo está a media hora como mínimo de camino andando. Todos los lugareños, alertados, están en pie. La señorita Muzer lleva a la emperatriz a la pequeña casa del doctor, junto a la vieja muralla, pero Carlota no quiere perderse el espectáculo. Sale a la calle y se acerca a la puerta medieval. No se ve nada, pues los altos árboles ocultan el castillo. «Han sofocado el incendio —declara—. Volvamos al castillo.» Y no hay más remedio que obedecerle.

La señorita Muzer la lleva de vuelta, pero en el recodo de la alameda las dos mujeres se dan cuenta de que se han equivocado. No sólo el incendio no ha sido sofocado, sino que se ha extendido a todo el castillo.

De pronto llega al galope un coche pequeño enganchado a un solo poni. La reina María Enriqueta, alertada por el barón Goffinet, ha montado en el primer vehículo que ha encontrado, acompañada simplemente de un lacayo, para acudir en auxilio de su cuñada. «No puedes quedarte aquí, Carlota, ven conmigo.» Carlota se deja hacer, pero antes de subir al coche vuelve la cabeza y contempla largamente el castillo asolado por el fuego. «Es grave, es grave, pero es hermoso», dice varias veces. En ese momento, todo el tejado cae en la inmensa hoguera y unas llamas enormes suben hacia el cielo. Carlota retrocede. «Vámonos», dice con voz trémula. Como en el pequeño coche no caben tres personas, el lacayo baja y María Enriqueta se hace cargo de las riendas.

Temiendo que durante el trayecto Carlota caiga del ligero coche, con la excusa de protegerla del frío, la enrolla en un chal y ata éste a la estructura de hierro. Y la reina de los belgas y la emperatriz de México parten solas al amanecer hacia Laeken. Una vez allí, Carlota se niega a descansar. Sale de inmediato a pasear por el parque y, admirando unos árboles, una estatua o una vista, murmura: «Sí, esto está muy bien, aquí recuperamos algunos recuerdos.»

Por la mañana sólo quedan de Tervueren los cuatro muros ennegrecidos. El castillo ha sido arrasado. A lo largo del día llegan a Laeken los miembros de la Casa de Carlota para instalarse allí. La familia real permanece prudentemente en el palacio real de Bruselas.

El hecho de ver de nuevo los lugares habituales de su infancia basta para mejorar sensiblemente el estado de Carlota. Pasea por el parque y lee cada vez más. Se muestra activa, hace hilas para curar las heridas y la señorita Muzer le enseña piano. Lejos de huir de la gente, la busca. El cambio más espectacular es que acepta comer junto con sus damas y sus médicos, cosa que siempre se había negado a hacer en Tervueren. Está encantada porque sus sobrinas, las hijas del rey Leopoldo, van a jugar al parque. A la última en especial, la pequeña Clementina, la encuentra de una gran belleza, hasta el punto de que le pone el sobrenombre de Joya.

De todas formas, el incendio de Tervueren ha marcado a Carlota, hasta el extremo de que Marie Moreau señala que cuando rezan juntas el Padre Nuestro, al llegar a la frase «mas líbranos del mal», Carlota dice «mas líbranos del fuego».

No obstante, estos sensibles progresos no permiten a la incurable permanecer en la residencia de la familia real. No tardan en encontrar, cerca de Laeken, el castillo de Bouchout, que precisamente está en venta. Leopoldo II se apresura a comprárselo al conde de Beaufort, y compra también la propiedad contigua de Meysse, que le vende otro aristócrata.

El 5 de abril de 1879, tras haber pasado cerca de un mes en Laeken, un cortejo de coches de la corte lleva a Carlota y a los miembros de su Casa al castillo de Bouchout, donde residirá en lo sucesivo. En su origen, el castillo de Bouchout era una imponente fortaleza medieval, parte de la cual fue desmantelada. Restaurada y habilitada en el siglo XIX, había perdido su aspecto rudo para adoptar el de «castillo de la Bella Durmiente del bosque»... que es lo que era exactamente Carlota. Unas grandes torres rodeaban un patio arenoso donde, al llegar la primavera, se alineaban laureles y palmeras. El castillo, en su origen construcción de defensa convertida en hábitat favorito de los pájaros más diversos, parecía descansar sobre las aguas de un estanque. Por la parte de la entrada, unos prados salpicados de árboles seculares subían hacia las bonitas dependencias y, pasadas éstas, hacia los invernaderos. Por la otra se extendía un parque de estilo inglés, con alamedas sinuosas que se abrían entre bosquecillos. Paseando, uno encontraba puentes sobre riachuelos, vistas inesperadas del castillo y espesuras acogedoras. Situado en las afueras de Bruselas, el dominio de Bouchout se presentaba como un enclave fuera del tiempo, un lugar encantado del que nadie desearía salir... siempre y cuando no estuviese encerrado dentro.

En los años 1830, los anteriores propietarios habían decorado totalmente el interior en un estilo trovador-neogótico. Había, pues, un exceso de ojivas, escudos, divisas, ajimeces y armaduras, junto con restos auténticos de la Edad Media repartidos por todo el recinto. De esta decoración tan característica ya no queda en la actualidad prácticamente nada, aunque sí lo suficiente para observar un detalle curioso. Los sucesivos propietarios de Bouchout, sin excepción, dejaron su marca en forma de emblemas heráldicos que se repiten indefinidamente. Pero ni un monograma, ni una corona imperial, ni un escudo de armas recuerdan a Maximiliano o Carlota. Su presencia no dejó el menor rastro... aparte de su fantasma omnipresente.

El lugar, aunque impregnado del personaje trágico de la emperatriz de México, no tiene nada de siniestro. Al contrario, desprende una atmósfera acogedora y cálida, como si Carlota hubiera querido que el visitante de hoy se sintiese a gusto en su morada.

Antes de instalar a Carlota, la reina María Enriqueta y Goffinet habían hecho varias visitas para revisar todos los detalles y comprobar que todo estuviese en orden. Querían que Carlota viviese con toda comodidad y, sobre todo, que se tomaran todas las precauciones para evitar un incendio como el que había destruido el castillo de Tervueren. Goffinet había redactado numerosos informes sobre el estado de las chimeneas, la calefacción y los posibles peligros del fuego, así como sobre las obras que había que efectuar para evitarlos.

La existencia de Carlota sigue la misma regularidad que en Tervueren. Levantarse y acostarse pronto; el horario establecido por los alienistas es escrupulosamente respetado. Las distracciones son siempre las mismas: lectura, confección de tapices, piano y paseos. «El lunes —cuenta una dama de honor—, lluvia torrencial; imposible salir. Su majestad se demora un poco en el aseo. Se disgusta porque se lo decimos. Después de comer, su majestad mira unos grabados con el coronel mientras yo canto. Arreglamos los cestos de flores y su majestad se interesa por lo que hacemos. Está encantada de tener plantas nuevas en las jardineras. Largo paseo después de cenar, estado de ánimo bueno y tranquilo...»

En esta monotonía, la menor novedad se convierte en un acontecimiento prodigioso. Un día, por ejemplo, llevan a Bouchout un gramófono y ponen un disco. Carlota, muda de asombro, se acerca y examina detenidamente el aparato. Observa al mayordomo que acciona la manivela. Cuando el disco se para, exclama: «¡Más, más!» A partir de entonces quiere oír el gramófono todos los días. Cuando se pone nerviosa, basta con que lo pongan en marcha para que inmediatamente una sonrisa relaje sus facciones.

Asimismo, la limpieza anual del castillo, para la cual llevan el *vacuum cleaner*, antepasado del aspirador, constituye un espectáculo fascinante, hasta que Carlota se impacienta por la lentitud de los obreros: «Creo que ya está bien», les espeta.

A Carlota sigue gustándole todo lo que es hermoso y refinado. Quiere la mejor calidad y la consigue. Sus vestidos están elegantemente confeccionados en seda de colores claros y su ropa interior lleva los encajes más finos. Aprecia los objetos bellos, los muebles taraceados, los cortinajes de brocado, demostrando así que es heredera de grandes mecenas.

Como rompe un número considerable de platos, tienen la idea luminosa de sustituir la porcelana ribeteada en oro y con el monograma imperial por platos blancos corrientes. El día que Carlota, al sentarse a la mesa, ve el nuevo servicio, su sangre real se le hiela en las venas: «No queremos platos blancos», declara arrojando el objeto contra la pared.

Pues, aunque pasa largos periodos tranquilos, Carlota sufre crisis en las que se pone violenta y rompe libros, rasga con los dientes sus enaguas y otras prendas y hace añicos todo lo que cae en sus manos. Un día, está tocando el piano y se detiene para destrozar la partitura, tras lo cual termina de ejecutar la pieza sin cometer ningún error. Con el paso del tiempo, Marie Moreau, su fiel dama de honor, advierte con tristeza «una tendencia a la maldad que fermenta a la menor ocasión».

Con frecuencia, en la mesa, los comensales son golpeados, abofeteados o arañados por la emperatriz, que también se agrede a sí misma golpeándose la cabeza o arrancándose mechones de cabello. Luego se calma, se apodera del cucharón de plata sumergido en la sopera, lo coge entre sus brazos y lo acuna como si fuera un bebé.

El tiempo no hace mella en Bouchout, ni tampoco los acontecimientos exteriores, que parecen pertenecer a otro planeta. ¿Cómo van a enterarse allí de que en México el cura de un pueblo, no lejos de la ciudad de Zacatecas, muere en 1888? Se llama padre Fischer. Tras haber escapado «milagrosamente» de la represión antimonárquica, ese extraño religioso, ese peligroso aventurero que tanto había contribuido a empujar a Maximiliano hacia su fin trágico, regresó a Europa. Se le había visto en París, como preceptor en una gran familia mejicana exiliada. Luego desapareció y acabó sus días humildemente.

Poco después, otro de los actores principales del fin trágico de Maximiliano muere también: el coronel López. El calificativo de traidor lo ha perseguido toda su vida. Los mejicanos más juaristas y republicanos eran los que más le reprochaban a López haber traicionado al emperador. Por más que se había justificado, nadie le había creído. Por más que el general Escobedo, que gracias a él había podido apresar a Maximiliano, había revelado que López actuó siguiendo las órdenes precisas del emperador, cuando López entraba en un café, todos los clientes salían. Si iba al teatro, los que estaban sentados a su lado se levantaban. No habían admitido a sus hijos en ningún colegio. Un día, una perrita a la que le tenía un gran cariño, le mordió. El animal tenía la rabia, y López murió, víctima del ser al que más amaba...

Éloin, el fiel Éloin, encarcelado por los juaristas tras la ejecución de su señor y al poco tiempo liberado, había regresado a Europa y, curiosamente, se había apresurado a retar en duelo a Van der Smissen, que también había vuelto al hogar belga. El duelo se había celebrado sin causar grandes daños. Van der Smissen prosiguió su carrera militar en Bélgica hasta que se retiró con el grado de teniente general. Cinco años después, inexplicablemente, se suicidó. Un mes más tarde, su hermano, con el que vivía desde hacía años, lo imitó disparándose un tiro en la cabeza.

Benito Juárez también saldría bien librado. A pesar de que su fin estuvo rodeado de sospechas de envenenamiento, parece ser que murió de muerte natural, justo a tiempo para evitar ser derrocado por su antiguo general Porfirio Díaz. Este último, que tanto había contribuido a ofrecerle el país en una bandeja de plata a Juárez, continuó su azarosa carrera de conspiraciones, golpes de Estado abortados y exilios. Aunque muy sinuosa y sembrada de todo tipo de altibajos, esa trayectoria lo llevó al poder. Se hizo con él en 1876 y ya no lo soltó.

Mucha más resonancia tendría la muerte, en 1889, del heredero del Imperio austrohúngaro, el archiduque Rodolfo, sobrino de Maximiliano y casado con una sobrina de Carlota, Estefanía de Bélgica, una de las hijas de Leopoldo II. Su muerte sigue siendo un episodio trágico y misterioso: encontraron su cadáver y el de su última amante, María Vetsera, en el pabellón de caza de Mayerling. El secreto impenetrable que envolvió este final, abrió el camino a las teorías más variadas y extravagantes. En su testamento, el archiduque le encargaba al hombre en quien tenía más confianza que destruyera sus papeles íntimos y, en consecuencia, los más reveladores. El elegido no era otro que Bombelles, el antiguo amigo de la infancia de Maximiliano y el carcelero de Carlota.

Después de que le hubieran retirado la custodia de Carlota debido a su incapacidad y crueldad, después de que hubiera demostrado con creces a los belgas su indignidad, el emperador Francisco José había nombrado a Bombelles preceptor de su único hijo y heredero, que entonces tenía diecinueve años. Los resultados no se habían hecho esperar. Bombelles había iniciado al joven en el libertinaje y el desenfreno, o al menos lo había empujado. Los padres de Rodolfo, pese a haber cobrado aversión por él, lo habían mantenido en el puesto. Incluso había llegado a ser mayordomo mayor de la corte del archiduque. Él había recibido a Rodolfo y Estefanía en el castillo de Laxenburg cuando fueron allí a pasar la noche de bodas, que resultaría desastrosa. Él era el único que conocía el secreto de la relación de Rodolfo con María Vetsera y, por lo tanto, que poseía la clave del enigma de Mayerling.

En recompensa por su papel más que dudoso en esta tragedia, fue nombrado almirante. ¿Cómo se explica que con semejante currículum no hiciera sino ascender en la escala de los honores? La pregunta que se había planteado en Miramar surgía de nuevo: ¿por qué Francisco José no se atrevía a tocar a Bombelles?

Seis meses después de la tragedia de Mayerling, Bombelles murió de un ataque al corazón durante una orgía, en compañía de dos rameras. En el testamento legaba su fortuna a una de ellas.

Un día de finales del siglo, Leopoldo II y María Enriqueta llevan a su hija Estefanía, viuda del archiduque Rodolfo, a visitar a Carlota. No ha visto desde hace años a su tía, que en su infancia la impresionaba profundamente por su belleza y elegancia. Un coche la conduce con sus padres de Laeken a Bouchout. Al llegar, encuentran a los miembros de la Casa de la emperatriz alineados en el patio para saludarlos. Las damas de honor llevan a los visitantes al primer piso, a las dependencias de Carlota, donde ésta los espera. A Estefanía le sorprende su aspecto. Aunque está increíblemente pálida, sigue siendo hermosísima. Ha conservado la finura y la perfección de sus rasgos, marcados por una expresión de dulce melancolía mezclada con una autoridad innata.

Estefanía se precipita para besarle la mano; Carlota la levanta, la besa y le expresa su alegría por volver a verla. Se sientan en el saloncito y Carlota empieza a hablar... un flujo de palabras ininterrumpidas, de frases incoherentes. De repente se vuelve hacia Estefanía y posa sobre ella sus grandes ojos oscuros e impregnados de toda la tristeza del mundo: «Acabas de venir de Austria, hija mía, ¿cómo está el emperador?» Sin esperar respuesta, se levanta, coge delicadamente a Estefanía de la mano y la lleva hasta un retrato de cuerpo entero de Maximiliano. Carlota le hace a la imagen una profunda reverencia y dice: «Al otro lo mataron.» Estefanía tiene lágrimas en los ojos.

Para alejar los recuerdos dolorosos, la reina María Enriqueta intenta cambiar de tema. «Carlota, por favor, ¿quieres tocar algo para nosotros? Nos gustaría muchísimo escucharte al piano.» Carlota la complace y su sobrina se queda maravillada por la perfección de su ejecución. La música y la pintura han sido siempre las ocupaciones favoritas de la emperatriz.

Tras el interludio, Carlota lleva a los visitantes a la capilla del castillo, situada en la planta baja. Es una cavidad practicada bajo una de las torres, en el gran salón. Finas ojivas góticas se agrupan bajo una clave de arco ornamentada. El estilo trovador también ha dejado aquí, en las paredes y las columnas, colores vivos. Un reclinatorio espera a Carlota, que se arrodilla sobre él y empieza a rezar, rodeada de los suyos.

Estefanía se llevará un recuerdo imborrable de esa mujer bella y trágica, de esa tía que le inspira un miedo innato, el que todo el mundo experimenta ante el misterio que rodea a los locos.

Con el paso del tiempo, los informes de los alienistas se reducen a las mismas palabras: «Todo va bien. El año ha sido excelente», repiten. «Dirigido a su majestad la reina» o «A su majestad el rey». Sin embargo, los portadores de estos títulos cambian. La muerte golpea primero a la reina María Enriqueta, que en agosto de 1902 se extingue sumida en la melancolía y la soledad, acompañada únicamente por Goffinet. Luego desaparece Felipe, y finalmente Leopoldo II. Entonces las «majestades» mencionadas en los sobres de los informes son Alberto I y la reina Isabel, sobrina de la emperatriz de Austria, de la que lleva el nombre.

La muerte de Leopoldo II provocó una reacción de indignación en sus hijas y herederas, pues ellas contaban con la gigantesca fortuna paterna, a la que se sumaba la de Carlota, fusionada con la de su hermano. Sin embargo, desde hacía decenios el anciano rey hacía grandes inversiones en el proyecto que más le interesaba: el Congo. Colaboradores honrados habían prevenido tiempo atrás a María Enriqueta: «Señora, el rey está arruinándose. Ninguna fortuna resistiría lo que su majestad hace... El rey está arruinándose, arruinándose por completo.» La reina, a quien el rey no hacía caso alguno, no pudo evitarlo. África siguió engullendo millones.

Por eso el testamento de Leopoldo II horrorizó a sus herederas: «Heredé de mi madre y de mi padre quince millones, y los dejo para que sean repartidos entre mis hijos.» ¡Quince millones, una minucia en comparación con los bienes que supuestamente tenía! El difunto añadía esta frase misteriosa: «Debido a mi posición y a la confianza de determinadas personas, en determinadas épocas pasaron grandes sumas a mis manos sin pertenecerme...» ¿Se refería a los sesenta millones de la fortuna de Carlota, que él había doblado? En cualquier caso, sus propios millones habían desaparecido, y sus hijas, pese a sus esfuerzos, no encontraron ni rastro. En cuanto a los de Carlota, nadie oyó hablar jamás de ellos, y menos aún sus sobrinas.

A Carlota se le ha ocultado el fallecimiento de sus familiares a fin de no trastornarla. Sin embargo, pese a que nunca pregunta por sus parientes, ella lo sabe todo. Nada más empezar a reinar el joven rey Alberto I, un día exclama: «¡Y pensar que tengo un sobrino todavía muy joven y que ya ocupa un trono y lo llaman "rey".» Poco después, justo el día que no le llevan los periódicos que mencionan la muerte de la viuda de Felipe, la condesa de Flandes, Carlota pronuncia esta frase: «Yo también moriré, *miserere mei dei*.»

México no ha desaparecido de sus pensamientos. Pero su México es Maximiliano, es el pasado. Ella no sabe que Porfirio Díaz se ha revestido con los ropajes de su marido para convertirse en emperador de México —sin el nombre—, combinando la ruda sagacidad de Juárez con el esplendor de Maximiliano. En treinta años, el dominio de don Porfirio sobre el país no ha disminuido ni un ápice, y poco a poco el antiguo campesino mestizo se ha puesto uniformes cada vez más bordados, se ha rodeado con su mujer, la soberbia doña Carmelita, de una corte cada vez más numerosa, para finalmente instalarse en Chapultepec, el castillo de Maximiliano y Carlota. Sin embargo, se le acusa de oprimir a los pobres en beneficio de los ricos, y Diego Rivera y Siquieros, pintores izquierdistas de los años treinta, contarán en decenas de metros cuadrados de frescos las atrocidades de su reinado. Al final es derrocado en 1911. Al orden tiránico sucede el desorden sangriento, del que emergen Pancho Villa, Zapata y otros bandidos que el cine convertirá en héroes. Paradójicamente, Porfirio Díaz se había negado a darles a los norteamericanos la concesión del petróleo mejicano, pero éstos la obtienen gracias a la anarquía que le sucede.

En Bouchout, la fiesta del Santísimo Sacramento altera el ritmo cotidiano. Se decide que la procesión pase por dentro del parque para que Carlota asista a ella. La experiencia empieza mal. Cuando el cura deposita el Santísimo Sacramento en la capilla abierta en el gran salón, Carlota se dirige a la escalera y sube corriendo a sus aposentos. El alienista logra convencerla para que baje otra vez. De repente Carlota se pone a mirar con calma y atención cómo desfila el cortejo y parece interesada en el espectáculo. Estamos en junio de 1914.

Dos meses más tarde estalla la guerra. Los alemanes invaden Bélgica. El desdichado y valeroso país, pese a oponer una resistencia heroica, no puede seguir luchando contra el torrente de hierro y fuego. La familia real se retira, aunque sin abandonar el territorio belga; se instala en un rincón perdido, en La Panne, del que los alemanes no conseguirán apoderarse. El rugido de la guerra llega a Bouchout. Hay que afrontar las requisas, organizar un dispensario en dependencias alejadas y, sobre todo, tomar medidas de seguridad contra los merodeadores que infestan la región.

Primera disposición: mantener a Carlota al margen de los acontecimientos, no hablar de ellos en su presencia y suprimirle definitivamente los periódicos. Como por casualidad, la emperatriz se muestra afable y jovial, su salud es excelente y duerme de maravilla. Pero en varias ocasiones la oyen mascullar la palabra «guerra». Más adelante hace esta declaración: «Se ve todo rojo.» Y pronuncia una frase todavía más explícita: «La frontera está negra, muy negra, no deben devolver a los prisioneros.» Como de costumbre, lo percibe todo a pesar de las precauciones.

A fines de agosto de 1914, la guerra está a las puertas de Bouchout. Se libran batallas alrededor del castillo. Por todas partes hay soldados alemanes sembrando el terror, los heridos son innumerables. Los temibles ulanos llegan a la verja, en dirección al castillo parten disparos que silban en los oídos del gobernador. Éste decide llevar a Carlota, con sus damas y el personal, a los sótanos del castillo. Permanecen allí dos horas. Afortunadamente, la tormenta se aleja y la cena puede desarrollarse como de costumbre, pero se oye claramente a lo lejos el rugido de los cañones. Entretanto, los ulanos han destruido los aparatos telegráficos y telefónicos, aunque no han penetrado en el castillo porque el gobernador ha ordenado izar la bandera austriaca. Carlota sigue siendo la viuda de un archiduque, un hermano del emperador, aliado del káiser.

Las frases que se le escapan demuestran que Carlota sabe perfectamente a qué atenerse sobre la situación. Sin embargo, continúa mostrándose del mismo humor. Sus damas de honor, sus médicos y el personal consiguen ocultar la angustia por los suyos y la desesperación por su patria que los atenazan. A veces el peligro se acerca. Las tropas alemanas invaden el castillo de Meysse, vecino del de Bouchout, donde viven el gobernador y algunos miembros de su Casa. Siguen respetando Bouchout, pero ¿por cuánto tiempo? «Los acontecimientos no parecen ejercer ninguna influencia en la emperatriz.» Eso quisieran creer los que la rodean, pero ¿cómo explicar esta observación sorprendentemente profética que se le escapa a Carlota: «Será una catástrofe final, señor, que no se producirá de golpe sino poco a poco»?

Mientras en la Bélgica ocupada se estabiliza la situación, los alemanes se dignan tener presente que en Bouchout reside un miembro de la familia imperial austriaca. Proponen enviar desde Bruselas una guardia de honor. Educada pero firmemente, el gobernador de Bouchout rechaza el ofrecimiento.

Los ocupantes indeseables se transforman en turistas visitantes. Un día encuentran en el patio a un ulano que no sabe muy bien qué hace allí. Otro día se presentan ante la verja el duque y la duquesa de Ratibor con su cuñada, la princesa Oettingen, para tratar de ver de lejos a ese objeto de curiosidad en que se ha convertido Carlota... Carlota, que ignora que el emperador Francisco José ha enviado un tren especial a Miramar para vaciar por completo el castillo y llevar su contenido a Viena. Muebles, objetos, cuadros y libros, además de los papeles; los archivos serán engullidos por los archivos imperiales, tras haber sido debidamente expurgados.

El siglo XX traía innovaciones que la guerra se encargaba de volver destructivas. Así fue como Carlota descubrió los aviones. Unos aparatos alemanes que sobrevolaban Bouchout soltaron no pocos obuses sobre el parque, lo que impresionó profundamente a la emperatriz. Un día que estaba llamando a una de sus damas de honor y ésta tardaba en acudir, Carlota, enfadada, exclamó: «¡Pues que venga en avión!»

Un amanecer de octubre de 1917, una ejecución capital se prepara en los fosos de Vincennes. Julio Sedano y Leguizano nació cincuenta años antes en México. Sin posición y sin dinero, se traslada a Francia, donde un mejicano riquísimo lo mantiene. Se casa, monta su propio negocio y más tarde se arruina. La miseria lo conduce a ofrecer sus servicios al mejor postor. El espionaje alemán lo contrata, pues conoce París a fondo y se relaciona con gente influyente. Durante dos años, entrega importantes secretos militares franceses al enemigo, pero el contraespionaje acaba por descubrir el secreto de su escritura invisible. La censura intercepta sus cartas y las descifra. Cuando se dispone a enviar otra misiva llena de información, es detenido en la oficina de correos. Pese a la energía con que lleva su defensa, es condenado a muerte. Rechaza la silla que le ofrecen y asiste de pie a la lectura de su sentencia. También rechaza la venda para los ojos y muere mirando al pelotón... con el mismo valor que su padre. Porque el espía dice ser hijo de Concepción, la «india bonita» de El Olvido, la «amante» de Maximiliano en Cuernavaca. Durante toda su vida, Julio afirmará ser hijo ilegítimo del emperador de México y hará valer su parecido con éste.

El fin de la Primera Guerra Mundial ha pasado inadvertido en el castillo. Al igual que la desaparición del Imperio austriaco y el exilio de los Habsburgo, arruinados y perseguidos. Trieste es italiana; Miramar ha pasado a la corona de Italia.

El rey Alberto y la reina Isabel, que han hecho una entrada triunfal en su capital liberada, pueden por fin ir a ver a su tía Carlota. Al limpiar el parque de las secuelas de la guerra, aparecen proyectiles alemanes del tipo más peligroso, los que contienen gas asfixiante, que por suerte no estallaron.

Sin embargo, las convulsiones consecutivas al término del conflicto se encadenan. Al igual que el Imperio austriaco, el ruso se ha desmoronado. Los bolcheviques se han hecho con el poder y han instaurado un régimen de terror inaudito. Imitando a sus predecesores los emperadores, a los que han asesinado, se niegan a renunciar a Polonia, en otros tiempos posesión rusa y destinada por los vencedores a ser por fin independiente. Tienen a ese desdichado país entre sus garras ensangrentadas. Sus antiguos aliados no tardan en reaccionar. Francia envía tropas, Varsovia es tomada con rapidez, y el resto de Polonia, liberada. El mundo se entera entonces del nombre del rayo guerrero francés: Maxime Weygand.

De pronto, los periodistas empiezan a interesarse por él. Su pasado excita su curiosidad. Weygand nació el 21 de enero de 1867 en Bruselas, de padre y, sobre todo, madre desconocidos, lo que es rarísimo. Ahondando en el personaje, se descubre que sus estudios fueron pagados por un abogado belga que actuaba como mandatario de un misterioso personaje. Además, Weygand cuenta con protecciones ocultas. Siguiendo la pista, los periodistas llegan a la corte de Bélgica. Las hipótesis se multiplican. Tal vez Weygand tenga un origen ilustre. ¿Por qué no podría ser un hijo ilegítimo de Leopoldo II, que engendró toda una serie durante su largo reinado? Que sea hijo bastardo del rey de Bélgica lo explica todo: el nacimiento misterioso, las protecciones, el vínculo con Bélgica. En otoño de 1920, la prensa belga publica por primera vez el rumor sobre el origen augusto de Maxime Weygand.

Pero los periodistas no se detienen ahí, hay algo en su hipótesis que no les satisface del todo. ¿No habría otro miembro de la familia real belga que encajara en el papel de padre... o de madre de Weygand? Tan sólo uno: la emperatriz de México, nacida princesa Carlota de Bélgica. Weygand nació a fines de enero de 1867, de modo que fue concebido en mayo de 1866. En aquella época, Carlota vivía prácticamente separada de Maximiliano. Él retozaba con las indias de Cuernavaca; ella permanecía encerrada y casi sola en el palacio de México. Era la época en que desaparecía durante horas en el lago Chalco. Y esas excursiones no las hacía sola. Destrozada por la indiferencia de Maximiliano y desanimada por la situación desesperada del imperio, ¿se dejaría llevar y habría salido embarazada de ese momento de abandono? Las prendas amplias podían disimular perfectamente el volumen de su vientre. Y aquel persistente mareo durante la travesía hacia Europa, ¿no era un indicio? En cuanto a su locura, el terror al escándalo podría haberla provocado. Su inexplicable internamiento en Miramar habría sido impuesto por la necesidad de que diera a luz en el secreto más absoluto. Supuestamente Weygand nació en Bruselas, pero no se tiene ninguna prueba. El niño debió de nacer en el Castelleto y ser llevado inmediatamente al extranjero por unos fieles encargados de hacer desaparecer el cuerpo del delito.

Pero, si Carlota era la madre, ¿quién sería el padre? Se examinan todos los documentos referentes al reinado de Maximiliano y Carlota. Un periodista da con una foto de Van der Smissen, el comandante de la Legión belga, y la compara con una foto de Weygand. El parecido es alucinante. Los dos van de uniforme y resulta imposible saber quién es el padre y quién el hijo. Weygand, por su parte, tendrá la honradez de reconocer durante toda su vida que no sabe absolutamente nada de sus padres: «Mi nacimiento sigue siendo un misterio para mí», repetirá hasta la saciedad. Sin embargo, la hipótesis que lo convierte en hijo de Carlota se extiende y Weygand no hace nada para desmentirla. Tal vez se siente halagado.

Ilustres personajes creyeron esa teoría, entre otros el general De Gaulle, que detestaba a Weygand y en algún momento hizo alusión a ello. El increíble parecido entre Weygand y Van der Smissen constituye un indicio, pero no una prueba suficiente, y suponiendo que Van der Smissen fuera el padre de Weygand, eso no significa que Carlota fuese su madre. Lo que es indiscutible es que el nacimiento del general Weygand se halla rodeado de un gran misterio y que, de una u otra forma, la corte de Bélgica está involucrada en él.

Las cartas y los diarios íntimos de la familia real de Bélgica y de los miembros más cercanos de su círculo no contienen la menor alusión a un posible embarazo de Carlota. La teoría de su envenenamiento aparece justo después de las primeras manifestaciones de locura. La que la convierte en madre de Weygand no ve la luz hasta 1920-1921. Maximiliano y Carlota, una pareja particularmente destacada, una pareja trágica, una pareja sin hijos, atraían sobre ellos la curiosidad y abrían el camino a todo tipo de suposiciones.

Aunque Carlota haya cumplido los ochenta años, sus crisis siguen siendo violentas. Para combatirlas le ponen unas inyecciones de aceite alcanforado que le hacen muchísimo daño. «¡Retiradlas, retiradlas, intentaré aguantar, intentaré aguantar!», dice la infeliz. La crisis pasa y las inyecciones también, pero no el recuerdo de éstas. A la hora de la tortura diaria, Carlota continúa gritando: «¡Retiradlas, retiradlas!»

En esos momentos de lucidez, la emperatriz es consciente de su locura. Una noche en que se resiste a sentarse a la mesa, una dama de honor intenta convencerla y ella dice: «No hagáis caso, señor, si desvarío.» Ese «señor» al que se dirige es ella misma. Y sin embargo, Carlota acepta su locura, pues es su refugio, su verdadera vida, es la escapatoria a las decepciones, a las insatisfacciones, a las amarguras de la realidad, para entrar en un mundo suyo donde todo es satisfacción. «La emperatriz no ha amado a nadie», le había dicho la señora Kuhacsevich a la reina María Enriqueta, poniendo en esa afirmación toda su maldad y todo su odio hacia Carlota. La verdad es todo lo contrario: nadie supo amar a Carlota. La locura le permitió inventar el amor en la persona de Loysel y la maternidad en el cucharón de plata que toma por un bebé y acuna, paseando alrededor de la mesa del comedor de Bouchout. En la locura había encontrado lo que una mujer más busca en el mundo: un amante y un hijo.

La locura no deja espacio para Dios. El retorno a la religión tras recibir la noticia de la muerte de Maximiliano no dura. Desde hace meses, se niega a asistir a misa. Un domingo como tantos otros que la convencen de que vaya a la planta baja para asistir al oficio, se entretiene a fin de retrasar el momento detestado.

—Majestad, hay que darse prisa porque el señor cura está esperándonos.

—Si el señor cura tiene prisa, que suba aquí —replica ella secamente.

No obstante, el problema le preocupa, puesto que la oyen decir: «Estáis muy extraviada, Carlota, pues habéis perdido de vista que Dios es eterno.»

Hace ya más de cincuenta años que Carlota es prisionera de su locura, que el peso de los años alivia cada vez menos. Quiere creer que ya no le queda mucho tiempo, está tan llena de esperanza que anuncia. «Señor, la muerte se acerca.» Pero la infeliz se equivoca, ya que la muerte, que se lleva a todos y todas los que la rodean, le concede una supervivencia excepcional. Está condenada a vivir, sepultada en la soledad de su locura.

Su familia continúa visitándola. Ella sigue prefiriendo a su sobrina Clementina, que se ha convertido en una mujer soberbia y se ha casado con el heredero de los Bonaparte, el príncipe Napoleón. El rey Alberto y la reina Isabel le llevan a sus hijos, el futuro Leopoldo III, el príncipe Carlos y María José, destinada a convertirse un día en reina de Italia. Pese a la amable acogida de Carlota, que sigue reconociéndolos, permanecen apiñados en una esquina, intimidados, sobre todo cuando ella coge un pulverizador y se pone a rociar cuidadosamente las flores de la alfombra del salón.

Les hace participar en una curiosa liturgia que quizá recrea su partida hacia México. Lleva a los niños al borde del estanque que rodea el castillo. Un rito consiste en meter un pie en el agua y luego sacarlo. A continuación, hace montar a los niños en la barca con ella, coge los remos, y el esquife se aleja de la orilla. Los padres la dejan hacer, aunque no sin cierta inquietud, ya que apostan en la orilla del estanque a unos guardias preparados para saltar al agua a la menor señal de alarma. «¿Por qué hay tantos soldados?», pregunta Carlota, extrañada.

Para los visitantes, la emperatriz loca se ha convertido en un monumento histórico. Ella ha sobrevivido a todo, a las convulsiones de su vida y a las inauditas convulsiones que han sacudido al mundo. Nació durante el reinado de Luis Felipe y llega a los años treinta. Sí, estamos a fines de 1925. Carlota apenas come. Se encierra cada vez más, tranquila pero sombría, ya no sonríe. «Esto no es nada deseable», observa su dama de honor. Los periodos de silencio se alargan. «Su Majestad sólo desea una cosa: que la dejen en paz», pero la muerte sigue haciendo caso omiso de ella. Carlota se lamenta: «Sí, señor, soy vieja, soy tonta, estoy loca.»

Esta resignación dócil, en vez de alegrar a los que la rodean, debería inquietarlos, pues significa que Carlota renuncia a la vida. Muy cerca del momento supremo, recuerda su prodigioso pasado, del que emerge, más grandioso que en la realidad, Maximiliano: «Por el esposo se siente una pena eterna. Se siente por él un cariño eterno. Él está... en la Historia.»

A fines de 1926, una especie de parálisis de las piernas que la obliga a permanecer en cama la priva de sus queridos paseos. Se recupera, pero mal. «La emperatriz no recobra sus fuerzas, los progresos son lentos. Su Majestad se limita a dar de vez en cuando unos pasos por sus aposentos, pero para mantenerse en pie es preciso que la sostengan.» Diagnostican un debilitamiento general y una infección pulmonar. En realidad, se deja morir. «Todo esto ha acabado y no tendrá salida.» Éste es su adiós, tan enigmático y claro a la vez.

El 19 de enero de 1927, a las siete de la mañana, exhala el último suspiro. La predicción que hizo al marcharse de Miramar se revela exacta. Ha tenido que esperar sesenta años para reunirse con Maximiliano, sesenta años de locura.

Inmediatamente después de su muerte, el castillo de Bouchout, hasta entonces fortaleza impenetrable, se abre de par en par para permitir a la población de los alrededores desfilar ante su lecho de muerte. Tocada con un gorro de encaje, Carlota sujeta un rosario entre las manos cruzadas, apaciblemente apoyadas sobre la sábana. Su rostro, prácticamente sin arrugas, conserva una finura admirable y una osamenta perfecta. De un brazo le cuelga su pulsera-fetiche, una cadena de oro con unos medallones que llevan piedras engastadas. En el interior de cada uno de ellos están pintados, en miniatura, los ojos de las personas a las que ha amado: sus padres, su abuela María Amelia, sus hermanos y Maximiliano.

El entierro solemne tiene lugar tres días más tarde. En el momento en que el coche fúnebre, precedido por jinetes de la guardia y rodeado de granaderos, sale del castillo, se desata una tormenta de nieve. El pesado carruaje, coronado por inmensos penachos de plumas negras y tirado por seis caballos negros, se aleja a través de los tupidos copos, dejando huellas en la alfombra inmaculada.

FUENTES

Existen buenas biografías de la emperatriz Carlota. La mejor, con mucho, es la de la condesa de Reinach Foussemagne, publicada en vida de Carlota y que contiene numerosas cartas inéditas e importantes. Son de obligada lectura las biografías del conde Corti, de Mia Kerckvoorde, de André Castelot y de Joan Haslip. Finalmente, Laurence van Ypersele ha realizado un notable trabajo analizando y publicando parte de las cartas escritas por Carlota durante su locura. Luis Weckmann también ha publicado otra parte de su correspondencia, traducida al español. Es indispensable leer asimismo el *Maximiliano íntimo* de José Luis Blasio, su ayuda de cámara.

Los participantes en la expedición a México, la mayoría de ellos militares, publicaron abundantes recuerdos que, sin contener datos esenciales sobre la pareja Maximiliano-Carlota, recrean la atmósfera de la época.

Pero, sobre todo, he tenido la suerte de poder acceder a unos archivos en su inmensa mayoría inéditos y de una importancia capital. Ante todo, los de la Universidad de Texas, en Austen, que albergan más de trescientas cartas de la correspondencia entre Maximiliano y Carlota, llegadas allí no se sabe cómo. Los archivos reales de Bélgica, depositados en el palacio real, contienen en particular el fondo Goffinet, que recientemente ha empezado a ser explorado.

Finalmente, algunos miembros de la familia real conservan documentos esenciales. De estas últimas fuentes he citado numerosos fragmentos: cartas de Carlota a su padre y a sus hermanos, relatos de la reina María Enriqueta, notas del barón Goffinet y cartas escritas por Carlota en el periodo de su locura.

AGRADECIMIENTOS

Deseo expresar mi más profundo agradecimiento a todos aquellos que me han ayudado a realizar esta obra. Sin ellos no hubiera podido llevarla a buen término.

A Albert y Paola, tía Liliane, Esmeralda, Ella, Micky, Margherita y Crista, Isabelle L. y su hermana Birky e Isabelle W.

A Olivier Nouvel, Sébastien, la señora de Crépy, Olivier O., Gilles, Alexandra B., Francisco, Thérèse-Marie y Patrick.

Al señor Gustav Janssens, director de los archivos reales, M. P. Borremans, del Jardín Nacional de Bélgica, Joseph Cahoon, de la Universidad de Texas en Austen, Thierry de Neuville, la doctora Rosella Fabiani, el barón Stackelberg y el doctor Guérin.

A Guillermo Tovar de Teresa, Feodora de Rosethweig-Diaz, Margarita Chávez, Mercedes Iturbe, Patricia Perez Walters, Lizandra Salazar, señor y señora Conde, Juan Urquiga y Olivia Ávila.

Y por supuesto, a Marina.